Tempo de Mudanças

CB135302

LISA JEWELL

TEMPO DE MUDANÇAS

Tradução:
Shirley Gomes

Novo Conceito

Copyright © Lisa Jewell 2011
Copyright © 2014 Editora Novo Conceito
Todos os direitos reservados.

Esta é uma obra de ficção. Nomes, personagens, lugares e acontecimentos descritos são produto da imaginação do autor. Qualquer semelhança com nomes, datas e acontecimentos reais é mera coincidência.

1ª Impressão — 2014

Produção Editorial:
Equipe Novo Conceito
Impressão e Acabamento RR Donnelley 031213

Este livro segue as regras da Nova Ortografia da Língua Portuguesa.

Dados Internacionais de Catalogação na Publicação (CIP)
(Câmara Brasileira do Livro, SP, Brasil)

Jewell, Lisa
Tempo de mudanças; Lisa Jewell; tradução Shirley Gomes.
-- Ribeirão Preto, SP : Novo Conceito Editora, 2014.
Título original: The making of us.
ISBN 978-85-8163-285-8
1. Ficção inglesa I. Título.
13-10544 CDD-823

Índices para catálogo sistemático:
1. Ficção : Literatura inglesa 823

Novo Conceito

Rua Dr. Hugo Fortes, 1885 – Parque Industrial Lagoinha
14095-260 – Ribeirão Preto – SP
www.grupoeditorialnovoconceito.com.br

Este livro é dedicado a Sarah e Elliot Bailey

Agradecimentos

Agradeço a Sarah Bailey, Jonny Geller, Kate Elton, Louise Campbell, Georgina Hawtrey-Woore, Claire Round e a todos da Arrow and Cornerstone, ao Google, à Wikipédia, à minha família, aos meus filhos, ao meu marido e a todas as pessoas a bordo.

Obrigada a Marae pelas habilidades de digitação e a Maggie Smith, em nome de quem pude fazer uma doação à causa Room to Read. Achei um nome adorável.

Obrigada também a todos os meus amigos queridos e aos apoiadores do Facebook, às vezes da vida real também. Em particular, obrigada a vocês, Yasmin, Janet e Denis, pela lealdade, pelo entusiasmo, pelos abraços carinhosos e pelo champanhe. Aos meus seguidores no Twitter, tudo o que posso dizer é "me desculpem". Não sou muito boa como tuiteira.

1979

Glenys

Glenys Pike tinha 35 anos. Longos cabelos pretos e pescoço de cisne. Seu marido, cinco anos mais novo, chamava-se Trevor. A ideia era que ele a fizesse se sentir sempre jovem. Mas o fato de ele ainda não ter chegado aos 30 anos a fazia se sentir como sua avó. Enquanto isso, Trevor tinha todo o jeitão e a atitude arrogante de um jovem, com uma cabeleira ruiva e a barriga lisa e durinha. Vivia como um jovem também. Ainda ficava em bares com os amigos até altas horas; no último verão tinha até passado um feriado inteiro num clube para jovens só porque podia. Sarado e forte, Trevor fumava como um caubói. Era um deus.

No entanto, como ela acabara de saber, Trevor não era fértil.

Na verdade, ela não tinha certeza disso. Nossa, não, Trevor Pike jamais se masturbaria para recolher seu esperma num potinho para alguém, muito menos para uma médica. Mas ela tinha de considerar isso, pois não havia nada de errado com ela. Nada mesmo! Havia cinco anos tentavam ter um filho, cinco anos de sintomas ilusórios, esperas quinzenais e falsas esperanças, com as malditas pernas para cima depois de uma maldita transa, e nada. Nem mesmo um sangramento que mostrasse alguma coisa. E naquela manhã ela tinha ido consultar uma médica na unidade de fertilidade, por causa de uns exames, e lá estava, bem na cara: Tudo em Perfeita Ordem.

— E o seu marido, senhora Pike, ele já veio fazer testes?

Glenys riu alto.

— Não — respondeu —, acho que meu marido nem sabe que existe uma coisa chamada "infertilidade masculina".

— Machão? — perguntou a médica.

— Põe machão nisso — concordou Glenys. — Tipo festivo. Para todas as horas. Farrista. Tipo nem aí com nada.

— Bem — suspirou a médica, recostando-se na cadeira como se já tivesse escutado isso um monte de vezes antes —, neste caso, sugiro que tente mudar o estilo de vida dele. Se ele está levando esse tipo de vida, provavelmente não está fazendo nada bem ao próprio esperma. Ele fuma?

— Quarenta por dia.

— Bebe?

— Quarenta por dia. — Glenys deu um sorriso largo. — Estou brincando. Embora em algumas noites de sábado talvez não fique longe disso.

— Alimentação saudável?

— Batata frita? É saudável? — Glenys piscou para a médica, que piscou de volta sem sorrir. — Não — continuou ela, meio sem necessidade —, só estou brincando com você. Ele gosta mesmo de batata frita, mas gosta de massa também. A mãe dele era italiana. Diz que está no sangue. E também gosta de legumes. Ervilhas. Batatas. Cenouras. Sempre come uns legumes.

— Exercício físico?

— Está em forma, eu diria. Joga aos domingos. Vai a pé para o trabalho. Tem um vigor maravilhoso, sabe, quando transamos.

— Bem... — A médica ignorou esse vislumbre desnecessário da vida sexual de sua paciente. — Parece que temos muito que melhorar. Tente um pouco por mais uns seis meses, nada de fumo, de bebida, e, se ainda não acontecer nada, vamos ter de fazer exames no seu marido.

— Seis meses? — Glenys se surpreendeu. — Mas em seis meses eu faço trinta e seis. Pensei que seria avó quando chegasse a essa idade! Não posso esperar seis meses! Meus óvulos...

— Seus óvulos estão ótimos — garantiu a médica. — Você está ótima. Se ao menos conseguir que seu marido mude o estilo de vida. Ah, sim, e nada de calça justa, nada de cueca justa. Precisa arrumar umas cuecas samba-canção para ele.

Glenys gargalhou de novo ao pensar em Trevor de samba-canção. Trevor tinha orgulho da sua "mala". Queria que as pessoas pudessem admirá-lo sem se esconder em calças folgadas de velho. E com razão.

— Sabe, conheço o meu marido. E já sei que ele não vai encarar nada disso. Não vai encarar calças folgadas e samba-canção. Na verdade, são as calças justas e as cuecas que fazem com que se sinta homem. Sem elas ele se sentiria como, bem, como se não fosse muito homem. Sabe como é.

A médica inclinou-se na direção dela.

— Bom, talvez então você tenha de começar a pensar em outras opções.

— Opções? Que tipo de opções?

A médica suspirou.

— Bem — começou ela, listando as opções nos dedos compridos —, testes de fertilidade para o seu marido, mudança de estilo de vida, essas seriam as primeiras coisas a considerar. Depois, existem: adoção, doação de esperma, fertilização *in vitro*...

— Doação de esperma?

— Sim.

— Como assim? Tipo, um cara dá o esperma dele?

— Não, ele não dá o esperma a você. Não diretamente. Ele doa o esperma a uma clínica de fertilidade e a clínica combina o esperma certo com o receptor certo.

— Nossa, e como isso... sabe?

A médica suspirou de novo. Glenys sabia que era apenas uma moça tonta dos vales do País de Gales, que não sabia muito além do seu próprio mundinho. Não acompanhava direito as notícias nem nada, só vivia na sua pequena e deliciosa bolha de glenylândia. Tinha ouvido falar de uma mulher no povoado vizinho que havia roubado um pouco do esperma de um namorado, sugando-o de uma camisinha usada com uma seringa, e depois injetando-o intimamente. Engravidou, mas o bebê não vingou. Como se soubesse que era resultado de uma loucura. Mas isso, homens doando espermas a estranhos, isso era novidade para ela.

— É inserido na vagina com uma seringa. Obviamente, quando a mulher está no período mais fértil.

— Nossa! O esperma de um estranho. E o meu óvulo. Imagine só. Então, como decidem que esperma me dar? Como escolhem?

— Não diria que escolhem. Mas oferecem alguns detalhes evidentes sobre o doador. Altura. Cor do cabelo. Cor dos olhos. Nacionalidade. Educação.

Educação. Glenys gostou disso.

— Eles podem ser professores universitários ou algo assim?

A médica deu de ombros.

— Teoricamente. É mais provável, no entanto, que sejam atores desempregados ou estudantes.

Atores. Estudantes. Professores. Só de pensar nisso... Ela gostava do seu Trevor. Adorava o seu Trevor. O cara mais sexy do mundo. Bacana, bonito, rude, durão e tudo o que um homem devia ser. Toda vez que ele olhava para ela, ela ficava arrepiada. Mas não era inteligente, o seu Trevor, não. Sabia muito das coisas de que gostava, como rúgbi e críquete, futebol e peixe. Até falava algumas palavras de italiano. *"Ti amo, amore mio."* Quando ele falava assim, ela tinha vontade de estender a mão e agarrá-lo pela parte da frente da calça. Apesar disso, era duro dizer, mas de certo modo ele era bem burrinho.

Ela não tinha conseguido tirar da cabeça a ideia do esperma de outro homem. Andou o resto do dia imaginando-se numa cama branca, com as pernas nos apoios, introduzindo o fruto de um estranho na escuridão do seu corpo esperançoso, e aquelas coisinhas ávidas disparando na direção da luminosidade dourada de seus óvulos radiantes. "Depois pensou no esperma de Trevor. Espermatozoides bêbados, ocupados demais em se exibir, daí não encontrarem o caminho no lusco-fusco. Imaginava-os assuntando um ao outro: Você quer um pouco? Bem, você quer? Um esperma estúpido. Estúpido, preguiçoso, machão.

Quando por fim chegou em casa vinda da clínica, tinha se zangado bastante com Trevor e seu esperma e se convencido de que faria isso, iria até uma clínica pedir um pouco de esperma de algum homem simpático, abstêmio e inteligente. Porém, quando passou pela porta de seu pequeno apartamento aconchegante junto de Tonypandy, lá estava ele, filetando um peixe na bancada da cozinha. Com o avental boboca dele, o avental com o desenho de uma mulher nua que seu irmão tinha lhe dado de Natal no ano anterior, e o rosto iluminado ao vê-la, e ele parecia tão maravilhoso, bobo e perfeito que ela não resistia, só pensando em abraçá-lo, beijá-lo e não falar de esperma nem de bebês nem de cuecas samba-canção.

Só quando acordou quatro manhãs mais tarde sentindo algo molhado entre as pernas, a chegada de mais uma menstruação, foi que começou a se zangar de novo. Que utilidade tinha um homem que não vingava? Que utilidade tinha um homem que filetava um linguado e chutava uma bola no fundo de uma rede se não conseguia parar de beber por tempo suficiente para que o esperma ficasse sóbrio?

Foi nessa manhã que Glenys Pike decidiu que desejava um bebê mais do que um homem. Foi nessa manhã que Glenys Pike decidiu que faria tudo sozinha.

Rodney

Rodney Pike tinha se apaixonado por Glenys desde a primeiríssima vez em que pusera os olhos nela. Tinha sido na sala da casa de sua mãe, um dia antes do aniversário dele. Não que Glenys estivesse ali naquela sala por isso. Ela só estava esperando que Trevor, no andar de cima, terminasse de se pentear em frente ao espelho do banheiro. Sempre havia uma garota no sofá esperando por Trevor enquanto ele se arrumava. Em geral elas eram loiras, seguiam a moda, usavam franja e brincos de bijuterias. Mas esta era diferente. Tinha cabelos negros lisos e um pescoço delgado e elegante. Usava roupas simples: blusa branca acinturada, calça de algodão azul e sapatos prateados como os que uma dançarina usaria. Sentava-se muito ereta, como se alguém a tivesse ensinado a fazer isso de modo apropriado. Esperara que ela abrisse a boca e falasse como Audrey Hepburn, mas ela não o fizera. Ela tinha um evidente sotaque galês, e, quando sorria, seu rosto se tornava uma caricatura de si mesmo. Porém, nesse primeiro instante essencial, Rod tinha olhado para Glenys Reeves e pensado que era uma criatura exótica enviada de outro mundo para lhe roubar a alma, e esse sentimento nunca o abandonou completamente.

Trevor demonstrou mais inteligência nos 30 segundos que levou para pedir a mão de Glenys Reeves, um ano depois, do que demonstraria no resto da vida dos dois juntos. Rod inclinara a cabeça em aprovação quando Trevor e Glenys se sentaram naquele mesmo sofá verde e ele anunciara à família: "Pedi a mão de Glenys em casamento, e, bem, vocês nunca vão adivinhar, ela aceitou!". Teria sido louco se não tivesse feito isso. A moça o adorava, isso era evidente, e ela era não só a moça mais bonita que Rod já tinha visto como também a mais amável e adorável. E ninguém topa com uma moça dessas todo dia. Rod nunca tinha topado com uma moça assim. Na verdade, nunca tinha topado com garota nenhuma. Era pequeno demais para a maioria delas. As moças galesas gostavam de homens grandes, e Rod não era um homem alto: tinha pouco mais de 1,65 metro, com a estrutura de um duende da floresta. Tinha a mesma feição equilibrada de Trevor, só que em escala menor. Sempre imaginara que ficaria tão alto quanto o irmão mais velho, mas isso não aconteceu. Preso ao tamanho de um garotinho para sempre.

Ao longo dos anos, Glenys sempre fizera o favor de flertar com Rodney de leve. Ela dizia coisas como: "Ah, talvez eu tenha me casado com o irmão errado", e sempre insistia em se sentar junto dele nos bares e restaurantes. Rodney, ao contrário do irmão, não era burro. Percebia que ela só estava sendo gentil. Sabia que ela sabia como ele se sentia em relação a ela, e sabia que ela sabia como ele se sentia a respeito de si mesmo, e só estava tentando lhe dar um tantinho de confiança, um tantinho de estímulo. Funcionava. Rodney sempre se sentia um homenzarrão quando estava com Glenys.

Então, quando ela o procurou numa manhã, no início de 1979, elegante como sempre numa saia feita sob medida e numa blusa de seda de babados, e colocou a mão sobre a dele, dizendo: "Rod, preciso da sua ajuda. Estou desesperada", ele já sabia que estava destinado a dizer sim a qualquer coisa que ela lhe pedisse.

No começo, não entendeu nada do que ela dizia.

— É o Trevor... É o esperma dele. Não serve. Por isso ainda não tivemos um filho, Rodney.

Ele ajeitou os óculos no nariz e perscrutou Glenys através deles.

— Como assim "não serve"? — Achou muito constrangedor estar numa sala sozinho com Glenys e ela usar a palavra "esperma". Ele nunca a tinha ouvido com aquela linguagem chula antes. Por um momento, não escutou a essência do que ela tentava dizer.

— São inúteis, Rod. Não vingam. Sabe, *não funcionam*.

— Ah, Deus! — Rod bateu a mão na boca, começando a compreender. — Tem certeza? — disse em seguida, pois, de verdade mesmo, como isso podia ser verdade? Era só olhar para Trevor e ver como era viril.

— Sim, tenho certeza absoluta porque fui até a clínica em Llantrisant e eles me viraram do avesso, de cabeça pra baixo, me penduraram no teto e não tem nada de errado comigo, e já são cinco anos, Rod. Cinco anos, e não é por falta de, você sabe, não é por falta de tentar.

Rod piscou devagar, querendo longe da sua mente a imagem de Glenys e seu irmão "tentando".

— E a médica de lá disse que é a bebida dele, entende? E o cigarro. E eu não posso dizer ao Trevor que ele não deve beber e fumar. E as calças justas. Imagine seu irmão usando calça folgada, você consegue? Francamente. — Ela balançou a cabeça, chateada. Rodney balançou a cabeça também.

— Você contou pra ele? — perguntou ele.

— Santo Deus, não! Imagine! Ele ficaria *apoplético*. Acho que jamais me perdoaria, não acha?

Rodney assentiu com a cabeça lentamente. Ela tinha razão. Trevor não era o tipo de homem que encararia com leveza a sugestão de que ele não era bem o homem que achava que fosse. Rodney prendeu o fôlego. Alguma coisa imensa ia surgir, algo sísmico estaria ligado ao final dessa conversa. Conseguia sentir isso no ar e enxergar no contorno tenso do bonito rosto de Glenys. Tentou não deixar que essa coisa óbvia se enraizasse, era perturbador demais. Nem em milhares, milhões, trilhões de anos Glenys lhe pediria para ser o pai do filho dela. De jeito nenhum. Por reflexo, sacudiu a cabeça diante desse pensamento. Não, isso significaria trair o irmão ou se envolver numa confusão de coisas mecânicas com tubos e seringas e Deus sabe mais o quê. Realmente, a ideia o deixava enjoado. Ele e Glenys eram parecidos. Eram gente boa, íntegra, não eram dados a xingamentos e obscenidades como algumas pessoas. Glenys não aprovaria isso, e ele tampouco. Então, Rodney se sentou e ficou esperando o que viria em seguida.

— Vou procurar um banco de esperma — ela acabou dizendo. — Vou procurar um banco de esperma em Londres. E quero que você vá comigo.

Rodney já tinha ouvido falar de bancos de esperma, até pensara em fazer uma doação alguns anos atrás, quando estava sem trabalho e desesperado por um dinheiro rápido. Mas depois refletira de novo: pequenos Rods pelo mundo afora, xingando-o por causa do corpo magrelo, do cabelo fino, da visão ruim, e, francamente, que mulher iria querer o esperma dele quando soubesse que tinha sido doado por um míope de 1,60 metro, um botânico que cuidava das árvores frutíferas de Tonypandy?

— Certo. — Ele esfregou o queixo com a ponta dos dedos. — Entendo. Você não vai com Trevor, então?

Glenys lhe lançou um olhar que ele compreendeu de imediato.

— Não — respondeu ele mesmo —, claro que não. — Ficou um instante olhando para o chão, considerando o pedido. Depois, ergueu os olhos para Glenys. Ela parecia firme. Não, não firme, resoluta. Não tinha dúvidas de que era isso que deveria fazer. — Então, você pensou bem nisso, não é?

Ela assentiu com firmeza.

— E se eu não for com você?

— Aí eu vou sozinha. Mas não quero ir sozinha, Rod. O que vão pensar de mim? Vão pensar que sou alguma doida de aparecer ali sem marido, pedindo um bebê. Quero dizer, que tipo de pessoa faria isso? Preciso de você, Rod. Preciso que vá comigo a Londres, fique comigo e finja que somos casados.

— Mas, se eu fizer isso por você, Glenys... juro, eu realmente gostaria de fazer isso por você... mas significa mentir para Trevor, o meu irmão.

Ela concordou, com desespero nos olhos arregalados.

— Deus, Glenys. Não sei...

— Pense em como seu irmão vai ficar feliz, Rod. Pense nele segurando o filho nos braços. Quando puder se considerar "homem" mesmo.

Ele piscou e engoliu em seco. Ela o encurralara. Falando nesses termos, bom, ela tinha razão. Trevor jamais admitiria, mas Rod sabia que ele se mortificava por não ter feito um filho ainda. Tudo vinha tão fácil para Trevor que ele imaginara que seria a mesma coisa com um bebê. Ele falava de ter quatro ou cinco. Mas também falava da alegria de uma vida sem filhos, os clubes, os feriados e as noites no bar. Talvez fosse só conversa fiada, pensou Rodney, só bravata de macho para afastar os demônios da consciência.

— Então, você vai? — Glenys o encarou, suplicante. — Vai?

— Onde é?

— Londres. Harley Street.

— Bom, eu nunca... — Ele cismou.

— Não quero fazer isso aqui perto. O povo comentando e tal. E, nunca se sabe, pode acabar sendo de alguém que eu conheça. Imagine isso! Imagine ter uma criança que acaba tendo a cara do sujeito da loja de material elétrico!

Eles então soltaram uma sonora gargalhada para quebrar a tensão. Quando o riso foi sumindo, Rodney suspirou.

— Vou ter que pensar nisso.

— Eu sei. É complicado, Rod. Eu sei. E não pediria se não confiasse em você. — Ela pousou a mão sobre a dele e aproximou o rosto. — Eu não lhe pediria, Rod, se você não fosse o homem que é.

Rod sorriu, e no seu íntimo algo se expandiu e cresceu, e ele sabia que faria qualquer coisa por essa mulher, até trair seu irmão mais velho.

1998

Lydia

Lydia Pike passou os braços em volta dos joelhos, fechando os olhos debaixo do sol quente. O cachorro se sentou ao seu lado, alto e ofegante, coberto pela grossa camada de pelos. A grama estava alta, mais alta do que ela jamais vira antes, e o ar neste pequeno declive do trilho abandonado da ferrovia estava espesso e agradável por causa do cheiro das flores silvestres. Lydia levava o cachorro ali todos os dias. Fazia parte da costumeira caminhada do apartamento às lojas e de volta. Em geral ela continuava a andar; em outras épocas do ano este lugar ficava úmido e desagradável, mas agora, depois de seis semanas de verão, o mais quente verão dos últimos tempos, a terra tinha adquirido uma crosta seca e as borboletas decoravam as flores silvestres que brotavam na ribanceira. Uma joaninha subiu pelo pulso de Lydia, e ela a colocou gentilmente no chão. O silêncio era absoluto. Ela se deitou de costas na grama macia, sentindo-a retorcer-se sob seu cabelo, viva de criaturas de verão. Fechou os olhos, e o sol imenso avançava por suas pálpebras, numa sinfonia de dourados-avermelhados.

Passaram-se alguns minutos, e então Lydia se sentou de novo, apalpou a mochila e tirou de lá uma garrafinha de vodca. Já estava pela metade, tinha bebido o resto no caminho até ali, entornada numa Coca Diet. Levou a garrafa aos lábios e bebeu com dificuldade. O álcool dava um sabor ainda mais picante à sua situação, ali na ribanceira de uma linha de trem há muito abandonada, fugindo de casa, fugindo da vida. A sensação de solidão e desespero se dissipou, e ela sentiu a alma se colorir de novo. Passou o braço pelo imenso pastor-alemão; a garota e o cachorro, lado a lado, como nos últimos dez anos. O pai dela o trouxera para garantir sua segurança. Não porque fosse o tipo de pai preocupado com a segurança da filha, mas porque era o tipo de pai que não podia se dar a esse trabalho. Desde os oito anos, Arnie era responsabilidade exclusiva de Lydia.

Ela o alimentava, passeava com ele, penteava seus pelos e dormia com ele na sua cama de solteiro. Arnie. Seu melhor amigo.

As pessoas a consideravam esquisita. Eles a chamavam de Lydia, a *pikey*[1], zombando com o nome dela, claro. Lydia era também a Gótica com o Cachorro. Não que fosse gótica. Mas gostava de preto. Não tinha piercing nem tatuagem, mesmo assim era a Gótica com o Cachorro. E a *grunge*. Isso era mais adequado. Ela de fato gostava do Nirvana, do Alice in Chains e do Pearl Jam. Antes tinha sido *greebo*, aos 14, 15. Preferia os grunges. Como greebo, ficava parecendo que ela curtia Motörhead e Whitesnake. Ficava parecendo que ela andava com garotos entediados que nunca lavavam o cabelo. Mas ninguém sabia, ninguém realmente sabia o que Lydia de fato era. Ela tinha 18. Morava num predinho de três andares num vilarejo junto de Tonypandy com o pai, que tinha 48. A mãe morrera quando ela estava com três anos. Tinha acabado de completar o ensino médio e esperava que suas notas excelentes (outra razão para detestar Lydia: ela também era inteligente) a levassem à universidade. Tinha um cachorro enorme chamado Arnie. Queria ser cientista. Bebia demais.

Uma hora depois, Lydia voltou ao bloco de apartamentos onde morava com o pai. Do lado de fora havia um playground. Nesses dias do auge do verão, na metade das férias escolares, estava cheio de adolescentes; garotas de blusa curtinha e jeans de cintura baixa, amontoadas nos balanços, garotos de camiseta e bermuda. Alguns fumavam. Um deles tinha um som no ombro. "The Boy is Mine", de Brandy e Monica, era a trilha sonora do verão deles, mas não para Lydia. Conhecia a maioria desses garotos desde quando eram pequenos, tinha ido à escola com alguns deles, e até empurrado o carrinho de um ou dois deles enquanto suas mães tagarelavam. Mas nenhum era seu amigo.

Lydia ficou tensa, mas os adolescentes estavam distraídos, sem olhar nem um momento para fora de seu círculo imediato de diversão. Ela puxou a guia do cachorro para junto de si, e os dois atravessaram o playground, caminhando rápida e silenciosamente na direção dos apartamentos. Lydia bateu o olho, como sempre fazia, em um fragmento

[1] Pessoa que se recusa a viver em grupo. (N.E.)

de asfalto coberto com alcatrão logo abaixo do apartamento dela, uma nódoa de tinta rosa em que se via não mais que o contorno de uma mão, a curva de um dedo. E o nariz de Lydia como sempre se enchia do cheiro da tinta, forte, doentio e apavorante.

Ela continuou, dobrou a esquina e adentrou o poço de concreto da escada externa. Dois adolescentes se viraram por um instante em sua direção quando Lydia passou, dando espaço para ela e o cachorro, interessados demais nos saquinhos de plástico apertados na mão para se preocupar com a garota de preto a caminho do terceiro andar.

Ela enfiou a chave na fechadura da porta de número 31, empurrou-a e prendeu a respiração. O pai estava no balão de oxigênio. Sofria de uma obstrução crônica dos pulmões, o que não surpreendia, uma vez que ele havia fumado dois maços por dia desde os 15 anos. O balão de oxigênio era um progresso e ficava ligado a ele 15 horas por dia. Lydia se assustava ao vê-lo desse jeito. Parecia esquisito, estranhamente pervertido, como um personagem de um filme do David Lynch.

Ele lançou um olhar para ela quando a viu entrar, e sorriu lividamente.

— Oi, querida. — Ele tirou a máscara do rosto.

— Oi.

— Caminhada boa?

— É, um pouco quente.

— É — disse ele, desviando o olhar para a janela.

Fazia 13 dias que estava ali dentro, naquele sofá na maioria dos dias. Se quisesse, podia se sentar na sacada, se sentar ao sol, mas o pai de Lydia tinha fechado a porta da sacada 15 anos atrás, trancando-a e nunca mais a abrindo. Ela lhe trouxe uma xícara de chá. Ele estendeu duas mãos grandes, de pele fina e fria como a de um réptil. Lydia perguntou-lhe se precisava de mais alguma coisa e, quando o ouviu dizer que não, pegou sua caneca de chá e o cachorro, foi até seu quartinho e se sentou na cama de solteiro, tentando não se sentir culpada por deixar o pai sozinho daquele jeito. Morrendo, até onde ela sabia. Brigou contra a culpa por alguns instantes, mas então se lembrou do homem que ele fora antes de os pulmões terem-se arruinado e de o corpo dele entrar em colapso. Não era um homem ruim, mas não um bom pai. Agora era bom com ela, agora ela era tudo o que ele tinha.

Lydia lançou um olhar pelo quarto, para as paredes de um tom de magnólia encardido com um toque de rosa-antigo escondido por baixo. Seu pai tinha pintado o quarto poucos dias depois da morte de sua mãe. Ela observara com desespero a tinta parda ir se derramando sobre o rosa vivo. Foi como se a tinta tivesse apagado sua felicidade. Hoje, a magnólia combinava com ela. Achava difícil imaginar que um dia já fora o tipo de garotinha que preferia um quarto cor-de-rosa.

Lydia tinha quase quatro anos quando sua mãe morreu. Lembrava-se muito pouco dela. Cabelo escuro. Os pequenos cisnes prateados que ela fazia para a filha com o papel do maço de cigarros. Uma saia com rosas azuis. Unhas compridas na parte de cima da blusa de Lydia, coçando... coça, coça, coça: “Mais forte? Mais fraco? Aqui? Ali? Ah, deixe-me coçar pra você”. O nome dela era Glenys. Lydia se lembrava da música, Terry Wogan no rádio, uma pia cheia de louça, um cigarro queimando no cinzeiro, o cheiro de batatas fritas, as barras de um cercadinho de criança, uma caixa de papelão grande o suficiente para se esconder nela, a *TV Times* na mesa de café, os programas marcados com um círculo azul, e um passarinho amarelo numa gaiola, que fazia piruetas com alegria toda vez que a mãe de Lydia olhava para ele. Depois que sua mãe morreu, essas coisas sumiram, uma a uma, como estrelas se apagando no céu noturno. O passarinho amarelo, a *TV Times*, Terry Wogan, as batatas fritas, a coçadinha nas costas, os delicados cisnes de prata, a tinta rosa do quarto. Só ficou o cinzeiro.

Lydia ouviu o pai tossindo no cômodo ao lado. Ficou tensa. Cada tossida parecia que seria a última. Esse pensamento a deixava dividida entre a alegria e o pânico. Se ele morresse, ela ficaria sozinha. *Sozinha*. Ela queria ficar sozinha. Mas não completamente sozinha. Lançou um olhar para o cachorro, para seu crânio grande e forte, suas orelhas macias. Ela não estava completamente sozinha. Tinha o cachorro. Fechou os olhos ante o som rascante do pai, os pensamentos sobre o futuro, e se deixou levar por um cochilo induzido pela vodca.

2009

Lydia

Bendiks ergueu a perna de Lydia acima do ombro dela, e correu as mãos pelos músculos de sua panturrilha, para cima e para baixo, apertando-os. Uma nítida linha de suor pingava do cabelo de Lydia, caindo pela têmpora até a orelha. Ela enfiou a ponta do dedo na orelha, enxugando a coceira.

— Que tal? — perguntou Bendiks.

Lydia cerrou os dentes e sorriu.

— É ótimo, muito bom.

— Forte demais? — o rosto estranhamente bonito de Bendiks se suavizava de preocupação.

— Não, perfeito.

Ele sorriu e ergueu mais um pouco a perna dela. Lydia sentiu a trama de músculos de trás do joelho contraindo-se com esse movimento e recuou um pouco. Bendiks tinha um joelho na virilha dela, e o espesso cabelo negro dele quase lhe tocava os lábios. Delicadamente, ele abaixou a perna de Lydia e a pousou no chão.

— Pronto — disse ele —, fim.

Lydia sorriu e suspirou. Bendiks erguia-se acima dela, com as mãos no quadril, sorrindo-lhe com amabilidade.

— Foi muito bem hoje — ele a ajudou a se erguer. — Muito bem mesmo. Quer fazer no parque, na quinta?

— No parque? — perguntou Lydia. — Sim, por que não?

— Ótimo. — Ele sorriu de novo. Lydia sorriu de volta. Tentou pensar em alguma coisa espirituosa para puxar uma conversa, mas, sem achar nada na cavernosa catedral de sua cabeça que pudesse ser adequado, simplesmente disse: — Vejo você na quinta. — Então se virou e se afastou.

Ela viu a cliente seguinte de Bendiks cruzando seu campo de visão. Era uma judia, a tal com calça excessivamente justa e bronzeado falso. Lydia sabia que ela era judia porque se chamava Debbie Levy. Por trás, ela se parecia com um sofá barato, e Lydia a desprezava, não pela semelhança com um sofá barato, mas pelos modos sorrateiros com Bendiks.

— Bom dia, gracinha — ela ouviu a mulher rosnar —, está pronto para mim?

Ouviu Bendiks rir, um tanto nervoso, e depois Lydia passou pelas portas de vaivém, indo na direção dos vestiários, tendo terminado mais uma sessão com seu personal.

Lydia Pike não morava muito longe da sofisticada academia de ginástica onde era treinada dia sim, dia não por um belo letão chamado Bendiks Vitols. A academia era tão exclusiva que era quase impossível saber que ficava ali, enfiada num lugar escondido da St John's Wood, mostrando-se para o mundo como a bela casa de alguém. Lydia só sabia que era ali porque era onde Bendiks trabalhava. Tinha lido sobre ele numa revista requintada que encontrou em sua caixa de correspondência três meses antes. "Quer ficar em forma para a primavera?", dizia a chamada. "Conversamos com três especialistas em fitness." E lá estava Bendiks, numa foto de busto, o espesso cabelo preto dividido, usando uma camiseta preta e justa, sorrindo para um terceiro grupo fora da vista como se tivesse sido distraído por um comentário insolente. À época, Lydia tinha desejado muito ficar em forma para a primavera. Não só para a primavera, mas para o verão, o outono e o inverno também, e no instante em que viu a cara de Bendiks ela soube que tinha encontrado a pessoa com quem fazer isso. Ele não só era bonito, o que era mesmo, mas havia uma delicadeza em suas feições, uma certa graça. Ela sabia que ele a deixaria à vontade. E deixou mesmo.

Pela aparência externa não dava para imaginar que Lydia precisasse de muito exercício físico. Era delicada e magra, não tinha carne sobrando, exceto talvez por uma maciez em volta do umbigo. Mas ela conhecia a verdade sobre seu corpo. Sabia que era uma concha dentro da qual palpitava uma bomba programada de órgãos subnutridos e artérias negligenciadas.

Lydia deixou cair a bolsa de ginástica no saguão e cumprimentou Juliette, sua empregada, que estava subindo a escada com um monte de roupas recém-lavadas. Ela parou quando viu um entregador da Ocado se aproximando da porta da frente.

— Quer que eu cuide disso? — perguntou Juliette.

— Não, não, tudo bem, pode deixar.

Juliette sorriu e continuou a subir. O homem da Ocado colocou as compras de Lydia sobre a mesa da cozinha enquanto ela cutucava o conteúdo da bolsa em busca de algumas moedas com as quais demonstrar ao homem sua satisfação por poupá-la do inconveniente de fazer as próprias compras. Depois que o homem se foi, Lydia começou a arrumar os itens nos armários da cozinha. Raramente lidava com os armários da cozinha. Tinha uma vaga ideia sobre o que cada armário continha, ela mesma tinha destinado a cada unidade uma função durante o processo de desempacotar, mas francamente alguns deles eram um tanto misteriosos. Por exemplo, onde, pensou ela, eu guardo o vinagre de arroz?

Juliette deu com ela, um instante depois, vagando pela cozinha com pacotes de massa nas mãos.

— Dê aqui. — Ela os tirou de Lydia e os colocou habilmente em uma prateleira junto da geladeira. — Deixe que eu termino isso.

Lydia concordou e pegou da geladeira uma garrafa de refrigerante sem açúcar.

— Vou para o meu escritório — disse ela, num estranho tom de voz que havia desenvolvido para falar com a mulher a quem pagava para lidar com as coisas domésticas. Significava: "Não sou sua amiga, mas tampouco sou o tipo de morador de St John's Wood, sem coração e bem pago, que a vê como um escravo remunerado. Sei que é um ser humano e tenho consciência de que tem uma vida verdadeira e significativa longe de minha casa, mas eu ainda não quero conversar sobre os seus filhos, nem saber o que a trouxe da costa cheia de palmeiras das Filipinas até a nossa antiga e suja cidade. Sou uma pessoa boa, e eu também fiz um longo percurso para chegar onde estou hoje, mas gostaria que nossa relação fosse estritamente profissional. Está bem assim? Obrigada".

Fazia apenas alguns meses que Lydia tinha uma empregada. Não tinha sido ideia dela, mas de sua amiga Dixie. Estava satisfeita com uma faxineira uma vez por semana, mas Dixie, ao olhar para o novo e imenso palácio de Lydia na St John's Wood, disse: "Empregada. Você precisa de uma".

O escritório de Lydia ficava na parte de cima da casa. Era branco com um teto limitado pelo beiral e uma janelinha Velux, pela qual, se Lydia ficasse na ponta dos pés, poderia ver o cemitério e o mundo além-túmulo das brancas saliências do Lord's Pavillion. Também dava para um parquinho, e às vezes, quando o vento soprava na sua direção, Lydia conseguia ouvir os gritos e chamados das crianças que ali brincavam, sendo transportada por um instante para outro tempo, outro lugar, muito longe dali.

Ela abriu a garrafa de refrigerante e bebeu depressa no gargalo, com muita sede por causa da ginástica. Da janela, o céu estava colorido e estranhamente matizado, quase como um pedaço emoldurado de papel marmorizado veneziano. A correspondência estava sobre a escrivaninha, disposta por Juliette em uma pilha organizada enquanto ela esteve fora. Também havia ali um tipo de planta verde e duas pinturas abstratas cujas molduras encostadas na parede ainda aguardavam pregos e fios. Ela tinha ido a uma feira de arte "acessível" logo depois que se mudara para esta casa e tinha gastado 5 mil libras em arte. Na verdade, toda essa experiência de mudar para sua primeira casa tinha envolvido gastos alarmantes. A luminária de 280 libras, que, no contexto pré-casa da vida de Lydia, talvez parecesse uma ofensa de tão cara, nesse contexto de um gasto de cerca de 4 milhões de libras por uma casa era quase uma pechincha. Só isso? Nossa! Me dê duas! Gastar 5 mil libras em uma feira de arte foi como fazer as compras numa mercearia, jogando as coisas num carrinho metafórico, mal olhando as etiquetas de preço.

Lydia tinha dado um salto imenso no que dizia respeito à moradia, saindo de um apartamento dividido com Dixie em Camden para um dúplex em St John's Wood, quase do dia para a noite. Esse apartamento dividido em Camden poderia ter durado indefinidamente; nenhuma delas via muito sentido em hipotecas, espaços e cômodos que não usavam. Porém, Dixie tinha encontrado Clem e rapidamente engravidado. Naturalmente, ninguém tinha interesse em dividir as alegrias da paternidade com uma colega de quarto. E Lydia tinha uma quantia absurda de dinheiro parada na conta bancária. A maioria dos empreendedores milionários não dividia apartamentos nas ruas meio desagradáveis de Camden. Ela já tinha quase 30 anos. Era um sinal. Era a hora. Teria gostado de ficar em Camden, consolada de um modo incomum pela proximidade das casas de kebab, traficantes e lugares onde se embebedar às três da manhã. St John's Wood, porém, parecera um investimento sólido, um lugar mais seguro onde apostar seu dinheiro, um lugar que nunca tinha estado na moda, portanto que jamais sairia de moda, sendo apenas uma morada grande, limpa e confortável de gente rica.

Não era culpa de Lydia ser rica. Ela não teve a intenção de ser rica. Tinha sido mero acaso.

A cozinha rescendia como uma viela de Xangai. Juliette estava fazendo macarrão de arroz com frutos do mar e frango frito com castanha de caju. Para Lydia, não para si mesma. E para Clem. E Dixie. E Viola. Não que Viola fosse comer macarrão e frango, ela só tinha cinco dias de vida. Lydia tinha sugerido uma visita a eles e à recém-nascida, mas Dixie respondeu: "Já vi minha casa nesses últimos cinco dias o suficiente para uma vida inteira. E estou cheia de comer lasanha congelada. Por favor, podemos visitá-la?".

Lydia não cozinhava. Até havia tentado. Conseguia fazer um café da manhã bastante decente, em especial ovos mexidos, mas, depois das 11 da manhã, ela se atrapalhava. Nem precisara pedir a Juliette para lhe preparar refeições de vez em quando; Juliette bateu os olhos em Lydia e disse: "Eu cozinho pra você também, certo?".

— O cheiro está muito gostoso — disse Lydia, apreciando.

— É ótimo. — Juliette sorriu. — Delicioso. Experimente. — Ela acenou um garfo na direção de Lydia.

Lydia espetou uns fios macios com o garfo e os enfiou na boca.

— Hum... hummm. Maravilhoso.

— Por favor, não me leve a mal — Juliette bateu as mãos no avental —, mas você comprou um presentinho para o bebê?

Lydia franziu os lábios e a sobrancelha.

— É... na verdade, não.

— Não — insistiu Juliette —, você precisa de um presentinho para o bebê.

Lydia balançou a cabeça.

— Eu, ahn... Nossa. — Ela correu a mão pelos cabelos. — Não pensei nisso.

— Tudo bem — Juliette sorriu, tranquilizando-a. — Tem a BabyGap logo ali — indicou o fundo da casa —, fica a um minuto a pé. Rosa.

— Rosa? — repetiu Lydia.

— Sim. Rosa. Ou mesmo branco. Mas não azul.

Ela deu as costas para a empregada e ficou de frente para a pia, lavando as mãos. Lydia se remexeu nos pés um instante, esperando mais instruções, mas não houve nenhuma. Então, pegou a bolsa e saiu, tomando a direção da High Street.

Por sorte ela tinha algumas dicas básicas com que lidar, pensou Lydia. O bebê era uma menina, então, sim, como Juliette tinha sugerido, o azul devia ser evitado; o bebê tinha também cinco dias, o que o colocava, tudo indicava, numa categoria de tamanho 0, ou recém-nascido. Portanto, pelo menos Lydia sabia o que devia procurar. Estavam também em meados de janeiro, por isso roupas quentes pareciam ser a ordem do dia. Por fim, depois de uma longa e um tanto agitada travessia pela loja, Lydia chegou ao caixa segurando um casaquinho rosa e uma calça cor-de-rosa felpuda, toda enfeitada de ursinhos.

— É presente? — indagou a vendedora.

— Sim, sim — respondeu Lydia, resistindo à tentação de responder: Não, são para mim, não precisa se incomodar em embrulhar, vou vesti-las. Então, lhe ocorreu que a pergunta significava que a vendedora pensou que talvez as roupinhas fossem para a filha de Lydia. Essa ideia atordoou-a por um momento. Parecia mesmo o tipo de mulher que tivesse colocado uma criança no mundo? Ela se parecia com uma mãe? Pouco provável. Estava muito longe dessa realidade da maternidade — esse conceito ficava num horizonte estranho e inatingível. Mas a ideia de que alguém conseguisse olhar para ela e, por um instante, pensar que era esse tipo de pessoa fez com que se sentisse incomodada e estranhamente lisonjeada ao mesmo tempo.

Pegou a sacola com a caixa de presente e rumou para casa, parando no caminho, numa casa de vinhos da esquina, onde gastou 27,99 libras em uma garrafa de Gewürztraminer recomendada pelo vendedor. Em Camden, ela podia esperar pelo menos três garrafas de vinho por aquele tanto de dinheiro. Enquanto teclava a senha na máquina do vendedor, Lydia considerou que era como se o dinheiro estivesse fora de contexto, como se a forma dele tivesse se esticado. Ela supôs que era esse o significado de ser rica.

Uma hora mais tarde, Lydia andava pela cozinha de modo intermitente, espiando a todo instante o saguão através do vidro opaco da porta da frente até, finalmente, enxergar a silhueta deles. Inspirou fundo. Além de não estar acostumada a receber, não estava acostumada a receber gente com bebê. Abriu a porta e sorriu para os amigos.

— Oi! — exclamou. — Entrem!

Sabia que em algum lugar no meio de seus amigos havia um bebê, mas, como nenhum deles parecia estar segurando um que pudesse ser visto com facilidade, Lydia conduziu-os para dentro, aceitando o costumeiro beijo com toque cítrico de Dixie e, de Clem, um tapinha nas costas, pegando os casacos e levando-os para a cozinha. Foi só quando começaram a se acomodar à mesa de jantar que Lydia conseguiu ver que tinham trazido consigo uma cadeirinha de plástico com uma criancinha que nela dormia. Ela de imediato teve uma sensação de desconforto. Era como se Dixie tivesse chegado com uma nova cicatriz no rosto ou um noivo com cheiro não muito agradável, algo novo e permanente sobre o que Lydia era obrigada a dizer algo positivo e encorajador. Ela suavizou o rosto e olhou para a cadeirinha.

— Então, esta é a pequena Vaiola? — Ela sorriu.

— Vi-ola — corrigiu Dixie.

— Desculpe, Vi-ola, sim, claro. Viola. Bem, olá, como você é pequena! Dixie desdenhou.

— Você não diria isso — começou — se tivesse que empurrá-la para fora de seu corpo sem ajuda. Sem remédios de nenhum tipo.

— Bom, não, claro que não... — Lydia franziu o nariz e deixou o assunto morrer. Era exatamente esse tipo de coisa que ela temia. Essa conversa sobre empurrar e remédios, logo, sem dúvida, seria sobre movimentos do intestino e arrotos.

O bebê parecia estar envolvido em um sonho muito vívido e envolvente, com os olhos espremidos como se contra a sua vontade, o rosto se retorcendo de vez em quando, e as mãos estendidas como garras diante do corpo. Lydia pensou que devia dizer alguma coisa elogiosa.

— Bem, ela está dormindo, isto é bom — comentou então.

Clem sorriu e lançou ao bebê um olhar carinhoso.

— É tudo o que faz, dorme. Sonha, come, faz cocô e dorme. É um anjo.

Por um breve instante esses três adultos ficaram sorrindo com carinho para a desatenta Viola, até se recobrarem e Lydia voltar a atenção para as bebidas e os aperitivos.

Pareceu surpresa ao notar, quando entregou a Dixie um copo de água refrescante, que ela ainda parecia grávida. Estava vestida com uma espécie de bata e jeans justo e, até onde se podia dizer, não parecia nem um pouco diferente da última vez que a vira, duas semanas atrás, antes de ter o bebê. Por um instante, Lydia ficou preocupada pensando se a amiga não teria algo de errado, um tumor talvez, mas achou melhor não perguntar nada disso.

Entregou a Clem uma lata de cerveja e um copo, e serviu-se também, sentando-se com seus amigos.

— Esta é a primeira vez que saem desde que ela nasceu? — Lydia começou.

Ambos assentiram, e Dixie explicou:

— Bom, eu a levei até a loja da esquina, mas este é oficialmente o seu primeiro passeio de carro e o seu primeiro jantar.

— Vocês parecem estar bem. Quero dizer, um pouco cansados, mas mesmo assim, bem.

Não sabia bem o que esperava; crânios no lugar de rostos, roupas salpicadas de vômito, expressões vazias, esgotadas de qualquer coisa que antes os fizera ser quem eram. Mas não, pareciam alegres e luminosos e razoavelmente normais.

— Um tanto exaustos — concordou Dixie, desamarrando os cadarços de um tênis meio surrado e os chutando para debaixo da mesa, num gesto informal e bagunçado, que traía a prévia encarnação delas como colegas de apartamento.

— Embora ela esteja em nossa cama, então não preciso ficar levantando no meio da noite pra dar de mamar.

— E é uma *maravilha* para mim — intrometeu-se Clem —, já que não preciso acordar de jeito nenhum.

Dixie olhou para ele de um jeito fulminante.

— A sua vez há de chegar — disse ela. — Assim que ela deixar o peito, garanto que você vai se familiarizar bastante com o esterilizador de mamadeiras e as fraldas e toda a parafernália de bebê.

Clem sorriu languidamente e afagou o copo de cerveja. Lydia se ergueu e acendeu o gás do fogão sob as duas woks, de acordo com as instruções de Juliette.

— Bem — ela sorriu, na direção dos amigos —, chegamos longe, não? Parece que foi ontem que estávamos enfiados em nosso apartamentinho, e agora vocês dois são pais e eu estou aqui neste lugar imenso. É isso então? Somos adultos agora?

Clem e Dixie riram.

— Nunca — retrucou Dixie —, nem pensar. Fico achando que alguém vai perceber como somos imaturos e vai tirar o bebê da gente. Tenho certeza de que a parteira acha que somos um par de destrambelhados.

Clem e Dixie riram, e do fogão Lydia lançou de novo um olhar para os dois. Os seus amigos. Clem tinha uma fisionomia doce, com excesso de cabelos pretos e grossos, bochechas escanhoadas e uma barriguinha. Dixie era pequena e moderna, com cabelos oxigenados, que agora, depois da proibição médica de tingir por causa da gravidez, mostravam dois dedos de uma raiz de um dourado descorado. Pareciam dois estudantes que cresceram demais. *Eram* dois estudantes que cresceram demais. Lydia e Dixie (seu nome verdadeiro era Suzanne Dixon, mas virou Dixie desde pequena) se conheceram na universidade, em Aberystwyth. Dixie estudava cinema. Lydia estudava química. Nenhuma das duas lembrava bem de como tinham se encontrado, sendo em todos os aspectos como água e vinho. Mas tinham vivido juntas muito felizes por dez anos, primeiro dividindo um quarto em cima de uma loja em Aberystwyth, e depois, como a carreira de Dixie e de Lydia tinha evoluído e as levado a Londres, em um apartamento de dois quartos em Camden Town. Viam-se a si mesmas como um casal de velhos, e nesse sentido, a graciosa e doméstica Dixie, o tipo de pessoa que de repente resolvia fazer bolinhos, sem nenhum motivo especial, tinha sido a mulher, e Lydia, confiável e difícil, sem nenhuma noção da diferença entre açúcar mascavo e açúcar de confeiteiro, definitivamente tinha sido o homem.

Clem entrou na vida delas havia um ano, e Lydia gostara dele de imediato. Gostava do fato de ele não ser pretensioso, e era íntegro, e tinha opinião sobre outras coisas além de diretores de cinema e mergulhos na noite de Camden. Ele levava Dixie para passear no Heath e fazia com que ela comesse carne (ela era uma vegetariana um tanto confusa e descompromissada). E então, de repente, um pouco de repente demais na opinião de Lydia, ele a engravidara. Dixie tinha 29 anos. Parecia cedo demais para ter um bebê. E um ano de relacionamento parecia cedo demais para se tornarem pais. Porém, desde que souberam, nenhum dos dois teve dúvida alguma de que um bebê seria o caminho a seguir. "Por que não?", tinha dito Dixie. "Vai ser uma aventura."

Aventuras, Lydia achava, não levavam necessariamente a coisas boas.

O bebê começou a se mexer na cadeirinha, e ela se arrepiou. Não porque não gostasse de bebês, mas porque não conhecia bebês. Não tinha mais segurado um bebê nos braços desde a adolescência, e mesmo então não tinha muita certeza de tê-lo feito ou se era apenas alguma falsa lembrança. Demonstrou estar ainda mais ocupada para evitar a possibilidade de Clem ou Dixie lhe empurrarem a bebê, desviando os olhos do rostinho dela, já que foi solta e erguida da cadeirinha. De repente, no entanto, se viu cara a cara com ela, o rostinho a poucos centímetros do seu, encarando-a meio assustada. Lydia olhou-a também um tanto assustada, e então a bebê, compreensivelmente, começou a chorar. Clem abraçou o pacotinho junto ao peito, tirando-o dali.

— Traumatizada pelo resto da vida — disse Lydia, sem graça. Claro que a bebê tinha que chorar. Imaginara que choraria mesmo. Lydia não era uma pessoa de bebês e não tinha fisionomia nem comportamento de que um bebê pudesse gostar.

A criança passou o resto do jantar sugando em um dos peitos superinflados de Dixie e, depois de algum tempo, sobre os ombros dela, olhando pateticamente para a parede. Lydia teve pena dela. Era tão novinha e mal equipada. Todo dia seus olhos iriam enxergar mais deste estranho lugar, seus membros iriam se esticar e inchar, ela aprenderia, absorveria, simpatizaria, compreenderia e cresceria, cresceria, cresceria... até acordar um dia e se tornar mais um ser humano. A extensão e a magnitude da jornada pareciam trazer recompensas tão pequenas e lamentáveis.

Depois que seus amigos foram embora, levando a menina Viola e suas novas roupinhas cor-de-rosa, Lydia se sentiu estranhamente triste. Encheu a máquina de lavar louça com grandes pratos Royal Doulton e raspou grudentos fios de macarrão dentro da muito interessante e escondida lata de lixo de design alemão. Jogou a garrafa de vinho vazia (não tinha valido as 27,99 libras) e as latas de cerveja no compartimento de reciclagem e limpou todas as superfícies lisas e quase brancas com um monte de papel-toalha. Lavou as woks, secou-as e guardou-as, e a cada gesto sentiu algo denso e amargo revirando na boca do estômago, e não era o jantar. Era uma espécie de melancolia.

Foi o bebê, alguma coisa com o bebê. Ela um dia também tinha sido um bebê, também tinha sido um pequeno milagre, protegido e alimentado, polvilhado de talco e vestido em roupinhas de boneca. Tinha sido — era difícil imaginar isso agora — um bebê roliço, com cachinhos negros e um rostinho branco com bochechas de cereja. Ela tinha fotos em que sorria para a câmera como se fosse de fato a coisa mais adorável do mundo, em calçõezinhos de algodão, cujo elástico das pernas marcava a carne de suas coxas. Tinha outras fotos dela mesma, balançando em algum joelho como se fosse a atração do dia, segura em braços como um troféu, sempre o centro do universo, sempre a razão de a foto ter sido tirada. Ela não se lembrava de nada disso, claro, nada desse tempo de bebê, mas tinha sido desejada, sabia disso, desejada e querida pela sua doce e amável mãe, mesmo que seu pai não tivesse se importado.

A melancolia que sentia não era tanto pelo bebê que um dia tinha sido, mas pela vida que lhe tinha sido prometida naqueles dias auspiciosos e inocentes. A promessa de vozes gentis, abraços calorosos e de um lugar seguro. A quase todos os bebês uma promessa assim era feita, noções falsas do mundo eram oferecidas, mas poucos tinham sido apartados delas de modo tão doloroso e repentino quanto Lydia. Agora percebia, não era que não gostasse de bebês, ou que não os achasse interessantes, e nem que se ressentisse de o bebê ter afastado seus amigos e os levado a um reino estranho e inatingível, embora isso acontecesse. Era mais o fato de que, em vez de se sentir alegre ao ver um novo bebê, ela só conseguia sentir medo.

Na quinta-feira, Lydia se encontrou com Bendiks no Regent's Park. Ele estava magnífico numa camiseta branca e uma jaqueta vermelha com capuz. Lydia estava menos luminosa numa calça de ginástica quase preta e num blusão cinza. Sentiu o familiar surto de alegria diante da visão de seu personal. Não entendia por que se sentia assim com Bendiks. Em geral, não se sentia atraída por homens superbonitos e com cara de quem deveria estar usando um terno sob medida em um comercial de produtos pós-barba. Até onde ia sua consciência, não se sentia atraída por nada nesse período. Lydia era uma cientista. Uma mulher de negócios. Uma mulher abonada. Sozinha. Mas mal pensava em homens, mulheres, sexo ou qualquer coisa assim em anos.

— Bom dia! — Bendiks estava radiante.

— Dia! — disse Lydia, esfregando as mãos no frio de janeiro.

— Como você está nesta manhã?

— Tudo bem. E você?

— Estou ótimo — declarou ele.

Lydia concordou com a cabeça.

— Bom, está frio, então vamos nos aquecer bem e rápido. Vamos pular. — Ele sorriu para Lydia, que engoliu um gemido. Pular na academia era uma coisa, mas aqui, em público, era outra bem diferente. Bendiks tinha uma técnica especial para pulos: mãos no nível do joelho, joelhos flexionados e pulos em volta como um grande e desengonçado sapo.

— Ok, mas só se você pular também.

Bendiks sorriu.

— Com certeza — respondeu.

Então, os dois agarraram os joelhos e começaram a pular, Lydia resistindo ao ímpeto de começar a coaxar para imitar um sapo. Depois de um instante, seu sangue começou a correr quente e rápido, as bochechas ganharam cor, o coração batia forte e ela não pôde deixar de rir.

O último encontro sexual de Lydia tinha acontecido oito anos antes, com um colega estudante, que se chamava William. Tinha sido William a lhe sugerir que assumisse a iniciativa num composto químico e a sagacidade para negócios a fim de fazer um produto que iria atrair milhões. Também tinha sido William a partir seu coração pela primeira e única vez.

— Então — disse Bendiks, enquanto corriam na direção da pista de treino do Primrose Hill —, você é cientista?

— Bom, sim — confirmou ela. — Mais ou menos. Costumava ser. Hoje em dia parece que me tornei mais uma consultora de negócios.

— Uau! E como uma cientista se tornou consultora?

Lydia sorriu.

— É uma história longa e muita chata.

— Não me incomodo com chatice — respondeu Bendiks, franzindo os lindos lábios e voltando o rosto de novo para o caminho. — Sou um personal trainer!

O corpo dele era maravilhoso. Flexível e sarado, mas ainda assim suave. Lydia não gostava da ideia de um corpo muito rígido como o de certos homens, não gostava de sentir a musculatura muito junto da pele. Ele tinha, pensou Lydia, o corpo masculino perfeito. Talvez fosse este, ela admitia, o motivo de um estranho fascínio por Bendiks, essa sua simples perfeição improvável.

— Então, conte.

Lydia prendeu o fôlego.

— Ah, nossa, sinceramente, é muito chata mesmo. Eu inventei um composto químico na universidade, resultante de uma estranha obsessão minha, um composto para tirar o cheiro da tinta.

— Tinta?

— É, sabe, de parede. Foi no meu último ano. Mas, na verdade, eu trabalhara nele sem parar desde a escola, nas horas livres, não sei bem por quê, só... detesto cheiro de tinta. Enfim, encontrei esse composto por mero acaso. Estava trabalhando em outra coisa na época, e ela eliminava odores por completo. Aí, uns anos mais tarde, estava decorando meu apartamento e percebi essa lacuna no mercado das tintas orgânicas. Então, pedi um empréstimo para negócios e desenvolvi uma pequena série de tintas orgânicas sem odor. Apenas cinco cores para começar. Elas venderam muito bem, então, fiz mais cinco. Depois de cinco anos, eu tinha uma série de quarenta cores e estava vendendo na Homebase, B&Q. Aí, dezoito meses atrás, a Dulux comprou a minha marca. Por muito dinheiro. E eu ainda recebo os royalties pelo composto original porque eu o patenteei e o vendi a outros fabricantes de tinta. Então, recebo grana da Dulux, e uma renda constante desses royalties...

— Então, você fica sossegada, e a grana chega na sua mão, é mais ou menos assim?

Lydia riu de novo.

— Bom, nem tanto, trabalho bastante com negócios pequenos... com a indústria petroquímica... escrevo para alguns jornais de comércio. Não tem muito glamour, mas, eu não sei, por alguma razão, desde que vendi o negócio das tintas, não quis voltar para a ciência. É como se... é como se tivesse uma missão e eu a tivesse cumprido, e agora só estou nadando nas águas dela. Tentei tirar férias quando vendi o negócio, mas, bem, não sou muito boa nisso. Desde então, me jogo em qualquer coisa que venha na minha direção.

— Uau! — Bendiks virou-se para Lydia e olhou para ela com espanto. — Então você é uma workaholic? Impressionante.

Lydia sorriu. Ficou bastante encantada por ter impressionado Bendiks.

Na trilha do parque, Lydia deu alguns golpes contra as mãos enluvadas de couro de Bendiks. Seus punhos faziam um som parecido com o de alguém caindo no chão toda vez que batia nos dele. Ela não achava certo bater em Bendiks. Não achava certo bater em ninguém. Já tinha ouvido outras mulheres falando que essa prática era libertadora e fortalecedora. Para ela, parecia apenas indigna.

Uma mulher sentara-se com um bebê dormindo num carrinho, enquanto o seu maiorzinho brincava nos equipamentos de treino da trilha. A mãe olhava um jornal aberto junto dela no banco. Virava as páginas devagar e de modo ritmado, como se estivesse exercitando não a mente, mas o punho. Com a outra mão, empurrava o carrinho para a frente e para trás, um centímetro para a frente, um para trás, um centímetro para a frente, um para trás. A todo instante ela desviava o olhar do jornal para olhar o bebê sonolento, e olhar o turbulento garotinho, olhar o jornal, virar outra página; para frente e para trás, assim ia e vinha o carrinho. Era raro Lydia ver qualquer coisa relacionada à maternidade que a atraísse. Tudo parecia tão mecânico e enfadonho.

De repente, o garotinho estava diante deles. Ele parou onde estava e ficou observando, enquanto a mulher morena e magra batia no moço bonito sem parar. Lydia lançou-lhe um olhar, desejando que ele se afastasse. Vá embora, pensou ela, vá embora. Mas ele não foi. Obviamente havia algo de mágico em ver os dois. De repente, porém, o interesse do garoto se transformou de fascínio em preocupação, e de preocupação em chateação, o rosto dele se enrugou, e ele correu soluçando até a mãe, que, por fim, tirada da leitura, avaliou, cercou, rodeou-o nos braços, protegendo-o do simples horror de ver a senhora assustadora batendo no homem bonito.

Lydia suspirou. Ela não andava mais por aí com blusões sem cordão e um cachorro imenso ao lado, não mais bebia vodca escondido. Era adulta, elegante, alguns talvez digam quase estilosa quando queria. Usava fio dental, passava perfume, engraxava os sapatos, fazia compras nas ruas chiques e cuidava bem da pele. Mas, ao que parecia, para quem tinha olho para o que se escondia sob a superfície, para crianças, bebês e animais e para os mais sensíveis, ela ainda era a Moça Esquisita de Preto. Como sempre tinha sido.

Bendiks deu uma olhada no garoto chorando e lhe lançou um olhar divertido.

— Ele acha que estamos brigando — riu. — Coitado. Ficou traumatizado. Vai ter que fazer terapia!

Lydia sorriu, carrancuda, e soltou os braços. O treino tinha terminado mais uma vez. De repente, ela queria da sessão algum tipo de benefício para a saúde em vez da consciência aterradora de si mesma a que tinha sido submetida.

— E você — começou ela —, por que se tornou personal trainer?

Bendiks riu, mostrando os dentes brancos e retos.

— Porque — disse, guardando as luvas e uma toalha numa mochila e sorrindo para ela —, ao contrário de você, eu era burro demais pra fazer qualquer outra coisa! Bom, vou por aqui, você vai por ali, tenha um ótimo final de semana. Eu a vejo na segunda, na academia, certo?

Lydia ficou ali, desencorajada e desgrenhada, com o suor correndo frio pelo rosto, vendo-o se afastar. Nádegas firmes, ombros fortes, indo ser Bendiks em algum outro lugar, com alguma outra pessoa. Ela então sentiu por um instante o desespero que às vezes sentia ao ver outras pessoas, o desespero de nunca ser capaz de ser como elas, nem por um momento, de sempre ser ela mesma.

Lydia chegou em casa 15 minutos depois e, ao pisar na soleira da porta, viu um enorme envelope pardo, deixado ali por Juliette, ela presumiu, que o levaria depois. Chamou a atenção dela porque, ao contrário da maior parte da correspondência que recebia, tinha o endereço escrito a mão e parecia um tanto deselegante. Sentou-se no degrau mais baixo e puxou o envelope. O carimbo postal indicava Tonypandy.

Ela arfou.

Durante toda a sua vida adulta, ela inconscientemente esperava que alguém de casa entrasse em contato. Por fim, esse momento havia chegado. Ficou olhando um pouco mais para a letra. Conhecia aquela letra. Não porque a reconhecesse, mas porque sabia que só havia uma pessoa da sua família preocupada o bastante para dar um jeito de encontrá-la. E essa pessoa era seu tio Rod.

O tio Rod fora um dia o parente mais próximo que eles tiveram porque era solteiro e sem filhos, e porque era bom com Lydia, e útil de um jeito que suas tias, com famílias e compromissos próprios, não conseguiam ser. Porém, poucos dias depois da morte de sua mãe, o tio

Rod desaparecera e nunca mais o viram. Lydia era pequena demais para se perguntar por quê ou mesmo para perceber isso. Mas pensava nele às vezes, e mais tarde o vira no enterro de seu pai, 14 anos depois, afastando-se das pessoas pelo meio das árvores, vestido num terno preto barato, o sol faiscando numa argola em sua orelha, e ela tinha perguntado a alguém sobre quem ele era e disseram: "É o seu tio Rod, o irmão de seu pai". Por um instante, se perguntou por que ele não ficara, mas não pensara mais nele desde então.

Ela ficou olhando pelo vidro opaco da porta da frente enquanto sua cabeça se enchia de lembranças desses últimos dias da vida de seu pai. Ainda conseguia sentir o cheiro do hospital, ouvir as rodinhas das macas indo para lugares sombrios e desconhecidos, sentir a mão fria do pai segurando a dela, firme como um torniquete, sussurrando-lhe no ouvido palavras que não faziam sentido. "Você sempre será minha", dizia ele, "sempre. Ninguém pode tirar isso de mim. Eu criei você. Você é tão minha quanto de qualquer outra pessoa. Está me ouvindo? Compreende? Tão minha quanto de *qualquer outra pessoa.*"

Não passavam de palavras para Lydia. Não procurava o significado delas naquele momento. Não procurava respostas. Só queria que ele morresse para ela não perder o primeiro semestre da faculdade sentada ao lado da sua cama naquele embolorado hospital vitoriano ou preparando-lhe xícaras de chá no seu úmido apartamento sem amor. Um rompimento honesto. Com sua cidade. Com seu passado. Estava pronta para deixá-lo ir. E ele, ela podia enxergar nos olhos dele, estava pronto para se desapegar também, não só dela, mas de toda uma existência sem sentido e infeliz.

Ele finalmente faleceu na última semana de agosto. Fora do hospital, o ar era ameno e quente. Dentro, parado e rançoso. Não havia mais ninguém ali. Apenas ela e seu pai. As últimas palavras dele foram: "Diga a eles que parou de doer. Diga a eles". Ela viu sua última respiração. Imaginara que ela sairia do corpo dele como uma leve baforada de fumaça acinzentada, uma nuvenzinha tóxica, mas em vez disso saiu de seus lábios como um lagarto escapando da alma dele, apavorado e desesperado.

A mão dele ficou flácida na dela, e a cabeça afrouxou-se sobre o travesseiro. Ele se fora. E Lydia ainda estava ali, de repente órfã.

Ela não tinha olhado muito para trás nos anos que se seguiram à morte do pai. Nunca voltara ao vilarejo junto de Tonypandy, nem mesmo quando bem-intencionados convites para o casamento de seus primos chegavam pelo correio, nem quando suas tias imploraram que se juntasse a eles em acolhedoras tardes de Natal em pequenas casas avarandadas com perus ressecados e netinhos novos. Ela levou a vida em Aberystwyth, ficando no apartamento acima da loja durante todas as três férias anuais, mesmo quando Dixie não estava. Trabalhou de garçonete no bar local pelos três anos completos de seu tempo na universidade, noites e finais de semana. E quando não estava no bar, estava no laboratório, metódica e obsessivamente procurando por alguma coisa que tirasse o cheiro de tinta, pensando que trabalhava por uma simples meta comercial, pouco percebendo que tentava limpar da consciência um filme inteiro de lembranças de uma infância podre.

E agora estava aqui, com 29 anos, com não mais que um cantado do sotaque galês ainda presente quando falava, uma milionária, uma mulher que se fez sozinha, alta, morena, inteligente, misteriosa, a milhares de quilômetros de suas origens tristes e um tanto humildes... e de repente um pedaço do passado estava no seu colo em um envelope pardo. Inspirou fundo e o abriu.

Lydia ficou olhando o recorte de jornal. Estava bem aberto em sua escrivaninha. A mão direita contra a frieza refrescante de um copo de gim e limão. A luz em seu escritório estava escura e aconchegante, com um tanto da luz natural que vinha da janela. Todas as luzes estavam apagadas, a não ser a luminária que iluminava o recorte. Fazia meio dia que estava ali sentada. Seis horas. Olhando para o recorte, suportando tudo com método e frieza através de uma garrafa de Bombay Sapphire. Tudo parecia distendido, retorcido e deformado. Sua casa não parecia ser sua casa. Não parecia que suas pernas lhe pertencessem. Juliette parecia uma estranha. Lydia a tinha dispensado mais cedo, apagado todas as luzes da casa e se embebedado.

O conteúdo do envelope pardo tinha sido tanto um choque quanto nada surpreendente. Uma papelada de uma clínica de fertilidade do centro de Londres confirmando que ela tinha sido concebida por meio de uma inseminação artificial, com o esperma de um francês cuja ocupação tinha sido classificada como "estudante de medicina". Também dentro do envelope havia um artigo de jornal rasgado das páginas do *Western Mail and Echo*. Era a história de uma mulher em Llanelli que descobriu aos 25 anos que não só a tinha sido concebida em uma clínica de fertilidade sob o brilho estonteante de lâmpadas halógenas, mas que também tinha quatro meias-irmãs, todas morando a alguns quilômetros dela. Lydia apertou os olhos e olhou de novo a gangue feliz. Tinham entrelaçado os braços e aproximado o rosto umas das outras. Todas tinham cabelo castanho, e todas tinham um nariz ligeiramente carnudo. Eram obviamente irmãs.

O remetente anônimo deste pacote divertido de informações que mudam a vida de modo sísmico também incluíra um folheto sobre um site chamado UK Donor Sibling Registry, o Registro de Parentes de Doadores do Reino Unido. Adultos que sabiam ter sido concebidos pela inseminação de doadores e sabiam o nome da clínica onde o procedimento tinha sido feito podiam se registrar, fazer um teste de DNA e entrar em contato com crianças concebidas com o esperma do mesmo doador. Em outras palavras, podiam ser apresentados aos seus irmãos e irmãs.

Lydia nunca tinha se perguntado por que não tinha irmãos e irmãs. Era óbvio. Sua mãe tinha morrido antes que pudesse ter outro filho. Uma filha única era absolutamente, intrinsecamente, o que ela era. Não poderia ter imaginado a infância, sua *persona*, ela mesma, de outra maneira.

Aflita, ficou olhando as irmãs no jornal e depois encheu o copo de novo. Não bebia gim desde os 18 anos, desde que o pai morrera. Assim que ele se foi, sumiu também o ponto sensível e dolorido na boca do estômago que ela tentava anestesiar. O cheiro da bebida transparente, o vapor na beirada do copo, o travo amargo de fruta velha, fizeram com que ela sentisse de novo toda a dor e o desconforto de ser uma garota de 18 anos, dramática e mal-amada.

Pensou no pai, que um dia foi um homem forte, feito de Baccardi, massa e testosterona, enrugando e encolhendo no cômodo ao lado, dessecado, esgotado e mumificado enquanto a vida passava por ele. Pensou no modo como ele a criara para tomar conta de si mesma, porque ninguém mais o faria. Para se proteger. Não confiar em ninguém. Não acreditar em ninguém. Dar conta de si mesma. Pensou em todos os últimos minutos que passara na companhia dele; as palavras sem sentido que tinham trocado, os presentes de Natal impessoais, os telefonemas rudes, os remédios administrados sem jeito, os silêncios que entoavam segredos, os infindáveis momentos que então pareceram nada, apenas ar, apenas espaço, apenas sufoco, agora subitamente cheios de significado e comoção. Ela não era dele. *Ela não era filha dele*.

Seu pai verdadeiro era um estudante de medicina. Um estudante de medicina de Londres, com cabelos e olhos pretos, e originário de Dieppe. Seu pai verdadeiro era francês. Seu pai verdadeiro era médico. Seu pai verdadeiro não era Trevor Pike. Sentiu algo fluido como um alívio percorrendo-lhe os ossos. Sentiu algo como *deleite*.

E lá fora, em algum lugar, talvez na rua de baixo, talvez num apartamento em Llanelli, talvez num bar qualquer em Dieppe, havia outros como ela. Irmãos. Irmãs. *Gente parecida com ela*. Nunca tinha conhecido ninguém parecido com ela antes. Não se parecia com a mãe, do pouco que conseguia se lembrar dela, e não se parecia com o pai, embora, ah, como ele falara sobre a sua "ancestralidade italiana" ao longo dos anos, como tinha tentado insuflar nela um sentimento de orgulho pelas raízes latinas. Raízes que ela agora sabia que não existiam. Raízes tão reais como histórias da carochinha. De qualquer modo, ela nunca a sentira, essa suposta italianice. Sempre erguera as sobrancelhas com impaciência diante da menção a ela. *Só porque isso é a única coisa interessante em você*, pensava consigo mesma, *não tente fazer disso a única coisa interessante em mim*.

Sabia que era mais do que a filha de um peixeiro iletrado. Ela sabia disso. Bem lá no fundo. Sentia-se mais aparentada com seu velho cachorro Arnie do que com o pai. A culpa que carregara durante metade da vida, a culpa de querer o pai morto para que pudesse seguir adiante com a vida, essa culpa se dissipou, desprendendo-se dela como um demônio exorcizado. Tudo o que restou foi uma confusa sensação de estranheza e frescor, tristeza e deleite. Tomou mais um copo de gim com limão, e digitou o site da Donor Sibling Registry na barra de endereços. À medida que a página se abria, sentiu uma aceleração no peito, uma aflição crescente. Não estava pronta. Fechou o programa, fechou o computador e se voltou para um sono profundo e agitado, cheio de sonhos com estranhos.

Na manhã seguinte, ligou para Dixie. Sua amiga pareceu surpresa em ouvi-la.

— Desculpe, você estava no meio de alguma coisa?

— Não, não — Dixie parecia conter um bocejo —, só estava... é... só estava cochilando.

Lydia considerou o horário. Onze da manhã. Não parecia coisa de Dixie estar dormindo às 11 da manhã, não com prateleiras para arrumar, livros para ler e gente com quem ter conversas que poderiam incrementar potencialmente a carreira. Dixie considerava o sono algo contra a sua vontade, algo a que se submetia uma vez ao dia, ressurgindo dele zonza e brava, como se o sono lhe tivesse roubado a alma.

— É — continuou ela —, Viola teve uma noite ruim. Agora ela foi vencida pelo cansaço, então resolvi recuperar meu sono perdido.

— Oh, droga, Dix, desculpe. Não pensei nisso.

Dixie resfolegou bem alto, Lydia percebeu, como forma de ressaltar como estava profunda e completamente adormecida, e o quanto significava se levantar para este telefonema. Lydia conteve-se um pouco e disse:

— Você deveria ter deixado o telefone desligado.

— É, tem razão. — Ela resfolegou de novo e bocejou. — Não estava raciocinando. Parece que não consigo raciocinar muito nos últimos tempos. — Ela riu secamente.

Nos últimos tempos. Esse riso. Lydia conteve-se de novo. Odiava quando as pessoas tinham filho. Não, não quando as pessoas tinham filho. Quando *Dixie* tinha filho. Qualquer outra pessoa podia se danar e ter um monte de filhos no que dependesse dela. Ela só não queria que Dixie tivesse um. Tinha acabado de se acostumar com o fato de Dixie ter Clem. “Namorado” era uma terra estranha para Lydia, mas ela conseguia ter uma noção tênue disso, pois tivera um em algum momento da vida. Contudo, “bebê” era outro mundo. “Bebê” era mais desgastante do que o mais carente dos namorados. "Bebê" mudava *tudo*. E "bebê", ao contrário de "namorado", era algo irreversível.

— Tudo bem — continuou ela, tentando ao máximo soar alegre —, não queria incomodá-la, mas... — ela parou. Antes do "bebê", ela teria sido capaz de ir direto ao ponto pelo qual ligara. Agora havia esse espectro pairando sobre tudo. Será que Dixie se importaria, pensou, agora que vivia na terra do "bebê"? Será mesmo que compreenderia? *Desculpe, você disse doador de esperma? Bom, eu contei do último babador de Viola?*

— Como vão vocês? — ela conseguiu dizer.

— Estamos bem. Acho. Estamos bem, Clem? — Lydia ouviu-o resmungar alguma coisa. — Sim — Dixie retomou a ligação —, estamos bem. E você?

— Tudo bem. De ressaca. — Assim que disse isso, percebeu que era algo inadequado, que insinuava uma noite bebendo vinho espumante e coquetéis de tequila em algum lugar divertido e musical, bem longe de recém-nascidos e babadores sujos.

— Ah, sorte sua. — Dixie suspirou.

Lydia suspirou também e pensou em chocar Dixie com a realidade de sua noite engolindo gim, sozinha no escuro.

— Não muito. Foi... — Fez uma pausa. Foi horrível, quis dizer, mas, antes que pudesse formar a primeira sílaba, um guincho queixoso cortou a conversa delas, e Dixie, murmurando alguma coisa sobre hora da mamada e se ela poderia ligar de novo em um minuto, e Lydia disse sim, claro, mesmo que soubesse que isso não levaria um minuto, levaria milhares de minutos. E pensando por que Clem não poderia pegar a criança queixosa por um instante ou dois, mas já sabendo que a ausência física da criança queixosa não deixaria que sua amiga se concentrasse em nada além do limite de sua presente situação, e então, com um sentimento de apreensão e tristeza, Lydia percebeu que não conseguiria conversar com sua melhor amiga sobre a coisa mais importante que tinha lhe acontecido em mais de uma década.

Portanto, desligou o telefone, e Dixie desaparececeu numa metafórica nuvem de fumaça, deixando Lydia se sentindo abandonada e sozinha.

***

Dixie não ligou de novo milhares de minutos depois. Não ligou de novo em três dias. Enviou a Lydia uma mensagem no sábado de manhã que dizia: *Acabei de espirrar leite pela sala toda e chutei o gato no olho. O que anda fazendo?* A cada passo de Dixie pelo mundo dos bebês e da normalidade, Lydia se sentia dar um passo para trás, para o mundo da estranheza e da solidão. Ela respondeu: *Dê uns óculos de proteção pro gato! Estou por aqui*. Dixie não respondeu, e Lydia não esperou por isso. Passou o dia entre trabalhar e beber.

Naquela noite, tirou um álbum de fotografias do armário e o levou para a cama. Era o álbum que conservara quando mudara do apartamento desgraçado que dividira com o pai. Era tudo o que tinha de Glenys. Sua mãe. Não havia vestidos cheirando a naftalina nem brincos de pérola herdados nem cachos de cabelo que Lydia pudesse segurar no dedo, pensativa. Seu pai tinha se livrado de todos os vestígios de sua mãe depois da morte dela, mas tinha guardado esse álbum. Lydia não queria começar a compreender que tipo de pensamento anormal o tinha levado a guardar isso para ela, mas ele guardara, e esse álbum era agora seu maior tesouro.

Antigamente, ela tinha olhado essas fotos como quem olha fotos de Marilyn Monroe ou da rainha Vitória, como uma estrela morta — carismática, inatingível, desconhecida, poderosa e morta. Mas ela as enxergou de um modo diferente esta noite. Sempre pensara na mãe como apenas uma garota. Todo mundo só lhe tinha dito isso dela: era uma ótima garota. Uma garota divertida. Uma garota amável. Uma garota adorável. Ah, sim, Glenys, ela era *uma garota adorável*. Mas *garotas* não vão do nada até Harley Street para fazer filhos. Mulheres faziam isso. Mulheres que queriam filhos. "Sua mãe me adorava, você sabia disso? Adorava o chão onde eu pisava." O pai dela tinha dito isso. Não só uma vez, mas muitas, era seu jeito de conservá-la inteira para si mesmo. Mas, ao olhar as fotografias, de repente ocorreu a Lydia que sua mãe a tinha amado muito mais do que jamais o amara. Afinal, tinha se preparado para arriscar absolutamente tudo por ela.

***

No domingo, Lydia saiu para caminhar. Estava sóbria e cansada, e sentia a rua como uma esponja sob os pés. A luminosidade era pálida, mas estava de óculos escuros, sentindo-se como uma criaturinha meio cega saindo da hibernação. Passou três vezes em volta do antigo cemitério, desviando o olhar do parquinho onde babás asiáticas balançavam bebês franceses e poderosas mamães americanas digitavam em seus Blackberries, enquanto seus rebentos sugavam sucos orgânicos de caixinhas recicláveis. Desceu e subiu a St John's Wood, passando pelas butiques, confeitarias, lojas de roupas de bebê, encarando cada pessoa pela qual passava com uma curiosidade animalesca. Ali estava ela, a alguns quilômetros do lugar de sua concepção. Ali estava ela, andando no meio de hordas de parentes em potencial. Examinava cada detalhe do nariz, o modo de andar, as mãos, os olhos de todo mundo que via. Percebeu uma semelhança na curva do maxilar de alguém, e flagrou-se inconscientemente seguindo a infeliz mulher pela rua até uma confeitaria. Deteve-se na entrada e voltou para a rua.

Lydia sempre se sentira à parte do resto do mundo, quase elevada. Sempre tinha se sentido mais inteligente, mais quieta, mais forte e mais autossuficiente. O pai a tinha criado assim. Ele a tinha formado para acreditar que era invencível. E sozinha. E ela era. Sempre olhava para o restante da humanidade como uma massa amorfa, uma massa estatelada de carne e osso. Nada a ver com ela. Entretanto, aos 29 anos, nunca teve uma ligação tão forte com alguém como a que partilhou com seu cachorro de infância.

Depois de uma hora dessa excêntrica perambulação sem rumo, ela foi para casa. Da calçada, avaliou sua casa. Sentiu um arrepio. Era tão grande. Tão sem alma. Tão aborrecida, com suas janelas opacas como olhos cegos esbranquiçados. Era, ela se deu conta num repentino surto de perspectiva desconcertante, o verdadeiro reflexo dela mesma. Até Dixie lhe dizia isso às vezes: "Você é *assustadora!*". Tudo bem. Lydia ficava feliz de ser assustadora. Sendo assustadora, o mundo ficava longe. Mas agora havia um sinalzinho de possibilidade de que o mundo queria entrar, e de que ela não poderia fazer nada para impedi-lo. Mais surpreendente, porém, era perceber que ela na verdade não queria impedi-lo.

Naquela noite, ela levou uma garrafa plástica de refrigerante e um saquinho de doces coloridos e pequeninos para o escritório. Afrouxou a tampa da garrafa e esperou até o jato de gás adoçado subir antes de abri-la e tomar um gole sedento. Gastou uns instantes avaliando o conteúdo do saquinho, experimentando as sensações diante das várias opções dentro dele. Por fim, escolheu uma garrafinha verde e vermelha e a mastigou, num instante de contemplação. Pensou em ligar para Dixie. Parecia que era um passo assustador demais para dar na vida sem que viva alma soubesse dele. O final de semana tinha sido comprido e intenso. Ela se sentira totalmente fora da realidade. Sentira-se amedrontada, entusiasmada e enjoada. Do outro lado de seu próximo gesto estava outra existência. Imaginou Dixie com um bebê no seu gigantesco peito, o olhar indiferente, suspirando diante do número de Lydia no visor do telefone. Não. Ela faria isso sozinha.

Digitou o endereço do site e preencheu os formulários on-line. Depois comeu outro doce, desta vez na forma de um bonequinho.

Passaram-se dias após Lydia ter postado os detalhes sobre ela no Donor Sibling Registry. Eles passaram devagar e tediosamente, como pessoas lerdas bloqueando seu caminho. Janeiro virou fevereiro. Ela não conseguia se concentrar em nada. Não conseguia enxergar além da correspondência. Todos os dias rondando o computador, comendo doces, ignorando o telefone, verificando o e-mail, verificando de novo o e-mail, sem parar. As únicas centelhas de vida nessa coberta de hibernação foram as três sessões semanais com Bendiks e um convite sobre a escrivaninha para uma festa de *Bem-vinda ao mundo* para Viola, em três semanas.

Estava em casa agora, esperando Bendiks. Ele iria treiná-la aqui hoje porque tinha saído daquela academia escondida. Lydia não perguntara por quê. Mas estava se sentindo estranhamente nervosa à medida que os minutos se aproximavam das 11 horas. Em instantes Bendiks estaria ali, em sua casa. Ela abriria a porta, ele sorriria, e ela o convidaria para entrar... e em outra existência paralela, seria noite, e ela abriria uma garrafa de vinho, e eles conversariam diante da luz oscilante de uma vela, e depois se retirariam para a cama a fim de explorar o corpo um do outro pela metade da noite, sob os lençóis recém-trocados de Lydia. Mas nesta existência, nesta existência completamente desguarnecida, ela o guiaria até a academia do porão (sim, ela tinha uma coisa dessas; já estava ali quando comprou a casa), e ele faria com que ela praticasse coisas chatas e repetitivas por 45 minutos, e então iria embora e ela não o veria de novo por 48 horas.

Ela se olhou no espelho antes de descer as escadas. Parecia espectral e um tanto demente. Juliette tinha levado um susto ao chegar de manhã e ver Lydia na escada, e imediatamente lhe preparara um sanduíche de frango. Bendiks ficou menos desconcertado.

— Bom dia, Lydia — cumprimentou-a, passando pela porta da frente com uma mochila e perfume de canela e almíscar. — Você tem uma casa muito bonita.

— Obrigada — respondeu ela, deixando que ele passasse e entrasse no vestíbulo.

Ele estava, como sempre, impecável. De várias maneiras, era um grande engano Lydia se sentir como se sentia em relação a ele. Provavelmente era gay. Na verdade, sim, claro que era. Claro que era gay. As sobrancelhas feitas, o blusão preto imaculado, os dentes brancos e as lindas tatuagens. Claro que era. Ela esperava que sim. Se Bendiks fosse gay, ela poderia parar de se sentir desse jeito sempre que o encontrasse. Se Bendiks fosse gay, ela poderia simplesmente seguir com sua vida.

— Você quer alguma coisa? — perguntou ela. — Um copo de água?

— Não, tudo bem. — Ele deu um tapinha na mochila. — Tenho a minha garrafa. — Ele sorriu, e ela sentiu. Ele não era gay. Um homossexual não sorriria para uma mulher desse jeito. Ela tinha certeza disso.

— Então — ela começou a falar, levando-o até o porão e ligando um interruptor no percurso —, teve um bom fim de semana?

— Sim, foi bom. Bem sem graça. E você?

— É — respondeu ela. — A mesma coisa.

Ele riu.

— Se esta casa fosse minha, eu a encheria de gente bonita e badalada todo fim de semana e faria uma festa imensa.

Lydia sorriu meio esquisito.

— Não conheço gente bonita e badalada — respondeu, seca.

— Você me conhece.

— É verdade. — Acendeu outro interruptor.

— Nossa! Veja só isso! É maravilhoso.

— É — ela coçou o pescoço —, não que eu venha aqui muitas vezes.

— Mas é como um spa particular! Você tem uma hidromassagem fantástica!

— É, e uma sauna. E uma sala de massagem, aqui. — Ela abriu uma porta e mostrou a ele uma saleta branca com raminhos de cereja pintados. — E um cineminha, ali.

As sobrancelhas perfeitas de Bendiks estavam quase junto da linha do cabelo.

— Uau!

Lydia não se sentiu recompensada pela reação dele. Ainda que tentasse, não conseguia fazer com que aquela casa tivesse alguma coisa a ver com ela. Na sua cabeça, ainda pertencia ao casal de americanos meio apavorantes de quem ela tinha comprado, pertencia a Caitlin e Tom Schnobel e aos três lindos adolescentes do casal. Na cabeça dela, os três quartos extras pertenciam a esses meninos, e aquela imensa sala de prazeres subterrânea pertencia a Caitlin ("Me chame de Cait"). Lydia meio que esperava que chegassem um dia com um conjunto de malas e um bronzeado caribenho, agradecendo-a por ter tomado conta da casa para eles.

— Achei que poderíamos nos exercitar aqui. — Ela indicou um espaço junto da porta do fundo com uma barra de balé, uma parede espelhada e esteiras.

— Bom, sim, sua academia particular, acho que sim, é logicamente o lugar para se exercitar. — Ele deu um sorriso largo, explicando-lhe a brincadeira. — Sabe, neste trabalho, já fui a algumas casas maravilhosas, de celebridades e gente assim, mas acho que a sua casa é a melhor. É a mais... *minha cara*, sabe? — Ele sorriu de novo e começou a abrir a mochila. — Bom, vamos lá?

Ela concordou, pálida.

— Você parece... Espero que não se importe de eu dizer isso, mas você não está com uma cara boa hoje.

— Oh, muito obrigada.

— Não, não quero dizer desagradável. Parece que tem coisas ruins na cabeça. Parece esgotada, esmagada, entende?

Lydia fez uma careta. Esgotada e esmagada. Ela se sentiu como uma lesma sob um tijolo.

— Umas coisas — resmungou ela. — Umas coisas esquisitas na minha vida, só isso.

Ele arqueou uma sobrancelha.

— Alguma coisa sobre a qual gostaria de conversar?

Ela riu, mais alto do que pretendia.

— O que foi — provocou ele —, acha que não consigo conversar? Que eu sou apenas um grande boboca?

— Não! Claro que não. É que... Não sei. Nunca conversamos. Seria estranho.

Ele sorriu e cruzou os braços.

— Escute — disse —, estou aqui como seu personal, certo? Você me paga para exercitá-la. Esse é o combinado. Mas também preciso garantir que você esteja no lugar certo, mentalmente, para que eu possa cuidar da boa forma, e tenho notado que ultimamente você não está. Que eu a deixo e você fica assim — ele deixou cair o tronco, de modo patético — até a próxima vez que a encontro. E isso não é bom. Então, se acha que pode ajudar, converse comigo. Sai mais barato que terapia!

— Ah, Deus — ela estava sem graça. — Eu não saberia por onde começar. Melhor não.

— Experimente. — Ele sorriu. — Acho que já ouvi de tudo. É difícil me chocar.

Lydia deu uma olhada nele. Ele tinha se acocorado à altura dela. Sua pele era como camurça, fosca e imaculada. Tinha certeza de que havia alguma dissimulação em seus olhos. Era a confirmação. Bendiks era gay. E, de repente, o fato de ele ser gay o tornava acessível.

— Bom — ela começou a falar, um pouco na defensiva —, até quatro semanas atrás eu não tinha ideia de que a minha mãe, que morreu em circunstâncias suspeitas quando eu tinha três anos, havia recorrido a um doador de esperma para me conceber. Alguém da minha cidade natal me enviou uma carta anônima. E na semana passada eu me registrei num site que prometia me reunir com qualquer irmão que talvez eu sem saber tenha pelo mundo afora. Fiz um teste de DNA e me disseram que o nome do meu pai é Doador 32, e que até agora nenhuma outra criança se registrou. Então, agora eu fico no computador, verificando sem parar se alguém acrescentou detalhes, para ver se tenho um irmão ou irmã. E não estou conseguindo me concentrar em mais nada. Quando não estou rondando o computador, fico andando pelas ruas, olhando as pessoas como uma doida, pensando se elas se parecem comigo, pensando que talvez sejam da minha... família.

Sentiu o corpo relaxar à medida que as palavras saíam de sua boca. A sensação física delas era confortante e agradável, como xarope.

Bendiks soltou o ar devagar e se deitou de lado.

— Uau! Inacreditável.

Lydia concordou com a cabeça.

— Então, seu pai... o homem que criou você... ele não podia...?

— Suponho que não.

— E ele sabia? Que você não era filha dele?

— Não sei. — Ela deu de ombros. — Uma vez ele disse uma coisa esquisita, pouco antes de morrer; disse que eu era tanto dele quanto de qualquer um. Nunca entendi o que ele queria dizer, pensei que significasse que eu era tanto dele quanto de minha mãe. Mas tem sentido se ele soubesse, não é? E explicaria por que ele me odiava.

Bendiks começou a fazer um som de zombaria.

— Não, é verdade, ele me odiava. Sempre soube que me odiava, e sempre pensei que fosse porque eu não tinha morrido no lugar de minha mãe. Sempre me senti culpada, sabe, pois não era o suficiente para lhe compensar a perda da minha mãe. E então, bom, agora eu sei que ele não era meu pai verdadeiro, e se ele sabia também, e eu acho que sabia, bem, então, ele não precisava mesmo me amar, não é?

Fez-se um silêncio pesado entre eles.

— Entendo — disse Bendiks, com calma.

Lydia lançou um olhar para ele.

— Entendo você. O meu irmão morreu. Foi atropelado por um caminhão, na porta de casa.

Lydia piscou e ficou olhando a ponta dos dedos.

— Sinto muito.

Ele encolheu os ombros.

— Não precisa sentir. Não é culpa sua. — Ele sorriu.

— Não, claro, não é isso, é só... é o que dizemos quando nos sentimos mal por alguém. Quantos anos você tinha?

— Quatorze. O meu irmão tinha oito. Então, sabe, meio que entendo como você se sente. Eu tinha um irmão. Agora não tenho um irmão e ando por aí e ainda o vejo. Tento imaginá-lo com quatorze, vinte, vinte e quatro. Ele teria vinte e quatro agora. — Por um instante, seus olhos se encheram de tristeza. — E, nossa, se eu soubesse que haveria uma chance de eu ter outro irmão ou irmã, alguém que se parecesse um pouco comigo, ou que soasse um pouco como eu, seria um milagre... Eu entendo — repetiu ele, segurando a mão dela. — Entendo como se sente.

Lydia olhou para a mão que cobria a dela. Ficou olhando as unhas perfeitas, a cutícula macia, e então imaginou aquela mão deslizando pelo braço dela, tirando o cabelo dos seus ombros, segurando-lhe a nuca, puxando o rosto na direção dele. Podia partilhar isso com outras pessoas... no entanto, foi com Bendiks. O seu personal. O homem que a fazia pular como sapo e bater nele. O estrangeiro.

Havia uma noite inteira de conversa entre as duas histórias deles, mas Lydia se sentia se fechando de novo, devagar mas com determinação. Sentia-se exposta e grosseira. Era hora de voltar ao básico.

— Vamos lá — disse ela, erguendo-se. — Hora de me fazer suar.

— Tem certeza? — perguntou Bendiks, com a voz suave de preocupação. — Podemos conversar mais.

Lydia abriu a boca. Sim, ela queria dizer sim, quero falar, falar, falar e depois tirar a sua roupa e deixar que tire a minha, e depois suar, sacudir, esfregar-se e gemer e depois me deitar com seu lindo corpo envolvendo o meu nas poças compartilhadas de nosso suor salgado, e então falar mais.

— Não, não. Cansei de falar por ora. Mas obrigada. Pensei que estivesse enlouquecendo. E agora sei que não.

Robyn

Robyn Inglis comemorou seus 18 anos com uma dose energética de Voltz e uma pílula do dia seguinte.

Na noite anterior ela ainda tinha 17, mas não ia fazer festa de aniversário no domingo à noite, de jeito nenhum. Além disso, tinha sido quase legal, a festa não tinha começado antes das nove horas, ela tinha virado para 18 à meia-noite, e nas últimas quatro horas tinha festejado como membro adequado e genuíno da população adulta, muitíssimo obrigada.

O homem, o *rapaz* (ele ainda tinha 17, o coitado), era algo irrelevante. Ela só tinha que fazer isso, o mais rápido possível, batizar a si mesma e à sua *maioridade*. O nome dele era Christian. O judaísmo, sua religião. Circuncidado o seu pênis. Rápido o seu gozo. Robyn, porém, não se importou. Ele era bonito e cheirava bem, e ela só tinha perdido dez minutos de sua maravilhosa festa. Havia quase um ano planejara essa festa, como se fosse um *casamento* ou coisa assim. Seus pais lhe deram 500 libras para isso, e ela usou mais umas cem libras das próprias economias, feitas com o trabalho na Zara, aos sábados. Uma limusine, isso mesmo, uma limusine fora buscá-la em casa no sábado à noite com três de suas melhores amigas. Pareciam celebridades de verdade. Robyn estava imitando o visual de bastidores de Anna Friel, num vestido de baile apropriado com anágua e tudo o mais. Batom vermelho e penteado. Ela estava *maravilhosa*. Todo mundo disse isso. Todos disseram.

A mãe de Robyn ficara toda esquisita quando ela desceu as escadas no vestido, levando as mãos à boca, segurando o fôlego e dizendo: "Você está estonteante, estonteante. Uma princesa de verdade mesmo". O pai dela só dera aquele sorriso largo e bobo dele e parecera um pouco orgulhoso. E aí eles disseram todas aquelas bobagens de sempre, como *não vá a lugar nenhum sem falar com suas amigas*, e *chame a gente se tiver qualquer problema, não importa a hora, e nunca deixe de prestar atenção na sua bebida e não aceite bebida de estranhos a não ser que tenha visto com os próprios olhos o barman servi-la*. Tá, tá, tá. Como se ela nunca tivesse saído para beber. Ela saía para beber desde os seus *13 anos*, pelo amor de Deus. Robyn sabia beber.

Mesmo quando estava ocupada com Christian (por que esses judeus deram o nome de *Christian* ao filho, não tinha sentido!), encostada na parede do lado de fora do banheiro masculino, ela tinha o controle. Só que ele não quis usar camisinha. Isso não tinha muita importância, porque ela sabia que tinha duas pílulas do dia seguinte na gaveta, e ela imaginou que ele cheirava bem demais para ter alguma DST. Ninguém com cheirinho de *rosas* no cabelo poderia ter uma DST. Enfim, ela teve tudo sob controle, puxando-o pela gravata, tirando-o da calça, beijando-o com força, muita força. "Você é o meu presente de aniversário", sussurrara ela ao ouvido dele.

Depois que o restaurante os havia expulsado à uma da manhã, eles percorreram a avenida, moças e rapazes lindos, todo mundo de braços dados, cantando, como numa cena de filme. Ela tentou bater uma foto com o celular, mas a luz não era boa, só saiu uma mancha de luminárias de rua e faixas de gente. Mas ela a guardaria mesmo assim. Bons tempos. A melhor noite da sua vida.

Robyn engoliu a pílula com o energético e rezou para que nada voltasse. Ela só tinha mais uma pílula e, se essa voltasse, estaria perdida. Não teve ressaca. Robyn não tinha ressacas. Um fígado de aço. Mas se arrastava de cansaço como se saída do túmulo. Afastou o cabelo do rosto e olhou-se no espelho de sua penteadeira. Será que era correto pensar que você é muito bonita? Era normal isso? Será que outras moças de 18 anos se olhavam no espelho e pensavam, hã, *bonita*? Ela fazia isso. Toda vez que se via, sentia um arrepio de prazer, de satisfação. Já tinha medo de perder isso. Já sabia que lá no final dos seus 20 anos estaria se entupindo de botox. Talvez já existissem outras invenções até lá. Poderia estar mergulhando em tanques de xixi marciano ou algo do tipo. Na verdade, ela preferiria botox a xixi de marciano. De qualquer modo, definitivamente estaria considerando a questão.

Havia pouca coisa no mundo que Robyn achava pior do que não parecer bem. Mas ela estava ótima, mesmo com cinco horas de sono e cheia de vodca metabolizando nas veias. Os olhos cor de avelã tinham o formato de um peixe, e as sobrancelhas, num lindo tom castanho, eram delicadamente arqueadas. Seu nariz era perfeito — bem, não havia outra palavra para isso. Nem arrebitado, nem comprido, nem curto, absolutamente reto, com belas e pequenas narinas. E ainda havia a boca. Carnuda. Quando criança, ela era quase uma alienígena: olhos muito grandes e imensos lábios que pareciam ter sido tirados do rosto de uma mulher de 30. Teve que expandir as feições, os ossos tiveram que crescer e toda a estrutura em torno para lhes dar suporte. As pessoas às vezes diziam que ela se parecia com a Angelina Jolie. E ela se perguntava, se perguntava mesmo, de onde tinham vindo aqueles lábios. Eram como lábios africanos. Era possível, supunha ela. Não eram de sua mãe, disso tinha certeza, sua mãe tinha uma boca dura e uma linha de lábios. E de seu pai, *obviamente*, não tinha puxado a boca, pois ele não era seu pai verdadeiro, e sua mãe nunca tinha se encontrado com seu pai verdadeiro, portanto ela não tinha ideia nenhuma do tipo de rosto que ele teria. Lábios cheios, provavelmente. Lábios cheios, e moreno, e ossos da face como um bumerangue.

Ela sabia algumas poucas coisas sobre ele. Era francês. Morava em Londres. Estudante de medicina. E não um tipo antigo de medicina, mas medicina de criança. Não era uma maravilha? E era — como era mesmo que sua mãe e seu pai o chamavam — um *altruísta*. Isso mesmo. Trabalhava com crianças doentes, e doou o esperma a estranhos. O que era bem engraçado, pois aparentemente o altruísmo era algo que também ocorria no reino animal, quando uma criatura renunciava ao próprio conforto e segurança para garantir a disseminação de seus genes. Não necessariamente doando o esperma às fêmeas, mas cuidando da própria espécie. Enfim, ele parecia ser a pessoa mais gentil do mundo, e Robyn jamais iria vê-lo, mas gostava dele mesmo assim, gostava dele pelo seu altruísmo e por fazer com que ela fosse como era, tão bonita, inteligente e tudo o mais.

Todo mundo sabia que o pai de Robyn era doador de esperma. Não era nenhuma novidade. Na sua escola, três pessoas completamente distintas moravam com os pais gays, sabe como é, duas mães ou dois pais, e havia um garoto que fazia terapia hormonal para virar mulher, portanto, isso posto, um pai anônimo não era grande coisa. Metade das crianças no projeto para jovens ali da esquina provavelmente tinha pais anônimos, mas Robyn apostaria que eles não eram pediatras franceses.

Seu telefone vibrou na penteadeira. Ela o agarrou.

— Nush! Cacete! Chegou bem em casa? Nossa, achei que aquele cara estava perseguindo você. É, aquele esquisito. Ele tinha mesmo uma *língua bifurcada* ou fui eu que imaginei isso? Rá, rá! Sim, não, estou bem, você me conhece. Fígado de aço. É, sim. Foi maravilhoso, não foi? Realmente maravilhoso. Completamente. Eu sei. Hoje? Ah, nada de mais, almoço com papai e mamãe e tia e primos e tal. Almoço no Hog's Head. Não, vai ser bom. Vou usar aquele vestido da Kookai, sabe, aquele com aquela faixa na cintura. Cabelo penteado, vai ter que ser... ah, e obrigada pelo lindo colar, é lindíssimo. Adorei. Adoro você. É, gosto mesmo! Adoro você, Nush! Gosto tanto que vejo passarinhos voando no meu coração. É. Bem agora. Estão voando e voando agorinha, você não está ouvindo o pio deles? Ouça...

Mais tarde, no Hog's Head, Robyn se sentiu uma celebridade. Ela vinha ao Hog's Head com a mãe e o pai desde que tinha meses de idade, e todo mundo ali a conhecia. Todo mundo ali sabia dela mesmo antes de ela nascer. Havia um recorte de jornal pregado no seu quarto que dizia: "A alegria de um bebê na tragédia de Buckhurst". Era ilustrado com uma foto de sua mãe, com um cabelo horrível, sentada no sofá, a mão na barriga de grávida, e o pai atrás, com a mão no ombro dela. Não pareciam estar passando pelas alegrias de um bebê, pareciam bem envelhecidos e realmente trágicos, mas tinham tido alguns trágicos anos, e Robyn supunha que ainda não estivessem prontos para se sentir felizes. A mãe dela sempre dissera que não acreditaria que tudo estava bem até ter o bebê nos braços. Compreensível, diante do que passaram. Mas era a expressão de seu pai na foto que de fato interessava a Robyn. Como ele estaria se sentindo, sabendo que na barriga da mulher não havia um filho dele?

Ela se sentou no colo dele agora, seu adorável e imenso pai. Era sólido como uma poltrona, e cheirava a travesseiro e amaciante de tecido.

Estavam felizes. Eram uma família feliz. Beijou-o no rosto e saiu do colo dele para se sentar à cabeceira da mesa.

— E aí? — disse Jan, a irmã de seu pai. — Que tal a vida de adulta?

Robyn sorriu. Havia anos se sentia adulta.

— Gosto dela. Vou começar a votar todos os dias. E fazer sexo anal.

Jan riu alto. A família de Robyn era do tipo que não ficava sem graça falando de sexo anal.

— Rá, rá — gargalhou —, isso mesmo, querida, faça isso agora antes de ter filhos. Pois não vai querer depois!

Robyn franziu o nariz e tentou não pensar no que ela quis dizer.

Deu uma olhada na família; sua mãe, seu pai, primos e tia, pensando, não pela primeira vez, *Sou diferente de vocês*. E não só isso: *Sou melhor do que vocês*. Era bom pensar assim. Era horrível, doentio, pensar assim. Ela não resistia, porém. Tinha sido diferente a vida toda. Mais bonita do que todo mundo. Mais inteligente do que todo mundo. As melhores notas da classe sempre. Prestes a começar a estudar medicina na University College London. Acompanhando os passos de seu misterioso e glamoroso pai doador.

Ela entrou na fila para se servir e sorriu para Steve, o chef, que suava um pouco sob o chapéu branco de papel e a iluminação quente, brandindo uma imensa faca afiada.

— Feliz aniversário, Robyn — disse ele, com um sorriso tímido.

— Obrigada! — Ela sorriu também.

Steve estava apaixonado por Robyn. Tinham estudado na mesma classe no fundamental, e ele havia se apaixonado por ela na época também. Todo mundo sabia que Steve era apaixonado por Robyn. É provável que tivesse pedido para trabalhar naquele dia porque sabia que ela iria comemorar ali o aniversário.

— Tenho um cartão pra você — confessou, enxugando o brilho da testa com as costas da mão e depois fatiando um pouco de peru para ela. — Entrego mais tarde, depois de arrumar tudo.

Ela sorriu e assentiu. Sabia que ele queria beijá-la.

— Obrigada, Steve, é muito gentil.

— Quer um pouco do recheio?

— Não, obrigada — respondeu. — Só um pouco de bacon.

— Você está linda.

— Obrigada. Você vem tomar uma bebida com a gente? Quando terminar? Acho que vamos ficar aqui um bom tempo.

O rosto dele se suavizou, e ele concordou.

— Sim, seria ótimo.

Robyn empilhou no prato batatas assadas, buquês de brócolis ensopados e montes de couve-de-bruxelas, encharcando tudo com o espesso molho à base de vinho pelo qual o Hog's Head era famoso. Depois levou essa pilha até a mesa e todo mundo soltou ahs e ohs diante do seu apetite voraz, dizendo: "Onde você põe tudo isso? Deve ter um pé oco", e Robyn olhou para os seus robustos pais e para a tia meio rechonchuda, sempre propensa a dizer coisas como: "Tudo o que preciso fazer é olhar para uma fatia de bolo e já ganho peso", e para os primos de bocas pequenas, caras de pãozinho e pés largos, e pensou: Não sou um de vocês. Venho de uma tribo própria, tendo sido retirada um dia da linha evolutiva. Isso não significava que não gostasse deles. Ela adorava sua família com uma paixão brutal. Mas, enfim, as pessoas gostavam dos seus cachorros com uma paixão brutal. Isso não significava que eram a mesma coisa.

— Divertiu-se com os amigos na noite passada? — perguntou a tia Jan.

— Foi maravilhoso — respondeu Robyn. — A melhor noite de todas.

— Lembro-me bem dos meus 18 anos — disse a tia. — Vesti um conjunto todo engomado e fiz permanente. Senti-me o máximo, parecida com Brian May. — Ela riu. — Era difícil ser jovem nos anos 80. Hoje em dia vocês, meninas, se vestem tão bem. As lojas têm tanta coisa bonita pra vocês.

O celular de Robyn fez som de mensagem. Era Christian: *Oi, garota, o que anda fazendo?*

Ela resmungou: *Oi, garota*. Apesar do perfume gostoso, isso pouco importava se a pessoa enviava mensagens que começavam com *Oi, garota*. Ela ficou levemente arrepiada e enviou uma resposta, com o dedão funcionando furiosamente nas teclas: *Almoçando com a família. Vejo você por aí*.

De propósito, ela deixou a última frase sem interrogação. Uma interrogação sugeriria que ela *esperava* vê-lo por aí. Ela *não* esperava vê-lo por aí. Ficaria bem feliz o resto da vida sem vê-lo por aí ou em nenhum outro lugar, aliás. Robyn não tinha interesse pelos homens dali. Não assim. Era ótimo beber com eles, ir a festas, dormir com eles. Mas, a longo prazo, para a vida toda, só mesmo um médico.

— Um brinde! — disse o pai dela, erguendo a caneca de cerveja. — A minha garotinha. Nossa garotinha. — Ele sorriu para a mulher. — Temos muito orgulho de você, querida, muito orgulho de tudo o que conquistou. Você só nos trouxe alegria nesses últimos dezoito anos, só alegria. Não poderíamos ter uma filha melhor. Obrigado, Robyn, por você ser você. — À medida que pronunciava essas palavras, uma lágrima lhe escapou pelo canto dos olhos, escorrendo pelo nariz dele. Ele a enxugou, desculpando-se com um sorriso para sua menina. — Amo você — resmungou.

— Ah, papai. — Robyn aconchegou-se nele. — Amo você também. Obrigada. — Puxou a mãe na direção deles também. — Obrigada aos dois por serem a melhor mãe e o melhor pai do mundo, e quero que saibam que eu vou seguir em frente, sempre os deixando orgulhosos de mim.

Isso bastava, pensou ela, sentindo o aconchego de seus pais contra o corpo, a alegria da família em volta dela, o calor desta tarde de agosto e dessa união, isso bastava. Era tudo o que queria e do que precisava. Tinha dezoito agora. Poderia entrar em contato com o pai verdadeiro, se quisesse. Mas não iria fazer isso. Este homem aqui era o seu pai de verdade, este homem com um suéter verde, de sapatos lustrosos e de ombros largos. *Seu pai*. Ela não queria outro.

O seu outro pai, o pediatra francês, ficaria em sua cabeça para sempre. Ele a empurraria, sem saber, na direção de uma carreira em medicina e faria com que se sentisse para sempre um pouquinho melhor do que todo mundo. Seu apego a ele, porém, não passaria disso. Gostava dele assim — como um personagem de seu próprio conto de fadas.

Naquela mesma noite, mais tarde, Robyn se sentou com os pés dobrados no sofá, junto do pai, assistindo ao *Big Brother*. A mãe entrou na sala, segurando alguma coisa contra o peito. Sorria de forma estranhamente tensa. O pai endireitou-se ao vê-la, e Robyn instintivamente desdobrou as pernas, colocando os pés no chão.

— Está tudo bem? — perguntou.

A mãe assentiu.

— Sim, querida, estou ótima. Mas tenho uma coisa pra mostrar a você. Mexa-se.

Robyn deu uma olhada na papelada nas mãos da mãe.

— Oh, não! — disse ela, em dramática zombaria. — Não me digam! Sou *adotada*?

Sua mãe sorriu.

— Isto aqui — ela começou a explicar — foi o que me deram na clínica, quando fiquei grávida de você.

Robyn levou a mão à garganta e recuou.

— Não quero isso, tire isso daqui.

A mãe suspirou e pousou a mão na perna de Robyn.

— Não precisa ler nada — disse gentilmente —, mas quero que fique com isso. Você tem dezoito agora. É adulta. Isso não me pertence mais.

— Então jogue no lixo, rasgue. Não importa. Eu não quero.

Sua mãe suspirou de novo.

— É só uma carta — respondeu ela. — Já li. Não há nada de assustador nela. E tem o número do doador e informações, no caso de querer entrar em contato.

— Não quero! E não quero ler a carta! Já sei o suficiente sobre ele, e sou agradecida e tal, mas não preciso dele na minha vida, tá bom? Não quero conhecer mesmo, mesmo.

A mãe apertou-lhe a perna e sorriu.

— Sabe, não estaremos aqui para sempre, eu e seu pai. Não somos velhos, mas tampouco vamos rejuvenescer. Quando morrermos, você vai estar por sua conta. Pegue esses documentos, querida, guarde-os. Pelo menos, se alguma coisa acontecer... claro que não vai — ela apertou Robyn de novo, tranquilizando-a —, mas se acontecer e você decidir que quer encontrá-lo, terá os meios para isso, ok? E outra coisa para considerar, mesmo que não queira conhecer o seu pai-doador, e os irmãos? Irmãs? Sei, sei que não quer isso agora. Mas no futuro. Um dia. Quem sabe. — Ela cortou um início de protesto de Robyn.

Robyn deu uma olhada na pasta e expirou. Estava tão carregada de explosivos que conseguia ouvir o tique-taque. Pensou nesses irmãos sem nome e sem cara e os odiou. Considerava-os caricaturas grotescas de si mesma, cheios de lábios e atitudes, pensando que eram algo especial porque o pai era um doador de esperma, o pai era um pediatra francês. Este era o papel dela, de mais ninguém. Além disso, ela tinha tido irmãs, duas lindas irmãs. Era irrelevante que estivessem mortas; ainda estava ali, em seu coração, e ali não havia espaço para mais ninguém. Robyn puxou a franja para trás da orelha e olhou a pasta.

— O que vai fazer com ela se eu não a pegar?

— Guardar — disse sua mãe. — Em algum lugar seguro. Em algum lugar que possa encontrar. Mais tarde. Depois que morrermos.

Robyn pensou nisso. Era possível, concedeu, que talvez um dia, por alguma razão, viesse a querer contato com o pai biológico. Talvez viesse a precisar de um, quem sabe, transplante de fígado ou algo assim, ou uma criança talvez tenha algum distúrbio genético raro. Talvez um dia ela precisasse que esse homem deixasse de ser um príncipe da Disney e se tornasse um ser humano de carne e osso e DNA. E talvez então fosse melhor ter essa papelada. Recostou-se no sofá de camurça marrom e fez cara de resignação.

— Está bem, me dê isso. — Estendeu a mão. A pasta era pesada. — Mas não vou nem cheirar essa coisa a não ser que realmente precise. Você sabe disso, não é? Não preciso nem um pouco desse cara e de outras crianças. Já tenho tudo de que preciso. Tá bom?

Ela acordou de madrugada, pegajosa e inquieta, com algum sonho pulsando nas franjas da consciência. Sentia-se perdida e desorientada. Com o estômago cheio de bolos não digeridos, molhos e vinho barato. Levantou-se da cama de imediato, sentindo que tinha alguma coisa para fazer. Andou pelo quarto, distraída, esfregando o estômago zangado e dilatado. Obviamente, sabia o que estava prestes a fazer. Sabia desde que sentira a pasta nas mãos, quando tomou posse dela. Pegou a pasta na última de suas gavetas e a abriu.

Agora

Robyn trazia a pasta de microbiologia embaixo do braço e estava usando os óculos de leitura de armação preta, embora não estivesse lendo. Estava usando um lindo vestido chemisier xadrez da Urban Outfitters com meias verdes e botas. Parecia interessante e inteligente. Uma excêntrica chique. Para a universidade, vestia-se de um jeito diferente do que fazia em casa. Em casa, em Buckhurst Hill, era mais refinada. Aqui, nas ruas de Londres, ela relaxava um pouco. Não queria ficar com cara de moça de Essex. Mas ainda usava uma roupa de baixo adequada, batom e perfume de boas marcas.

Vinha pela Gower Street, de uma sessão de estudo na biblioteca principal para uma palestra no Instituto de Neurologia. Estava sozinha. O sol estava baixo, e Londres parecia estranhamente quieta, como se ainda fosse bem cedo e o metrô nem tivesse começado a funcionar. Onde estava todo mundo?, pensou. Mas gostava disso, dava-lhe uma sensação de exclusividade, de dona do lugar, como quando esvaziam as ruas para fazer a cena de um filme, e todas as pessoas comuns têm que se desviar ou ficar por ali espantadas diante das pessoas mais importantes, que provavelmente são apenas trabalhadores braçais ou carregadores. Ruas vazias faziam com que Robyn se sentisse a estrela do próprio filme. Ela sorriu, sabendo que ninguém via, e pôs-se num andar ondulante. Ninguém estava olhando, mas ela agiu como se todo mundo estivesse. Gostava desses intervalos momentâneos, quando era uma estudante de medicina, mas não estava de fato estudando medicina. A meio caminho de palestras, ela conseguia por um instante esvaziar a cabeça de todos os fatos, jargões, nomes e números que parecia carregar sempre consigo nos últimos tempos, e apenas usufruir da existência nesse mundo rarefeito. No restante do tempo, ficava sobrecarregada e petrificada diante do monte de aprendizado exigido dela.

Livros como tijolões cheios de informações vitais, provas toda hora, estudar, aprender, memorizar. Não era bem o que havia imaginado. Achava que se sentaria em auditórios ventilados com uma prancheta junto do cotovelo, escutando intensamente homens e mulheres estudados enquanto mastigaria a ponta do lápis devagar. Achava que os exames seriam fáceis, as provas, canja. Começara a lhe ocorrer, mês a mês, em pequenos e desconcertantes surtos de consciência, que talvez não fosse tão inteligente quanto pensara.

Virou uma esquina e se viu diante do Brunswick Centre. Sorriu, quando o fascínio de lojas desconhecidas a atraiu. Lá dentro, encontrou uma loja de vestidos, cuja vitrine chamou sua atenção. Seu olhar foi atraído por um vestido cor de fogo pendurado na vitrine. Era vivo, um tipo de vermelho-alaranjado, com um corpete justo e uma saia rodada. Seria perfeito para os 19 anos de Nush, no mês seguinte. Com um cardigã bordado com contas e as sandálias douradas de salto meia-pata. Mas custava 89,99 libras. Onde ia arrumar 90 libras? Seu pai e sua mãe lhe tinham dado mil libras de aniversário, mas era para algo maior, um ano fora, um carro ou a entrada de um apartamento, algo assim, não para torrar em vestidos. E de quantos vestidos de baile uma moça precisava de fato? Ela resistiu à tentação de entrar e provar o vestido. (Ficaria lindo nela, nem precisava experimentar para saber, mas uma vez que se experimenta alguma coisa a gente já está 60% a caminho do caixa.)

Sentiu-se satisfeita com a resolução ao passar pela loja de mãos vazias. Estava amadurecendo. Estava mudando. Tateou no bolso um pedaço de papel dobrado e o esfregou entre os dedos, para se tranquilizar. Era a carta de seu pai, o pai verdadeiro, que a mãe lhe tinha dado em agosto, quando chegaram do restaurante, depois do almoço de seu aniversário.

Robyn conservava-a consigo todo o tempo. Não sabia por quê. Não queria de fato saber por quê. A carta era curta, menos de uma folha A4, e ela a tinha memorizado quase inteira, palavra por palavra, todas as pequenas falhas na gramática dele, as eventuais exclamações. A carta era inofensiva. Não teve efeito sobre sua fantasia. Ao contrário, ela a aumentara, acrescentando texturas e detalhes. Já conseguia imaginar um médico charmoso e de lábios cheios em um avental branco e uma dessas bonitas toucas estampadas que os pediatras usam para deixar as crianças à vontade; ela o via sorrindo caridosamente para alguma criança pálida numa cama de hospital, com as mãos nos bolsos, talvez, balançando-se nos calcanhares. Agora, conseguia acrescentar um toque de personalidade à vinheta; um engano charmoso no uso do particípio passado do inglês, uma tendência a terminar as frases com um tom divertido, uma certa timidez e modéstia.

A carta, longe de representá-lo como um ser humano intragável, tinha apenas servido para deixá-lo ainda mais fictício e inatingível. E isso fez com que Robyn tivesse a mais inatacável certeza de que jamais iria querer vê-lo.

Mas isso foi numa tranquila manhã de terça-feira, em fevereiro, entre uma sessão de estudo e uma palestra, exatamente duas semanas antes de conhecer Jack Hart e se apaixonar.

Foi numa quinta-feira à noite, em compras noturnas na Oxford Street. Robyn estava no caixa do andar inferior, em roupas masculinas. A loja iria fechar em meia hora, e ela estava tão cansada que parecia que trabalhara numa mina de carvão. Tinha saído de casa às oito da manhã, atravessado um dia cheio de aulas, um estafante fim de tarde num grupo de estudo, ido tomar um mais que necessário drinque com um amigo e chegado às seis horas para o turno da noite.

Jack Hart entrou na loja às 8h31. Passou por Robyn sem vê-la e foi direto para onde as malhas marrom-amareladas estavam expostas. Algo em sua silhueta fez Robyn ficar um pouco mais ereta e molhar os lábios. Não era alto e sua compleição não era abertamente masculina, mas havia algo de flexível nele, como se pudesse dar um salto mortal espontaneamente. Vestia jeans, pulôver e um sobretudo. O cabelo era preto e cortado num estilo desgrenhado. Robyn ainda não tinha visto o rosto dele, mas estava enfeitiçada por suas costas, o corte do sobretudo, o ângulo dos ombros, o jeito como ficava com os pés vigorosos separados. Não havia nada de tresloucado ou ambíguo nele. Ficava de pé como se o chão lhe pertencesse, como um rei inspecionando os súditos. Fuçou os cardigãs com ar de desapontamento. Não estava só olhando, estava procurando algo específico, algo que tinha imaginado e que, ao que parecia, não existia de fato.

— Precisa de ajuda? — perguntou ela, amainando o sotaque de Essex e tentando não sorrir demais.

O homem se virou e olhou para ela, surpreso, como se pensasse que estava sozinho ali embaixo.

Um sorriso perpassou-lhe o rosto. *Tranquilo*.

— Ah, sim, claro — respondeu ele, como se a ideia de que uma vendedora pudesse ajudá-lo nunca lhe tivesse ocorrido. — Estou procurando um suéter, meio como este — ele abriu o sobretudo para mostrar o suéter — mas mais para o castanho.

Robyn sorriu.

— Belo suéter. Acho que temos exatamente o que você procura.

Ele a seguiu pela loja. Estava usando calça justa acinzentada e uma blusa de seda. Sabia bem de sua aparência por trás, pois já tinha se avaliado de costas ao se vestir para trabalhar. O cabelo estava preso, a nuca, bem visível, e ela sabia que ele conseguiria ver a pequena tatuagem no alto de sua coluna: um G e um R, as iniciais do nome de suas irmãs entrelaçados. Ela a tinha feito no ano anterior, com a permissão dos pais. "Dá para você sempre cobri-la com o cabelo", eles tinham dito, "caso se arrependa quando ficar mais velha." Tinham se emocionado ao vê-la, dizendo que era bonita e de bom gosto, uma lembrança adorável das duas meninas.

— Hum — disse o homem, à medida que ela desdobrava o terceiro suéter cor de café com creme sobre a mesa nos fundos da loja —, quase, quase...

— Mas ainda não é bem isso...

— É, um pouco dourado demais? — Ele beliscou o queixo e sorriu. — Estou sendo um chato, não é?

Robyn riu.

— Não — respondeu ela —, de jeito nenhum. É bom saber o que quer. Significa que comete menos erros na vida.

— Ah, estou falando com uma colega em perfeccionismo?

Ela sorriu.

— Provavelmente. Sim. Sei o que quero e do que gosto e não estou a fim de fazer concessões.

Ele se afastou dela, brincando.

Ela riu.

— Agora, sou eu quem parece uma chata.

— Não, de jeito nenhum. Na verdade, parece o meu tipo.

O comentário era abertamente um flerte, mas não tirou Robyn do prumo. Ela já esperava isso. Não só porque era bonita e estava acostumada a ser alvo de flerte dos homens, mas também porque tudo em relação a esse homem lhe parecia muito familiar. Ela não teve a impressão de que esse comentário tinha sido repentino; era como se fizesse parte de uma conversa mais longa e íntima.

Ela ergueu os olhos para ele. Ainda não tinha olhado direito para ele, distraída com os suéteres. Era adorável. Não havia outra palavra. Adorável. Feições suaves, quase femininas, mas com o lado bom da androginia. A pele era limpa, macia, e seus olhos de um verde-água azulado. Tinha um elegante nariz reto e uma boca cheia, porém a inteligência e o humor que irradiavam dele eram ainda mais irresistíveis do que a aparência perfeita e adorável.

Ela ignorou o comentário dele e disse:

— Para quê é o suéter?

— Ah, nada, na verdade. Só para que eu não fique usando este aqui o tempo todo.

Robyn verificou se havia uma aliança na mão esquerda dele. Parecia o tipo de cara casado ou estável. As pessoas diziam que os solteiros tinham ar de desespero. Robyn não pensava assim. Para ela, tratava-se de um sentimento de vulnerabilidade. Havia algo de frágil em uma pessoa procurando outra. Algo débil e indistinto, como a casca de um ovo de passarinho. A pessoa solteira pode até disfarçar isso com rompantes e bravatas, mas esse inconsolável passarinho ficava ali sob a superfície. Mas este homem não tinha nada de passarinho. Era consistente, por inteiro. Ou era gay, casado ou não estava nem um pouco interessado em conhecer ninguém.

— Onde foi que comprou esse? — perguntou ela, apontando para o suéter dele, e resistindo à tentação de encostar a mão.

— Aqui — ele sorriu. — Zara. Há uns três anos. E agora as traças andaram nele. — Ele puxou a bainha e lhe mostrou um buraquinho atrás.

Ela estremeceu.

— Detesto traças. São maldosas.

Ele riu.

— Com certeza — concordou. — Então achei que estava na hora de comprar um novo. Eis a chance de sair do cinza.

Por fim, Robyn lhe vendeu três suéteres. Um marrom, um cinza e um preto. O fato de se sentir atraída por ele não significava que não poderia gerar uma comissão extra.

O clima entre eles, no caixa, enquanto ela tirava as etiquetas, dobrava os suéteres e os colocava em sacolas, era de atrapalhação e nervosismo. Ela tinha se desviado da tentativa dele de prolongar a conversa sobre malhas e ele, obviamente, não achou necessário tentar de novo.

— São 118 libras, por favor — disse ela.

Ele ergueu a sobrancelha, dando a entender que 118 libras era bastante, e lhe deu um cartão.

— Obrigada.

Tentou ler o nome dele no cartão no tempinho em que ficou visível antes de colocá-lo na máquina. Pescou um "Sr", duas iniciais e o sobrenome "Hart". Senhor alguma coisa alguma coisa Hart.

Robyn Hart.

Esse pensamento passou por sua mente como um trem bala. Piscou, para espantá-lo de vez. Nunca antes tinha juntado seu nome ao de um homem. Nem mesmo quando era colegial. Não tinha intenção nenhuma de mudar de nome. Ele pertencia a ela, a sua mãe, seu pai, suas irmãs. Era deles. Nunca o deixaria, por ninguém. No entanto, ali estava: Robyn Hart. Dra. Robyn Hart. Essa ideia parecia ir além de uma fantasia escolar. Parecia uma profecia.

— Por favor, queira inserir sua senha — entoou ela, debilmente. Ela o observou teclando os números com um indicador forte e molhou os lábios. A sacola dele estava no balcão, pronta para ser levada. A máquina imprimiu o recibo, e ela o destacou. — Gostaria da nota na sacola?

— Sim — assentiu ele —, claro.

O encontro deles estava terminando. Em um instante, ele passaria os dedos pela alça da sacola, sorriria e iria embora. E isso, ela sentiu de repente, seria trágico.

— Você trabalha aqui? Em tempo integral?

Ela sentiu a tensão diminuir. O Sr. Hart tinha jogado uma boia salva-vidas no encontro deles. Ela a agarrou e sorriu.

— Ah, não, só nas quintas à noite. E também nos sábados e domingos na filial perto de onde moro.

— Então, o que faz o resto do tempo?

Ela sorriu de novo.

— Sou estudante — respondeu —, estudante de medicina.

A sobrancelha dele registrou a surpresa.

— Uau. Que legal. No que pretende se especializar?

— Pediatria.

— Sei, mas tem que me esclarecer: isso é médico de pé ou de criança?

— Criança. — Ela riu. — Quero cuidar de crianças doentes. E trabalhar pela paz mundial.

Ele riu.

— Então, um dia será médica?

— Sim, é essa a ideia. Mas tenho um caminho bem longo antes, claro. Só estou começando. Mas, sim, estudando muito, com sorte, um dia vou cuidar de uma das suas crianças não nascidas.

Ele fez uma careta. Ela primeiro pensou que talvez fosse pela ideia de ter filhos, mas aí se deu conta do que sugerira.

— Oh, Deus, bem, não quis dizer... obviamente, se já tem filhos, eu realmente espero que jamais precise encontrá-los...

— A menos que sejam seus. — Ele sorriu.

Ela se apressou em tentar mentalmente adequar as palavras dele a algum tipo de padrão diferente do que significavam.

— Como? Quer dizer...

Ele pareceu constrangido.

— Nada, só estou sendo bobo. Ignore. Bom — ele encerrou a compra de modo abrupto —, obrigado por ser tão paciente e prestativa com as malhas de lã marrom. E boa sorte.

— Obrigada. Espero que você e suas novas malhas sejam felizes.

Ele sorriu forçado. Robyn conseguiu perceber mais palavras esforçando-se contra o sorriso. Desejou que elas escapassem. Mas não.

Ela o viu saindo, não tendo no semblante nem o jeito ágil nem a leveza de 20 minutos antes. A loja estava vazia. A registradora marcava 8h54. Hora de fechar o caixa, desligá-lo, apagar as luzes e ir embora.

Meia hora depois, ela vestiu o sobretudo, trocou o salto alto por tênis, cruzou a bolsa no peito e saiu da loja pela porta da frente, com o alarme programado gritando nos fundos de modo ensurdecedor.

Estava prestes a virar à esquerda na direção da estação Tottenham Court Road, com a gerente e outra moça, quando uma figura surgiu ao lado dela.

— Com licença — disse o Sr. alguma coisa Hart. — Fiquei rondando aqui fora por meia hora como se fosse um doido. Estava imaginando, sei que é tarde, mas você tem que ir pra casa? Ou tem tempo pra um drinque?

Robyn olhou para ele. Depois, olhou para a amiga, que lhe enviou um olhar de advertência. Robyn olhou de novo para o homem. E pensou: *Confio em você. Conheço você.* E concordou com um simples sinal de cabeça.

Ela o conhecia havia apenas meia hora, mas já tinha sonhado em ser sua mulher e ele já tinha falado de filhos. Não podia ser diferente.

Dean

— Que merda. Você é patético, sabia?

Dean encolheu-se. Tinha a cabeça contra os punhos e o nariz apontado para o chão. Olhava uma mancha de sujeira no carpete cinza. Era difícil identificar a mancha de sujeira. Talvez fosse marca de queimado. Talvez fosse uma massa pisada de merda. Difícil dizer desse ângulo, se era convexo ou côncavo. Uma veia na têmpora de Dean começou a pulsar no ritmo da voz de Sky. Qualquer um pensaria, não é, que uma moça chamada Sky teria uma voz de cotovia, pombas e borboletas? Que uma moça com o nome de Sky usaria flores no cabelo e cheiraria a jasmim e água de rosas? Mas não. Esta Sky, sua Sky, era dura e briguenta. Era pequena, miúda mesmo, um bebê prematuro que nunca se recuperou. Porém, o que lhe faltava em volume sobrava em atitude. Era assustadora. Já era assustadora o suficiente quando era apenas uma jovem normal de 19 anos com nada mais para se preocupar além da roupa que iria usar na sexta à noite, mas agora estava grávida... era como se tivesse sido possuída por um demônio, literalmente. Olhava para ele como se fosse sujo. Pior que sujo. Como uma decepção. Nada do que ela esperaria de algo sujo. Talvez não sujo o suficiente.

— Estou criando um bebê aqui — provocou ela. — Um bebê de verdade. Deixei de beber, deixei de fumar, deixei até a maldita Coca Diet. Né? E tudo o que peço a você é pra parar com essa porra de maconha, né? Não pode pagar e faz mal pra sua cabeça. Certo?

Devagar, ele ergueu a cabeça dos punhos, olhando-a através dos cílios. O pior de tudo é que ela tinha razão. Ele não podia pagar. Fazia mal pra cabeça dele. Mas era tudo o que tinha. Suspirou. Deixe-me alguma coisa, ele queria dizer. Tirou a minha juventude e a minha liberdade. Deixe-me isto. Só isto. Em vez disso, ele sorriu.

— Vou terminar com essa — apontou a caixa na mesa —, e pronto. Tá bom?

Ela ergueu as sobrancelhas.

— Ah, é, tá. Só vou acreditar vendo. Não é justo — continuou ela. — Todos esses malditos sacrifícios que estou fazendo. O meu corpo... olhe só pra isso — ela ergueu a túnica —, essas merdas de estrias. Nunca vão sumir. Vou ficar com elas a vida inteira, sabia? Dezenove anos, e o meu corpo já está fodido. E pra você, é uma brincadeira. — Deixou a blusa cair. — Uma grande brincadeira. Você é a porra de um garotinho!

Ela se desenrolou das profundezas do sofá, erguendo a si mesma e à barriga da beirada com alguma dificuldade (e, Dean suspeitava, com o acréscimo de alguns efeitos dramáticos). Ela então se arrastou na direção do quarto, em chinelos rotos de pele de carneiro e com uma mão exausta apoiada nas costas, e batendo a porta com força de propósito.

Dean correu as mãos pela cabeça raspada, suspirando de novo. Num dia ele estava trabalhando numa van, ganhando mais de 250 libras por semana, tendo dinheiro suficiente para beber, para a maconha e tudo o que quisesse. Tinha a namorada mais bem feita, Sky Donelly, sexo à vontade, uma boa vida. De repente, o emprego tinha ido para o espaço e Sky estava grávida, frígida e cheia de estrias. Ele não a deixaria de jeito nenhum, ainda que ela fosse bem sacana com ele. De jeito nenhum. Não foi criado assim. Além disso, tinha crescido sem pai e de jeito nenhum deixaria que a mesma coisa acontecesse com um filho seu.

Era uma menina. Uma menininha. Sky queria chamá-la de Isadora. Dean queria Katy, em homenagem à sua avó, que morrera no ano anterior. Dean sabia quem ganharia a disputa. Pequena e morta, a sua Sky.

Isadora Katy Higgins. Não combinava muito bem, mas era muito melhor do que a metade dos nomes que as crianças recebiam atualmente. Um dos seus colegas no depósito tinha batizado os gêmeos de Gucci e Prada.

Sky surgiu do quarto cinco minutos depois. Estava vestida para sair.

— Onde você vai? — perguntou ele.

— Pro hospital.

— Por quê?

— Oh, pra uma maldita pedicure. O que você acha que é?

— *Não sei.* Por isso *perguntei*.

— Estou sangrando.

— O quê!

— É. Estou sangrando.

— Merda. O que você acha...

— Acho que estou perdendo o bebê, é o que acho, e não vou ficar aqui esperando isso acontecer. Você vem ou não?

Meia hora depois de chegarem ao Pronto Atendimento, disseram a eles que não só Sky estava em trabalho de parto prematuro, mas também que sua placenta estava perigosamente baixa e ela perdia uma quantidade preocupante de sangue. Foram mandados direto para a maternidade em Queen Charlotte, onde lhes disseram que o bebê tinha que nascer imediatamente.

— Mas só estou de trinta semanas! — gemeu ela.

— Temos aqui uma das melhores unidades neonatal. O bebê vai ficar bem.

— Mas vai ser miudinha!

— Sim, mas já tivemos menores. Já tivemos bebês com vinte e duas semanas que sobreviveram e cresceram.

— Mas eu fui prematura. Fiquei semanas no hospital. E sempre fiquei atrás em tudo. E se ela virar de costas?

— Escute, Sky — disse a enfermeira —, se não der à luz agora, vocês duas podem morrer. Então, precisamos arriscar. Tá bom?

Sky agarrou a mão de Dean e olhou para ele, desesperada.

— Ah, que merda, Dean! Deus, estou com medo! Estou com muito medo!

Dean apertou a mão dela e forçou um sorriso contra a rigidez do medo que o contraía.

— Vai dar tudo certo, querida. Você ouviu o que disseram. Vai dar tudo certo.

— Mas com trinta semanas? Ela vai ser tão pequena. Vamos ter que comprar roupinhas novas, macacãozinho, tudo. Deus, Dean. Não estou pronta pra isso. Não estou pronta!

Dean também não estava. Nunca tinha estado e não imaginava que ficaria pronto. Tinha deixado esse momento de lado, na esperança de que, se não pensasse nele, ele não chegaria, que a sua vida de algum modo sumiria aos poucos na distância até virar uma manchinha cinzenta. De certa forma, era bom que isso estivesse ocorrendo. Ele teria ficado cada vez mais nervoso à medida que a data marcada se aproximasse, cada vez menos capaz de lidar com a realidade dela. E agora a realidade tinha despencado na sua cabeça como um tijolo. Melhor isso do que semanas de angustiante antecipação.

— Vai dar tudo certo — repetiu ele. — Mesmo. Vou pedir à minha mãe que compre coisas novas para o bebê.

— Ah, não se preocupem com roupinhas de bebê — a enfermeira apartou. — Ela vai ficar aqui um bom tempo até a gente deixá-la bonita e forte. Temos roupinhas aqui, e, quando ela chegar em casa, vai caber em todas as coisas bonitas que vocês compraram pra ela.

Dean pensou nisso. O nenê estava prestes a nascer, mas ia ficar ali. Outras pessoas cuidariam dele. Ele ainda poderia ir pra casa, fumar e ter uma noite de sono ininterrupto. As coisas estavam começando a parecer estranhamente administráveis. Sky não mais estaria grávida; seriam dez semanas a menos para ela ser insuportável. Dez semanas em que ela talvez ficaria no hospital o tempo todo. E enquanto isso ele iria conhecendo a sua garotinha, aos poucos, devagar, não de repente. Ela iria entrar na vida dele pouco a pouco, não de uma vez.

Ele sorriu.

— Tudo vai ficar bem — repetiu, e acreditava mesmo nisso.

— Vão me cortar, Dean! Vão abrir a minha barriga. Merda! Nunca mais terei uma barriga lisa. Ah, Deus. Não liguei pra minha mãe... Quanto tempo tenho? — perguntou ela à enfermeira.

— Estão arrumando o centro cirúrgico pra você agora. E o anestesista está a caminho. Seu bebê vai chegar em uma hora.

— Dean! Que merda! Me dá o telefone. Dá aqui!

— Onde está?

— Está no meu bolso. Do casaco. Ali. Não, ali. No outro! No outro, droga! — Ela arrancou o telefone da mão dele e digitou o número da mãe. — Mãe! Estou no hospital! Estou em trabalho de parto!

E sangrando. É. E vão tirar o bebê. Não. Uma cesariana. É. Dean está aqui, sim. Você vem, mãe? Você vem agora? Por favor, agora, mãe. Estou com medo. Deus, o anestesista chegou. Vão me anestesiar. Rápido, mãe. Rápido!

Sky estava chorando. Dean se sentiu estranhamente comovido ao ver as lágrimas brilhando no rosto da namorada. Sky nunca chorava. Nem quando seu padrasto morreu. Nem quando as histórias de *The X Factor* eram bem tristes. Ela era dura, e não sentimental. Devolveu o telefone para ele, e então se virou para a parede à sua esquerda. A parteira segurou o braço dela e sorriu, compreensiva. — Todo mundo aqui é muito bom. O melhor pessoal. Você está segura. Confie em mim.

Sky virou-se e sorriu palidamente para a parteira. Um sorriso do tipo "é, tá", como ela fazia com Dean a toda hora.

— Você não vai ligar pra sua mãe?

Dean piscou.

— Ela vai querer saber, *Dean*. É o seu primeiro neto, e eu posso morrer. Você precisa contar pra ela.

Ele ergueu a sobrancelha e projetou o lábio inferior.

— Acho que sim — disse, tateando o bolso da jaqueta em busca do celular. A ligação caiu na caixa de mensagens. "Mãe, sou eu, me ligue, tá?"

Enfiou o celular no bolso de novo e percebeu que Sky o encarava horrorizada.

— Me ligue? Me ligue?!

— É! O que foi?

Ela cerrou os lábios e sacudiu a cabeça.

— Você é um tonto, Dean. Não dava pra dizer alguma coisa mais, digamos, relevante? Talvez, onde estamos. Ou o que está acontecendo. Ou que eu estou morrendo, merda! Jesus!

— O que foi? — Ele se opôs, de modo pouco convincente. — Ela vai me ligar. Aí eu conto.

Sky fez uma careta, rolando os olhos.

Dean se levantou e pegou na mão dela.

— Você tá bem?

— Sim, sim, só uma pontada. Uma coisa. Uma contração, sabe?

Dean apertou a mão dela, perguntando-se o que deveria dizer ou fazer para ajudar. Tudo parecia um risco em potencial. Mas não dizer nem fazer nada parecia ainda mais perigoso.

— Quer alguma coisa? — perguntou ele, pensando se isso era razoável.

— Sim. Uma placenta normal e mais dez semanas com o bebê crescendo. — Ela lhe lançou um sorriso do tipo "você é um otário", cruzou os braços sobre a barriga e se virou.

O anestesista chegou, um asiático com uma barba de bode. Ele colocou Sky em posição fetal e lhe deu uma injeção nas costas. Dean não conseguiu ficar olhando. Tinha aflição de agulhas, em especial de agulhas na espinha. Sky armou uma confusão por causa disso, mas alguns minutos depois estava calma.

Recordando o dia em que sua primeira filha nasceu, Dean mal conseguia se lembrar de nada depois que Sky foi levada para a cirurgia. As coisas começaram a se acelerar muito. A mãe de Sky, Rose, surgiu em algum momento e de imediato começou a agir como se ninguém tivesse feito nada direito até então. A mãe dele tinha ligado e dito que não conseguiria chegar antes de umas duas horas, pois estava em Brighton. Traumatizado demais até para perguntar que diabos ela estava fazendo lá, Dean se calou. Ele tinha uma foto de si mesmo, usando uma túnica verde, calça e um chapéu verde combinando, que a mãe de Sky tinha tirado. Como é mesmo que chamam isso? Banco de reserva. É, reserva. Em algum momento, foi posto no banco. Ou talvez ele mesmo se tenha colocado nessa posição, não se lembra. Aí, uma enfermeira lhe disse que podia entrar, e ele se lembra claramente de ter pensado, *Merda, não dá tempo de dar um tapa,* pensando em como seria muito melhor ver uma criança nascendo depois de fumar. Aí, em seguida, só se lembra de que ela tinha nascido. Isadora. Ali. Como um cordeirinho magrelo. Com a pele solta, veias azuladas, pés e mãos do tamanho da unha de um polegar. Mal deu tempo de dar uma olhada no rosto dela. Foi levada e colocada sob uma luz, como numa abdução alienígena, e aí alguém veio e passou com ela, bem rápido, dando só tempo de Dean ver os olhos espaçados, uma boca grande, cabelos pretos na testa estreita. Naquele instante breve, sua filha lhe lançou um olhar que Dean imaginou ser de inteligência e sabedoria que até perdeu o fôlego e se sentiu como uma mosquinha de fruta, pequena e insignificante.

Sky olhou para ele em desespero quando o bebê foi levado de novo.

— Ela está bem? — gritou ela. — Ela está bem?

— Ela está ótima — disse a enfermeira —, só vamos levá-la para ter certeza. Mas parece ótima. Muito forte mesmo.

— Eu quero a minha mãe. Cadê a minha mãe?

— Está lá fora, esperando.

— Posso vê-la? Quero vê-la.

— Você pode vê-la quando tivermos terminado aqui. Está bem?

— Dean, vá contar a ela — implorou Sky. — Vá dizer a ela que o bebê nasceu. Ela deve estar enlouquecendo lá fora.

Dean assim o fez. Parecia que o mundo se fragmentara e voava em volta da cabeça dele. Não conseguia controlar nada. Lembra-se da mãe de Sky se levantando ao vê-lo, agarrando-o pelos braços, quase gritando: "Ela está bem? Elas estão bem?".

Depois, lembra-se de gente correndo da sala de parto e um monte de gritos. Ele se ergueu e ficou olhando, meio petrificado, sem conseguir juntar as coisas na cabeça. Estavam gritando sobre alguma outra pessoa, ele disse a si mesmo, talvez houvesse uma porta para outra sala além da de Sky.

— O que está acontecendo? — perguntou a mãe de Sky para alguém que passou com urgência por eles.

Essa pessoa lançou um breve olhar para a mãe de Sky, não disse nada e seguiu em frente.

A boca de Dean secou. Ele molhou os lábios. Conseguia perceber o medo da mãe de Sky pulsando como radiação. Quanto mais ela entrava em pânico, mas Dean se recolhia. Se não dissesse nada e não fizesse nada, tudo ficaria legal.

— Como pode ficar aí e não fazer nada? É a sua mulher ali! Descubra que merda está acontecendo!

Por fim, alguém veio lhes dizer que Sky tivera uma hemorragia, que perdera uma quantidade perigosa de sangue, que estava sendo difícil conseguir o tipo de sangue dela, mas que começariam uma transfusão assim que o localizassem.

Ainda assim, Dean teve a sensação de uma tranquila resignação, de que não havia nada que pudesse fazer, que as pessoas estavam fazendo o necessário, de que logo poderia ir para casa. Esse pensamento cruzou a cabeça dele, uma vez mais, de que gostaria de cair fora para fumar, mas com a mãe de Sky ali, estressando-se e irritando-se, sabia que não poderia. Dean se sentia como se existisse em três dimensões. Uma parte estava ali, fria e calma; no entanto, duas outras partes dele, a sua filha, a mãe dela, tinham sido descosturadas e colocadas fora da vista. Sempre que tentava pensar em uma delas, a outra demandava atenção, e ele se voltava para si mesmo, querendo um baseado. Sky, bebê, baseado, toim, toim, toim.

Então, algum tempo depois, talvez uma hora, talvez menos, surgiu um médico diante dele e da mãe de Sky, e ela imediatamente começou a choramingar, "Não, não a minha menina, a minha menina, não, não, não", e ninguém usou a palavra "morta", mas Dean sabia que ela tinha morrido.

Sky tinha morrido.

A sua bonita e briguenta garota estava morta.

A mãe de Sky não encostou nele. Era como se ele a tivesse matado. E talvez tivesse. Ele a tinha engravidado. Se não tivesse engravidado, ela ainda estaria viva.

A sua mãe chegou uma hora depois que Sky tinha morrido, e Dean deixou que ela o abraçasse um pouco, enquanto a mãe de Sky reclamava e gritava com as pessoas. Dean não tinha tido nenhuma manifestação física ainda. Não tinha chorado nem gritado nem desmaiado nem batido em ninguém nem jogado nada. Até onde podia se lembrar, não tinha nem falado. Não precisava. A mãe de Sky já falava o suficiente.

Uma enfermeira que ainda não tinham visto se aproximou depois de um tempo, e a mãe de Dean soltou o abraço.

— O bebê está bem. Gostaria de vê-la? — A pergunta era para Dean.

Ele assentiu. Queria mesmo vê-la. Queria sair dali. Sua mãe foi com ele, mas a mãe de Sky não queria deixar a filha.

— Vou depois — disse ela. — Tirem uma foto para mim. Deem um beijo nela. Ai, Deus.

A mãe dele segurou-lhe a mão enquanto seguiam a enfermeira pelo corredor. Dean sentia a cabeça se recuperar enquanto se afastavam da confusão da dor na direção de um panorama mais suave.

— Ela está emaranhada — explicou a enfermeira, sorrindo — com um monte de tubos e coisas, mas nada para assustar. Ela é muito forte, não vai precisar ficar muito tempo.

— Vamos poder segurá-la? — perguntou a mãe dele.

— Talvez. Vamos falar com a enfermeira responsável.

Tiveram que lavar e esfregar as mãos numa pia de metal baixa, e passar por dois conjuntos de portas de segurança, até entrar numa sala pequena e ensolarada cheia de incubadoras.

Dean olhou em volta. A cena era de outro mundo. Oito bebês do tamanho de cachorrinhos ligados a um maquinário vistoso.

— Ali está ela — disse a enfermeira —, a sua garotinha.

Dean respirou fundo. Ela estava à extrema direita. Usava uma touquinha branca, grande demais para ela, e uma fralda gigantesca. As pernas saíam dessa fralda cavernosa como um frango no supermercado, sem a cordinha para segurá-las. Os braços estavam esticados, e, para todos os efeitos, parecia que ela tomava um banho de sol.

— Ela é linda! — exclamou sua mãe. — Ah, Dean, ela é muito linda.

Dean deu uma olhada dentro da caixa. Ela estava dormindo. Os dedos se enrolavam e desenrolavam durante o sono. Com a boca grande e os olhos espaçados, era um pouco parecida com um Muppet, como se o rosto fosse se dividir em dois quando abrisse a boca. Era muito parecida com ele. Exatamente com ele.

— Ela se parece com você, não é?

Dean concordou.

— Posso tocá-la? — perguntou à enfermeira.

— Sim, pode.

— Vou ser gentil — disse, querendo dizer isso antes que ela dissesse, antes que ela fizesse com que se sentisse como um brutamonte. Ele acariciou a palma da mão do bebê com a ponta do dedo. A pele dela era quente, tão fina e translúcida que mal dava para sentir. — É tão pequena — murmurou ele.

— Pouco menos de um quilo e oitocentos gramas — disse a enfermeira. — Bom peso. Para o tempo dela. Como vai se chamar?

Dean olhava a bebê, passando o dedo no rostinho dela. Estava coberto de penugem. Meio Muppet, meio lobisomem.

— Isadora... Isadora Katy.

A enfermeira sorriu.

— Lindo nome. Vocês já tinham decidido antes de...?

— Sim, era o nome que Sky queria.

— Ah, que bom. Que bom que tinham decidido isso. Podemos colocar no relatório então? Podemos anotar? I-S-A-D-O-R-A? E K-A-T-Y? Higgins? Bonito. Ótimo. Vou deixá-los, está bem?

Sua mãe puxou uma cadeira para ele, e ficaram ali uns minutos, olhando o bebê. Dean achou ótimo a mãe de Sky não estar ali. Ela estaria falando. A mãe de Dean era como ele, quieta, contemplativa.

— Impressionante, não é? — disse ela, por fim. — Ela tem tudo de você. Todo esse jeito Dean. Está tudo ali. Como os ingredientes de um bolo.

Dean concordou com a cabeça. Não esperava isso. Não esperava que o bebê se parecesse com ele. Toda a gravidez tinha sido de Sky. Tudo dizia respeito a ela. O corpo dela, o bebê dela, a gravidez dela, a vida dela, o apartamento dela, o mundo dela. Dean supôs que sua filha seria uma Sky em miniatura. E ali estava a bebê, e nada dela. Sky ficaria furiosa. Ela tinha dito até: "Espero que essa menina não se pareça com você, Dean, ou vai passar a vida tirando as malditas sobrancelhas. E uivando para a lua".

Mas as feições dele lhe caíam bem, mesmo miúda e mal-acabada como estava. Ela era bonita.

Outra enfermeira juntou-se a eles e sorriu.

— Coisinha bonitinha — disse. E virando-se para Dean: — Sinto muito pela sua perda.

Dean se sentiu como se tivesse levado um tapa. A perda dele. Ainda não tinha se dado conta de que perdera alguma coisa. Tentou trazer Sky de volta à lembrança; não a Sky que tinha acabado de morrer no parto, nem a Sky que tinha passado os últimos seis meses odiando-o, mas a outra Sky, aquela que tinha desejado por três anos, com quem teve fantasias, a moça mais bonita que já vira. Não sabia se a tinha amado, mas gostava dela, mais do que gostara de qualquer outra pessoa com quem andara.

Não, não tinha perdido o amor de sua vida. Não tinha perdido a sua alma gêmea. Mas tinha perdido a pessoa que iria criar a filha dele. Essa pessoa estava morta, e levara o leite, as cantigas de ninar e o entusiasmo para comprar vestidinhos cor-de-rosa. Aquela criança não tinha mãe. Em breve, aquele bebê estaria grande o suficiente para deixar aquele lugar ensolarado e ainda teria que levá-lo para casa e criá-lo. E todo mundo se voltaria para ele.

As imagens espocaram em sua cabeça: um apartamento vazio, um bebê chorando nos ombros, a noite escura do lado de fora, uma mamadeira iluminada girando no micro-ondas, a vida dele dissecada em uma existência de merda, barulho e solidão. Dean disse que ia ao banheiro. Em vez disso, escapou do edifício e entrou numa passagem coberta onde enrolou um baseado com as mãos trêmulas e sugou a vida dele.

Considerou voltar para casa. Estava escurecendo, o dia tinha passado sem que ele notasse. Deu uma olhada no prédio. Pensou no que havia ali. Um bebezinho muito prematuro com tubos e fios em todos os orifícios; o corpo da mãe do bebê, dessangrado como um bezerro kosher; as avós do bebê, angustiadas, pálidas, que envelheceram dez anos em meia hora. Pensou nas expectativas, nas necessidades e demandas ali naquele prédio. Sentiu-se enjoado. Sentiu-se fraco. O céu se agigantara acima dele, arroxeado e baixo. As paredes do prédio o esmagavam. Sentia-se oprimido de todos os lados. Sabia que precisava correr, numa direção ou em outra.

Ele preferiu ir embora.

Maggie

Maggie Smith rasgou o papel transparente de um pacote duplo de biscoitos e quebrou um ao meio. Ele fez um barulho de galhinho seco pisado no bosque. Ela mergulhou o cantinho da meia-lua na caneca de chá e deixou-a amolecer por três segundos antes de levá-la à boca e sugar a pontinha macia. Deu uma olhada na caneca. E era mesmo a *sua* caneca. Tinha trazido de casa, cansada do gosto e da fragilidade do plástico. Era uma que pegara na casa da mãe, depois que ela morrera, uma caneca estável e marrom, cor de creme por dentro e com uma alça que parecia ter sido colocada ali bem depois. Havia uma rachadura se formando, da beirada para baixo. Tinha que tomar cuidado, pensou, a coisa podia ceder um dia, e ela se escaldar.

Colocou a caneca com cuidado na mesa à sua esquerda, e então deu uma olhada no homem na cama e sorriu.

— Como está passando, Daniel? Quer alguma coisa?

O homem na cama resmungou. Isso significava que sentia dor.

— Mais remédio, querido? Devo pedir mais remédio?

Ele resmungou de novo e estremeceu.

Maggie ergueu-se, ajeitando a calça na frente, e enfiou a cara pela porta. Lá fora, o corredor suntuoso e acarpetado estava vazio. Ela virou a cabeça da esquerda para a direita. Parecia um hotel quando estava vazio assim, pensou, um tipo de hotel de aeroporto, de duas estrelas talvez, com um esquema de cores dos anos 1980, pêssego e hortelã, estofados tubulares de metal, aquarelas emolduradas de vilas de pesca francesas e luminárias de teto moldadas no gesso.

Ela caminhou pelo carpete até um pequeno balcão envidraçado onde duas mulheres totalmente vestidas de branco folheavam uma papelada.

— Desculpem por incomodar — começou ela, num tom gentil e cuidadoso. Sabe-se lá de que trabalho pesado ela estava tirando essas mulheres? — O senhor Blanchard parece que está com algum desconforto... quando puderem, não agora, quando tiverem um tempinho... — ela foi encerrando.

Uma das mulheres — Maggie achava que o nome dela era Sarah, mas não tinha certeza, havia tanta gente ali, que ia e vinha, era difícil acompanhar — sorriu de modo paciente, pondo a papelada de lado.

— Claro — disse. — Já estou indo.

Maggie nunca estivera antes numa casa de repouso, até duas semanas atrás, e tinha tido a mesma sensação de medo que tivera com parteiras nas maternidades, depois que dera à luz seu primeiro filho, havia 25 anos. *Uau*, pensara, *tem gente que faz isso*. Tinha brincado um tempo com a ideia de ser parteira, depois que teve os filhos, querendo tomar parte nesse trabalho miraculoso que essa gente fazia, mas o desejo sumira. Agora, sentia-se da mesma maneira em relação aos homens e mulheres dali. Estar presente no lado extremo do espectro, oferecendo dignidade e graça nesses momentos frágeis, testemunhar o final de toda uma existência humana. Era realmente inspirador. Ela se sentia em casa aqui. Sentia-se como se fizesse parte dele.

Ela acompanhou a enfermeira de volta ao quarto de Daniel, e observou enquanto ela remexia nos botões do equipamento no qual ele estava ligado.

— Obrigado — ela o ouviu falar, à medida que a morfina penetrava nele. — Obrigado.

— Não há de quê! — gorjeou a enfermeira. Ela fez uma pausa e enfiou as mãos nos bolsos, ficando ali um pouco, olhando-o com um leve sorriso. — Deseja mais alguma coisa, senhor Blanchard? Um suco? O jornal?

Daniel sorriu, um franzido dos lábios apenas, e balançou a cabeça uma vez só.

— Está bem! — entoou Sarah. — Vou deixá-lo então com sua amiga, para que descanse. Vai se sentir bem melhor logo. — Ela apertou a mão dele sobre os lençóis brancos e saiu.

Maggie pegou a outra mão dele e a segurou entre as suas. Observou-o um instante, vendo as linhas de tensão de seu rosto começarem a se suavizar, daquele rosto bonito. Ela ainda se lembrava da primeira vez que o tinha visto. Havia um ano. Ele surgiu em sua vida como uma aparição, um anjo afetado, na clínica de fisioterapia onde ela trabalhava duas vezes por semana.

— Bom dia — dissera ele, e ela se sentira de imediato atraída pelo sotaque dele, um suave e brando cantado francês. Em seguida, tinha visto os ângulos fortes do rosto dele, os lábios carnudos, o cabelo preto riscado de prata, a pele azeitonada, os olhos turquesa, e sentira um aperto no estômago. Era raro, sendo uma mulher de certa idade, encontrar um homem de idade comparável que lhe bambeasse as pernas e fizesse o coração começar a bater com determinação.

— Bom dia. — Ela tinha sorrido, feliz por ter-se dado uma sessão de branqueamento nos dentes um mês antes, sentindo-se mais bonita por causa disso. — Pois não?

— São as minhas costas. — Ele estremeceu. — Um amigo me recomendou esta clínica. Disse que eu deveria procurar Candy Stapleton.

— Ah, sim. — Ela sorriu de novo, mostrando os belos dentes brancos. — Claro. Gostaria de marcar uma consulta?

Ele se endireitou e a encarou, desconsolado. Ela se compadeceu dele.

— Tinha esperança de vê-la agora. Hoje. Esperava uma atenção imediata. As minhas costas estão... — Ele estremeceu de novo e apertou a região lombar.

Costas. Sempre as costas. Joelhos na estação de esqui, costas o resto do tempo. Ela olhou para ele com compaixão.

— Vou ver o que posso fazer. Sente-se.

Ele acabou ficando ali três horas. Tempo suficiente para uma ligeira conversa natural, tempo suficiente para ela saber que ele era de fato francês, que morava na Inglaterra havia quase 30 anos, que nunca se casara e que as costas o estavam incomodando cada vez mais nos últimos dois meses. Maggie preparou-lhe uma caneca de chá e contou-lhe que era divorciada, tinha dois filhos adultos, e que trabalhava ali havia quase cinco anos. Só para economizar. O seu ex-marido cuidava bem dela, não precisava realmente trabalhar. Tentou ao máximo parecer interessante. Supunha que, sendo ele francês, era naturalmente mais interessante que ela. Ocorreu-lhe que também pudesse haver gente chata na França, mas isso lhe parecia menos provável. A Inglaterra era o tipo de lugar chato de onde saíam pessoas chatas, achava Maggie. E ela se incluía nisso.

Ele não sorria muito. Não sorriu nenhuma vez nas três horas inteiras na sala de espera, nem mesmo quando ela lhe deu o chá. Porém, concluíra, quem sorriria com dor nas costas?

Ele voltou todos os dias depois disso, para ver Candy. A terapia não parecia estar ajudando muito; ao contrário, suas costas foram ficando cada vez piores. Por fim, Candy indicou-lhe um especialista do hospital da região, e Maggie soube que talvez nunca mais o visse de novo. Então, ela tomou uma das atitudes mais corajosas de sua vida, e disse: "Talvez a gente pudesse..."

E ele sorriu e disse: "Sim, poderíamos. Amanhã à noite? Vamos jantar?".

Ela sorriu agradecida. Estava prestes a dizer que poderiam se encontrar para um chá, mas jantar era o que realmente desejava. Ficou feliz por não ter compreendido mal os sinais. Ficou feliz por ele desejar jantar com ela.

Esse primeiro jantar tinha sido um desejo mútuo. As costas de Daniel (este era o nome dele) tinham sido a questão. Ele entorpecera a dor com vinho tinto e umas pilulazinhas brancas que tinha no bolso do paletó num potinho transparente. Quando chegou a hora da sobremesa, ele já vinha se esforçando para sair da cadeira, então se retiraram para um canto do bar onde havia um sofá baixo e uma iluminação sedutora, e ali as coisas melhoraram um pouco. Daniel elogiou o cabelo de Maggie: "Lindo o seu cabelo, Maggie. Você se cuida". E ela se cuidava mesmo. Não tinha sido uma adolescente bonita, e na casa dos 20 anos, por causa dos filhos, tinha engordado, largada como um bolo a maior parte da década. Depois, tinha se divorciado e perdido peso e, de repente, lá estava ela com 36 anos e bastante atraente, como se uma estranha tivesse ficado escondida dentro dela o tempo todo. Foi ficando cada vez mais atraente à medida que se aproximava dos 40, os ossos do rosto finalmente se moldavam bem à pele, e ela fazia uma maquiagem moderna e leve como aparece nas revistas, tintura profissional e uma boa alimentação. Nunca tinha estado em tão boa forma quanto aos 42. Tinha chegado ao auge, e então isso começou a passar, e ela pensou: Não, ainda não, acabei de me tornar atraente, não estou pronta pra deixar de ser ainda. Por isso esse singular procedimento, o branqueamento dos dentes, um pouco de botox e outros preenchimentos, cremes e suplementos caros, e agora ela tinha 53 e, em uma luz suave como esta, longe do escrutínio cruel da luz do dia, poderia passar por 42, realmente.

Contudo, embora Daniel tenha elogiado seu cabelo e os cuidados em geral, ele não tinha tentado beijá-la naquela noite, nem em nenhuma das noites que se seguiram àquela. E aí, numa noite em que se encontraram num chinês, ela se lembra, ela colocou de propósito umas balinhas de hortelã na bolsa para disfarçar o alho, por precaução, e ele tinha dito: "Maggie, quero agradecer a você por ser minha amiga. Sou um homem solitário, e levei uma vida solitária, e não tenho muitos amigos. Mas considero você, Maggie, uma boa amiga. Muito boa amiga".

O sorriso de Maggie ficou congelado no rosto. Ele vai me dispensar, pensou ela, vai me dispensar antes mesmo de me beijar. Sentiu o coração oprimido de tristeza.

"Então, espero que não se importe de eu despejar em você o meu estado de saúde, do qual só soube hoje. Desculpe-me se pareço um pouco fora de mim. Mas tudo indica que eu tenho um grande tumor no pulmão. É isso que anda causando a dor nas costas. Além disso, tenho outros tumores nas pernas e no estômago. Portanto... parece que", ele estendera suas mãos imensas na mesa, "não há muito a fazer no meu caso. Eu estou morrendo, parece."

Maggie tinha levado as mãos à boca, contendo um grito. Depois, deixou-as cair no colo, encarando Daniel com um horror mudo.

"Não", dissera ela, "não!"

Ele então sorrira. Pareceu a ela um momento estranho para ele desperdiçar um sorriso, uma vez que o estoque dele não era muito grande. Era como se estivesse feliz, ela sentira. Não, não feliz, mas aliviado.

"Está tudo bem, Maggie, tudo bem. É o destino, sabe? Nunca me vi como um homem velho, e agora... bom, aos sessenta teria sido melhor, mas cinquenta e três? E parece que vai ter que ser com cinquenta e três..."

Na cabeça de Maggie, uma vozinha ainda dizia: não, não, não. Na cabeça de Maggie, havia o ruído de sonhos despedaçados e de coração partido. Não dava para ser cinquenta e três *de jeito nenhum*.

Combinaram mais dois jantares, antes de Daniel começar a quimioterapia. Ele tinha pedido a ela que não o visitasse no hospital, mas ela tinha ido, flagrando-o de pijama de algodão — azul clarinho com desenhos cor de creme. Os chinelos dele estavam enfiados embaixo da cama, e um exemplar do *Telegraph* estava numa bandeja diante dele, e ele estava de óculos de leitura. Ela nunca os tinha visto antes. Faziam com que parecesse, claro, mais inteligente, mas também mais vulnerável. O coração dela se revirou de amor. Mas, ao vê-la se aproximar, ele os tirou com uma pressa que sugeria vaidade.

— Oh, você usa óculos.

— Em geral, uso lentes — resmungou ele, aturdido —, mas achei que, com tudo isso acontecendo, aqui, neste lugar — ele apontou a parafernália médica em torno dele —, eu não ia querer ficar perdendo tempo com aquelas coisinhas. Além disso, achei que não encontraria ninguém que me conhecesse.

Ela procurou na fisionomia dele algum sinal de que estaria brincando com ela, de que na verdade estaria secretamente encantado pelo fato de ela ter desobedecido sua orientação e tê-lo vindo visitar. Mas não havia nenhum sinal disso.

— Desculpe — murmurou ela, nervosa, tentando não chorar. — Não aguentei ficar pensando em você aqui, sozinho. E trouxe umas frutas, veja. — Ela tirou três maçãs verdes e duas bananas da sacola que trazia ao ombro. Colocou-as na bandeja, e imediatamente desejou não tê-las trazido. Pareciam descabidas de tão saudáveis. E também um lugar-comum.

Daniel não olhou para as frutas. Em vez disso, ele olhou para ela, lívido, e suspirou. Ela achou que ele iria reclamar das frutas, dizendo-lhe que era uma bobagem trazer frutas, que ele estava doente demais, que nem gostava de frutas, mas ele não o fez. Pegou a mão dela, e, quando Maggie o encarou, viu uma lágrima escorrendo no rosto dele.

— Obrigado — sussurrou ele —, você é muito boa.

— Não há de quê. — Ela sorriu com compaixão e ofereceu-lhe um lenço. — Não há de quê.

Ponderando sobre os meses anteriores, ela pensou que de certo modo era um tanto injusto que, depois de quase 20 anos sozinha, tivesse finalmente começado a se apaixonar por alguém, e aí essa pessoa tivesse uma doença terminal. Se não fosse uma pessoa muito positiva, do tipo "copo meio cheio", ela diria que isso era típico. Mas não era típico. Era atípico. Em geral a vida dela tinha sido tranquila, e em certo sentido promissora. Em geral Maggie conseguia o que queria, ainda que não pedisse muito. Então, em vez de encarar a obstrutiva morte de seu novo namorado como algo ruim, decidiu encará-la como um presente. Uma oportunidade de fazer diferença na vida de alguém. Uma oportunidade para se preocupar. Sendo assim, nos últimos meses, foi isso o que Maggie fez. Em vez de ser a namorada de Daniel, ela se tornou a cuidadora dele. Em vez de esperar junto do telefone que ele ligasse, fantasiando sobre anéis de noivado e casamentos de branco, Maggie fazia as compras para ele e cuidava de seus medicamentos. Em vez de se sentar com ele em restaurantes à meia-luz, encontrá-lo em piqueniques em tardes ensolaradas, ela o acompanhava nas consultas hospitalares e preparava refeições para ele.

Ele estava perto do fim agora. Poderia levar dias, semanas, mas não muito mais do que isso. Estava magro, e seu rosto tinha perdido a simetria perfeita de antes, estando meio frouxo nuns pontos, contraído de tensão em outros. Nas horas de dor, a morfina o deixava silencioso e quieto. Ela sentia a falta dele, e sentia a vitalidade dele escoando da pele pardacenta para o chão, em poças grudentas. Nos dias bons, quando o corpo dele conservava mais de seu espírito do que de opiáceos, ela e Daniel conversavam até a boca dele começar a se esfolar de secura ou o sono o levar ao silêncio. Maggie percebia que as conversas que tinham nesses momentos eram mais sinceras e francas do que qualquer das conversas que tinham tido nos meses anteriores, quando partilhavam vinhos em restaurantes e desfrutavam da ilusória impressão de que ainda ficariam vivos por pelo menos mais 20 anos.

Num restaurante tailandês, no quarto encontro deles, ela tinha perguntado sobre a mãe dele. Daniel dera de ombros, como se não fosse possível que a mãe de alguém despertasse qualquer interesse para outra pessoa.

"Ela é bem idosa", tinha dito, depois de um instante. "Não é como costumava ser."

"E como costumava ser?", insistira Maggie, gentil.

"Diferente", dissera ele. "Sabe?"

"Onde ela mora?"

"Na França", respondera ele, com alguma exasperação.

Ela teve vontade de insistir: na França, onde? Com quem: irmãos, irmãs, netos, gatos — sozinha? Mas percebeu a impaciência dele e o deixou mudar de assunto. Hoje, porém, ele oferecera algo novo: sua mãe morava em um asilo. Em Dieppe. E depois isto: ele tinha um irmão. O irmão morava perto do asilo em Dieppe e a visitava todo dia.

— Não sinto culpa nenhuma em relação à minha mãe — disse ele. — Ela está velha. Não sabe que está num asilo. Não sabe quem é. Mas meu irmão todo dia tem que pegar o pobre do carrinho dele e dirigir pela pobre da cidadezinha onde vive, e pegar uma estrada cinzenta até uma grande casa à beira-mar, que sempre cheira a peixe e espuma, e se sentar com essa mulher de olhos vidrados e mãos frias que costumava ser a mãe dele. E ela não o reconhece, e depois ele vai embora e vai se sentir culpado por ela estar sozinha, até o dia seguinte, quando faz o mesmo percurso.

— E a mulher dele, a família dele?

— Ele não tem mulher nem família. É como eu. Sozinho. Vamos morrer e nossa linhagem morrerá conosco. — Ele então tossiu, e Maggie lhe deu um copo de suco.

— Oh, bem, nunca se sabe — disse ela, despreocupada —, é isso que dá ser homem. Talvez haja um pequeno você por aí e você nem sabe. — Ela soltou uma risadinha, olhando para ele a fim de verificar se não tinha passado dos limites.

Ele fechou os olhos com força e sorriu de esguelha.

— Talvez — riu. Depois suspirou. — Talvez. Afinal, tudo é possível.

Maggie sorriu também, aliviada por ter entretido e não chateado o homem que amava. Depois ficou olhando para ele, atenta e com adoração, enquanto ele lentamente mergulhava na espessa atmosfera de um sono induzido pelos medicamentos.

Robyn

A vida de Robyn virou um romance. Um desses romances que saem na capa das revistas. E era sobre uma mocinha chamada Robyn que conhece um homem em uma loja de roupas, enquanto lhe vende um pulôver marrom, e como ele espera do lado de fora até ela terminar o trabalho, e aí a leva a um lindo bar no porão de um restaurante bacana no centro pulsante do Soho, onde bebem coquetéis bonitos com cerejas e vodca rosada, e conversam tanto que passa o horário do metrô, e o anoitecer se torna noite, e eles têm que andar meia hora até achar um táxi que os leve para casa. O romance então acompanha a heroína e este homem (o nome dele é Jack) por todos os maravilhosos, alegres, melosos e românticos clichês, já que eles se encontram de novo, e de novo, em lugares como os parques londrinos em tardes de sol, restaurantes flutuantes no canal, cervejarias em jardins com encantadora iluminação, galerias de arte, cinemas de arte.

No fim das contas, o homem chamado Jack tinha 27 anos e, claro, uma vez que a vida de Robyn tornara-se um romance, ele não era bancário, nem estudante, nem diretor de marketing nem executivo, mas escritor. Um escritor publicado. Não escrevia livros grossos, com capas óbvias, mas livros finos com fotografias fora de foco na capa e títulos de uma palavra só. O seu primeiro livro tinha sido publicado aos 25 anos, o segundo, no ano passado, e agora ele escrevia o terceiro. E, como esta é uma visão romantizada da vida real, ele tinha, claro, acabado de vender os direitos de seu primeiro livro por milhares de libras; portanto, ainda que seus livros não vendessem muitos exemplares, seu saldo bancário estava positivo o suficiente para que ele continuasse sugerindo mais lugares idílicos para os encontros, e enfiar umas notas de 20 libras no bolso dela para pagar um táxi nas noites em que ela voltava para casa.

No entanto, cada vez mais, Robyn não voltava para casa. Ela ficava na de Jack, um apartamentinho de um quarto, bastante surrado, mas apropriadamente fotogênico, em uma praça arborizada de Holloway, numa casa de bom estuque, com barulhentas janelas e assoalho de madeira nodosa, com uma exagerada cama de ferro batido e uma pintura abstrata pendurada um pouco torta acima dela. Ela até andava descalça por esse surrado, mas agradável, apartamento, usando as malhas imensas dele e bebendo chá em suas enormes canecas enquanto se enroscava no desgastado mas elegante sofá dele, tendo a cabeça dele no colo e correndo os dedos pelo seu sedoso cabelo. Ela nunca tinha se sentido tão bonita na vida, e nunca se sentira como se a vida que estivesse levando fosse a vida para a qual se destinava, escrita nas estrelas havia milhões de anos-luz.

Quando estava longe de Jack, ficava olhando em seu iPhone as fotos dos dois, de braços estendidos, cabeças juntas, radiantes diante das lentes. Ela tirou um monte de fotos naqueles dias: a vista da janela da casa de Jack, as mãos de Jack num copo, as coisas deles numa mesa de bar, a nuca de Jack, as marcas em seus travesseiros vazios sob a luz de uma manhã de sábado. Nenhum detalhe era pequeno demais ou insignificante, qualquer aspecto dessa união valia um registro. Jack a provocava: "Acabei de derrubar azeite no chão da cozinha... rápido, tire uma foto!".

Mas Robyn não resistia; se a vida dela era um romance, então ela estava fazendo o filme do livro. Por precaução, pensava. No caso de tudo dar errado. Porque nos livros alguma coisa sempre dava errado. Moça conhece rapaz. Moça se apaixona por rapaz. Rapaz e moça têm um desentendimento idiota e se separam.

Robyn, porém, não imaginava como essa união perfeita de duas pessoas tão compatíveis e descomplicadas poderia um dia encontrar um jeito de se atrapalhar.

Quando isso aconteceu, ela soube que não estava mais vivendo um romance óbvio, mas um romance com uma foto desfocada na capa e um título de uma palavra só.

Ela já tinha pensado nisso, antes mesmo que Nush dissesse qualquer coisa. Ela tinha pensado nisso, se fosse sincera, desde a primeira vez que o vira. Ela fez com que ele esperasse duas semanas antes de ir para a cama com ele, não por alguma patética intenção de conservá-lo em banho-maria ou para sustentar estratégias femininas, tampouco para prolongar a inocência vertiginosa desses primeiros poucos encontros. Robyn não era de joguinhos e não politizava o sexo. O motivo de tê-lo feito esperar se deveu a uma ligeira sensação de desassossego que a importunava bem no fundo de sua psique. Não conseguia localizá-la nem nomeá-la, mas ela estava ali, furtiva como um estranho na sombra.

Ela a tinha ignorado, claro.

Estava apaixonada.

Ela era maravilhosa.

Ele era maravilhoso.

Precisava de um motivo melhor do que uma sensação importuna para rejeitar os avanços dele. E, na verdade, assim que o relacionamento se consumou, a sensação passou.

Outras coisas aconteceram nessas semanas, mas ela as ignorou, uma vez que a possibilidade de suas apreensões iniciais estarem fundamentadas em algo real era intragável demais.

Houve uma conversa, numa sacada da casa que um amigo dele dividia, em Tufnell Park. Ele já tinha contado que o pai dele morrera. Isso tinha sido apurado no primeiro encontro deles. O pai dela era um doador de esperma anônimo. O pai dele morreu num acidente de carro quando Jack tinha oito meses. Isso os tinha unido. "Pobre de nós", dissera Robyn, "nunca vimos a cara de nosso pais", e eles tinham feito caretas tristonhas e gargalhado. Não que isso fosse engraçado, mas eles riram porque podiam rir, porque era uma tristeza particular sobre a qual tinham direitos.

Robyn conheceu Sam, a mãe de Jack, um mês depois que começaram a namorar. Era uma mulher bonita, com reflexos extravagantes no cabelo, que usava preso no alto da cabeça com uma presilha. Em roupas informais e descalça, era de uma luxuosa classe média, e seu pequeno chalé de dois quartos pertinho da St Albans era um cenário perfeito do final dos anos 1990 de móveis e antiguidades da Designers Guild.

Ela chamou Robyn de "querida" e a cumprimentou com dois beijos e um olhar de fascinado afeto. Acomodaram-se numa cozinha de pinho com uma pia e um fogão amarelo-claro, e Sam fumou seu cigarro na porta dos fundos, soprando a fumaça, que uma brisa logo trazia de volta, pelo canto da boca.

— Vocês dois ficam lindos juntos — disse ela, com sua voz rascante de cantora de jazz.

Robyn e Jack se entreolharam e sorriram. Eles sabiam disso.

— Jack andava falando *bastante* sobre você — continuou ela, jogando a bituca num canteiro e fechando a porta.

— Só coisas boas, espero.

— Sim. E devo dizer também, como mãe de um único filho maravilhoso, que, quando ele chegou e me contou que estava apaixonado por uma estudante de medicina que quer ser pediatra e que se parece com a Megan Fox, bem... foi como ouvir música! Dou-lhe a minha benção.

Ela se juntou a eles na mesa de jantar de fazenda, encarou Robyn com seu olhar franco e sorriu de novo.

Robyn também lhe sorriu, imaginando no quê ela estaria pensando.

— Então, Jack me falou que seu pai é um doador de esperma — começou Sam, bruscamente.

— Mãe! — Jack ficou alarmado.

— O que foi? Você disse que era uma coisa aberta. É aberta, não é, querida?

Robyn assentiu com a cabeça e sorriu.

— Não temos segredos lá em casa.

Sam enviesou os olhos, como se procurasse algum foco para a imagem de Robyn.

— Absolutamente fascinante, não é? — acrescentou, como se procurando a confirmação de terceiros de que, sim, era de fato fascinante. — E você se parece com seu pai doador?

— Bem, não me pareço com mais ninguém da família, então, sim, imagino que sim.

— E isso aconteceu porque, bom, seu pai, o que criou você, tinha problemas de fertilidade, né?

— Mãe!

— Tudo bem — disse Robyn —, sinceramente, fico feliz de falar disso. Não. Não teve nada a ver com a fertilidade do meu pai. Eles tiveram duas filhas antes de mim. Foi... — Ela tomou fôlego antes de continuar. — As minhas duas irmãs tinham síndrome de Rett. Não era para acontecer duas vezes, mas descobriram que havia uma mutação no gene do meu pai. Então, isso significava que não podiam arriscar mais. Rachel morreu quando tinha quinze anos. Gemma morreu aos dezessete. E eles pensaram em pedir a doação de esperma a algum parente, mas decidiram que seria muito complicado, que seria mais fácil recorrer a um doador anônimo. E foi o que fizeram — e aqui estou eu! — Robyn fez uma pose do tipo "tchan" e sorriu. Já tinha contado essa história mil vezes antes: "Os trágicos motivos por trás da minha milagrosa existência". Conseguia contá-la sem aperto no coração nem lágrimas, pois não tinha de fato conhecido as irmãs. Tinha quatro anos quando Rachel morreu, e cinco quando Gemma morreu, e estava mais preocupada com a escola e o parquinho do que com as duas meninas doentes que moravam num hospital a alguns quilômetros de distância.

Sam levou a mão ao pescoço.

— Coitados dos seus pais, perder duas filhas! Tudo o que devem ter passado, e ainda encontrar coragem de algum jeito para seguir adiante, para construir uma família. Sabe, a humanidade leva um monte de tiros, mas a maior parte do tempo as pessoas só ficam por aí, sossegadas, silenciosas. Absolutamente *impressionante*.

Robyn concordou, sorrindo. Sabia exatamente o quanto seus pais eram impressionantes, não só pela forma corajosa como tinham seguido em frente diante de tantas adversidades, mas também pelo modo como a tinham criado — a educação alegre, amorosa e firme que lhe tinham dado.

— E você? — continuou Sam. — Como se sente em relação a esse doador? Gostaria de conhecê-lo um dia?

Robyn balançou a cabeça. Não. Nunca. Jamais.

— Mas não quer saber? Não quer saber como ele é? Com quem *você* se parece?

— Não. Sinceramente. Esta sou eu. — Robyn tocou o peito. — Esta sou eu. Não sou minha mãe. Não sou meu pai. É como se eu tivesse criado uma identidade única. Como se eu fosse sozinha. Como se eu fosse *Eva*. — Ela riu.

Sam piscou, surpresa.

— A mulher original? — perguntou ela.

— Imagino que sim. — Robyn sorriu.

— Uau! — Sam deixou que essa palavra pairasse no ar, simplesmente. Robyn a observou e percebeu palavras não ditas tentando se revelar. Inicialmente, achou que Sam tinha se calado por assombro e estupefação. Mas então lhe ocorreu que ela estava tentando compreender alguma coisa. — Sabe — disse um instante depois —, nunca tinha pensado nesses termos antes.

— Como assim?

— Ah — ela endireitou-se, como se emergindo de um transe hipnótico —, nada, nada mesmo. É interessante, não é? Como formamos a nossa identidade. Como nos acondicionamos. Como processamos a verdade.

O clima na cozinha tinha ficado tenso. Parecia que tinham virado um balde com alguma coisa grudenta e desagradável. Mudaram de assunto, um jantar com frango assado e purê de batatas foi servido e consumido, e Robyn realmente não deu muito mais atenção a essa conversa até duas semanas depois, quando apresentou Jack aos seus amigos pela primeira vez.

Foi num bar em Mayfair, na esquina da empresa de administração onde Nush trabalhava. A reunião tinha sido armada em comemoração à promoção dela, de recepcionista a assistente de um diretor, mas na verdade era uma espécie de "venham conhecer o misterioso namorado novo de Robyn", o que significava um investimento maior do que a média, em especial para uma noite longe da zona de conforto de Buckhurst Hill.

Robyn estava tão orgulhosa ao entrar no bar naquela noite com seu homem bonito, inteligente e gentil. Ela segurou firme a mão dele e puxou-o na direção da mesa ao fundo onde todo mundo se reuniu, louca para mostrar a estrela do próximo capítulo de sua Vida Incrivelmente Perfeita.

Sentia-se feliz pelas amigas com seus bonitos namorados com empregos na City, carros esportivos, cursos de treinamento para professores e quartos nas confortáveis casas de seus pais em Essex. Sentia-se também feliz pelas amigas solteiras, com seus planos para sábado à noite e uma existência de Facebook. Elas estavam felizes, e ela ficava feliz por elas estarem felizes. Mas ninguém mais tinha o que ela tinha. Ninguém tinha sua pérola preciosa, a alma gêmea, o homem com romances publicados e uma estrutura óssea de arcanjo de Ticiano. Suas amigas ainda procuravam o lugar enquanto Robyn já se sentara, aconchegada, aquecida e radiante de satisfação pelo destino alcançado. Robyn estava em casa.

Nush, uma moça miúda como um passarinho, de olhos escuros quase grandes demais para o seu rosto, cabelo recém-cortado e uma bonita boina preta, enxergou-os primeiro e levantou num pulo. Jogou-se no pescoço de Robyn, apertando-lhe a mão. Robyn disse:

— Parabéns! — num tom cadenciado, tentando preservar a fachada do motivo de estarem ali, num bar, a quilômetros de onde moravam.

— Obrigada. — Nush ecoou a entonação de Robyn, pondo os olhos em Jack por cima do ombro da amiga.

— Este é Jack — disse Robyn, afastando-se. — E, Jack, esta é Nush, minha melhor amiga.

Nush agarrou-lhe a mão e o abraçou.

— Uau, é tão bom finalmente conhecer você. Você é lindo! — Parecia que Nush tinha começado a beber antes do encontro programado para as oito. Ela se afastou dele, encarando-o. — Você é muito bonito — e Robyn e Jack se entreolharam e riram.

— Não, sinceramente, é mesmo. Uau, vocês dois formam o par mais bonito que já vi. Olhe, gente — ela se virou, dirigindo-se ao resto do grupo —, este é Jack. O Jack. Não é o casal mais bonito que vocês já viram? Não é? Quer dizer... — Ela fez uma pausa, voltou-se para Robyn e Jack, e depois de novo para a mesa: — Poderiam ser irmão e irmã.

Fez-se um breve silêncio até ela acrescentar:

— Ah, Deus, poderiam mesmo! Poderiam. Vocês poderiam ser realmente irmão e irmã. Minha nossa...

As palavras de Nush foram engolidas por gritos hilariantes do resto do grupo, e Robyn desculpou-se sorrindo para Jack, que sorriu também, tranquilizando-a. E a conversa mudou, distanciando-se facilmente do assunto de um possível parentesco entre Robyn e Jack, e Robyn, na verdade, não voltou a pensar nisso até o dia seguinte, quando viu Jack na pia do banheiro, de queixo erguido para se barbear, e então ela pensou por um instante muito breve, fugaz mesmo, que estava olhando para si mesma.

— Como era o seu pai? — perguntou ela quase de imediato, com uma sensação de medo pulando do estômago para a garganta.

Jack parou o que fazia e lhe lançou um olhar pelo reflexo do espelho. Ele parou um momento, e depois enxaguou a gilete sob a torneira.

— Não sei direito.

— Mas não viu fotografias dele? — continuou ela.

— Não. — Ele puxou uma toalha do cabide. — Minha mãe queimou todas.

— Ela queimou todas as fotos de seu pai? Nossa, por quê?

— Porque o odiava.

— É mesmo?

— Sim. Tinham ficado três anos juntos, muito apaixonados, aí ele se mandou assim que soube que ela estava grávida. Foi viver numa comunidade na França, juntou os trapos com uma menina de 18 e nunca mais ouvimos falar dele. Minha mãe me levou à comunidade quando eu tinha um ano e meio, para que ele pudesse me conhecer. Lá, descobriu que ele tinha morrido num acidente de carro dez meses antes.

— Ela simplesmente queimou todas as fotos?

— Sim. Acho que sim. Ou sumiu com elas, enfim...

— Não guardou nenhuma para que você soubesse como ele era?

— Não. Bem, imagino que ela tenha achado que o encontraria um dia. Que não imaginava que ele estaria morto.

— E a família dele? Os pais dele? Você nunca viu ninguém?

— Ele não tinha parentes. Foi criado num orfanato. Era um órfão de Barnardo.

Isso parecia demais. Comunidades francesas e acidente de carro eram uma coisa — um órfão de Barnardo era outra. O Dr. Thomas Barnardo fundou um orfanato em 1866 e acolhia órfãos de todas as idades. Parecia muito floreio artístico. Muito romantismo. Poderia ser verdade. É provável que fosse. Mas, também, talvez não...

Robyn tornou-se sombria, com pensamentos disparatados acotovelando-se por espaço nessas sombras. A simples força do primeiro vislumbre de Jack na Zara semanas atrás, o modo estranho de sua mãe com ela na cozinha naquele dia, quando conversaram sobre o doador; na noite do bar, a fala de Nush sobre eles parecerem irmãos; este instante, ainda agora, quando ela viu o reflexo dele no espelho e pensou que era ela; e agora essas... fotos queimadas e o Dr. Barnardo.

Tinha lido em revistas frívolas sobre irmãos há muito separados que se encontravam na vida adulta e imediatamente se apaixonavam. Tinha lido essas histórias com horror e repulsa. Certamente, porém, se ela tivesse irmãos e irmãs por aí — e não poderia haver mais do que nove, eram as normas —, qual seria a chance de um deles entrar na sua filial da Zara numa quinta-feira à noite procurando um pulôver? Era tão improvável como totalmente impossível. Mas isso seria menos possível do que qualquer outro encontro de duas pessoas? Entre um homem e uma mulher? Entre uma mulher e sua alma gêmea? A simples sugestão de uma conexão invisível entre duas pessoas não poderia impelir alguém a sair da calçada e entrar numa loja de roupas? Uma ligação genética não poderia na verdade predispor duas pessoas no sentido de gostar da mesma cadeia de lojas de uma rua estilosa em particular (e Robyn tinha procurado um emprego na Zara justamente porque gostava de suas roupas)? Então, tudo talvez não fosse mera coincidência. Poderia estar relacionado a malhas marrons.

Todos esses pensamentos atravessaram a mente de Robyn em questão de segundos. Ela ficou se sentindo machucada e humilhada. Olhou de novo para Jack — estudou seu rosto à medida que ele se virava e vinha na direção dela, sorrindo. Ele não era seu irmão gêmeo. Ele tinha os fascinantes olhos turquesa da mãe, e a cabeça um pouco ovalada. Mas esse nariz e esses lábios... Eram dela, e ele — ele pertencia a ela como nunca ninguém antes pertencera. Ela o possuía, e ele a possuía da maneira calma e inquestionável dos familiares.

Família.

Um arrepio lhe percorreu o corpo, e ela se afastou dele. Não olhou de novo para ele por quase 20 minutos.

Dean

Dean estava no sofá, encarando a mesma mancha do tapete. Nas mãos, o último centímetro de um baseado, úmido de cuspe e marrom de fumo sem filtro. Ele encheu os pulmões pela última vez e amassou o baseado num cinzeiro à sua frente. Então se ergueu e se estudou no espelho pendurado atrás da porta da sala. Estava usando um terno. Ele o comprara ontem, por 29,99 libras. Os sapatos eram do tio, e a gravata de uma loja ligada a um lugar de pesquisa de câncer, da esquina. Ele o tinha pulverizado para disfarçar o cheiro de gente velha e roupas úmidas, e agora o cheiro era pior ainda.

Seus olhos pareciam ter ido parar no crânio, os ossos do rosto estavam à mostra, e os lábios, secos e rachados. Viu na prateleira em cima do aquecedor um tubo de creme para as mãos, que era de Sky, e apertou um pingo nos dedos. Passou-o nos lábios e, ao fazer isso, um perfume se espalhou no ar. Era o perfume dela. O perfume das mãos dela. Nunca tinha percebido isso quando ela estava viva. Estalou os lábios, deu um puxão na bainha do paletó, saiu do apartamento e foi para o enterro de sua namorada.

Estava um dia bonito. Azul e fresco, com uma brisa forte. As nuvens movimentavam-se pelo céu como se tivessem um compromisso urgente. A igreja estava cheia. Sky teria ficado satisfeita com essa afluência de gente. Todos os amigos dela estavam ali, vestidos com esmero, soluçando sem parar. Ao entrar na igreja com a mãe, as pessoas chamaram sua atenção ao lhe lançarem olhares de comovida compaixão que o desequilibravam. Era como se isso fosse um filme e ele fosse o herói trágico, como se os créditos mostrassem seu nome primeiro, em letras grandes. Parecia um equívoco, porém, como se ele tivesse roubado o crédito de alguém que realmente o merecesse. Ele era uma fraude. Não tinha amado Sky de verdade. Não tinha nem chorado ainda.

Quanto ao bebê, ele ainda nem voltara ao hospital para vê-lo. Não conseguia encarar aquilo. Ficara no apartamento durante três semanas, com o celular desligado, e ignorando o zumbido do interfone. A única pessoa com quem falara era sua mãe. Ela tinha trazido potes de frango e nove garrafas grandes de refrigerante e lhe dissera que todo mundo estava pensando nele, que todo mundo o amava, que Isadora estava muito bem, que ela tinha ido lá todos os dias, ela e a mãe de Sky, que tinham lhe dado mamadeira, que a icterícia estava sarando, que alguns fios já tinham sido retirados, alguns tubos também, e ela abrira os olhos. Ela não o mandou levantar a bunda dali para vê-la. Não pediu que fizesse nada. Apenas o alimentou com comida, amor e informação. Dean nunca tinha amado tanto sua mãe como nessas três semanas.

Ele se embarafustou por uma fila de bancos e acabou se sentando ao lado do primo de Sky. Ele era dez anos mais velho e um tanto mais alto que Dean. Lançou a Dean um olhar impenetrável.

Dean enfiou um dedo no colarinho de sua camisa e o puxou. A mãe de Sky estava na frente dele. Ela se virou ao percebê-lo ali atrás, e sua fisionomia era uma máscara de antipatia reprimida, na qual moldou um sorriso. Ela murmurou "olá", e Dean fez o mesmo. Aí ela cochichou "Você está bem?", e ele assentiu, parando quando percebeu que não deveria estar bem, e na verdade, em muitos aspectos, não estava bem. Terminou com um sorriso de desculpas. Ela deu-lhe um tapinha na mão e virou-se. Parecia péssima. Medonha. O rosto, arruinado pela dor, estava maquiado com cores em excesso e cremes, fazendo-a parecer uma assustadora drag queen.

O caixão de Sky era branco com alças douradas. Sobre ele havia as letras SKY em botões de rosa. Havia também uma fotografia dela, uma grande ampliação em preto e branco dela sorrindo. Dean não se lembrava da última vez que vira Sky sorrir.

— Linda foto de Sky — sussurrou-lhe sua mãe ao ouvido.

Ele concordou. Era mesmo. Ela era uma moça bonita.

A missa seguia adiante. As pessoas se levantaram para falar. Quiseram que ele falasse, mas ele se negara. Dean nunca antes falara na frente de ninguém, e não ia começar agora. Não era o dia dele. Não se tratava dele. Tratava-se da mãe de Sky, das irmãs de Sky e dos amigos chorosos de Sky.

Houve 11 discursos ao todo; ao final, Dean já não ouvia mais. As palavras "anjo", "princesa" e "linda" foram tão proferidas que ele ficou à espera de que uma vibrante versão de "Candle in the wind" iria saltar do órgão da igreja a qualquer momento. Mas, tal como era, ele e cinco outros homens ergueram o leve caixão no ombro e saíram da igreja sob os versos da "Ave Maria".

Depois que o caixão de Sky desceu à cova e todo mundo zelosamente espalhou terra, rosas e ursinhos no buraco, as pessoas se dissiparam, mas Dean permaneceu. Por algum tempo, ficou na beirada da cova com a mãe de Sky e a sua mãe, e as duas passaram os braços em volta dele, e Dean queria odiar a sensação desses corpos de meia-idade, empoados e perfumados, contra o dele, mas, depois de um instante, ele cedeu e assim ficaram por alguns minutos, até a mãe dele dizer:

— Vamos. Estão nos esperando.

— Só mais um pouco; eu alcanço vocês. — E ali ficou sozinho naquela tarde fresca, e tateou o bolso em busca do baseado que tinha feito mais cedo. Acendeu-o, tragou e se agachou, ficando a um pé do local de descanso de Sky. Lançou um olhar para os animais de pelúcia sujos de terra, os ramos de flor que pareciam trágicos suicidas e ali, meio encoberta de terra, uma foto de Isadora. Ela olhava direto para a câmera com seus olhos bem separados, e por um instante fugaz pareceu que era como se ela olhasse diretamente para a alma dele, do mesmo modo que ele sentira logo que ela nasceu. Ele engoliu em seco e desviou o olhar. Ela era demais para ele. Inteligente demais, forte demais, boa demais.

Mas havia algo mais nesse olhar, algo que lhe tirou o fôlego. Era *ele*, a essência dele. Todo mundo dizia que ela se parecia com ele, mas com quem ele se parecia? Tinha a compleição óssea esguia da mãe, a pele pálida dos ingleses, a saliência no nariz, os elegantes punhos dela e as costas sardentas. Mas seus olhos não eram os dela, nem os lábios, nem o maxilar, nem a melancolia profunda e a falta de confiança no conceito de relações humanas e de comunidade. A mãe era responsável pelo centro comunitário da região, organizava festas sem razão nenhuma, convidava pessoas para ter companhia, encontrava pontos de interesse em todo mundo que conhecia, permanecia em contato com gente com quem ela tivera a mais breve e fugaz das ligações. Dean a amava por isso, mas não era o jeito dele. Ele não era assim.

Nunca tinha havido um homem na casa dele. Sua mãe tinha namorado ao longo dos anos, mas conservara os homens longe dele, com medo de que Dean se apegasse e depois o homem partisse seu coração ao deixá-lo. Tinha um tio, mas ele morava com a mulher a quilômetros de distância. Dean na verdade nunca sentira falta de um homem em casa. Tampouco pensara muito no homem que tinha o direito biológico de ser seu pai, um estranho mesmo para sua mãe, um homem que tinha entrado numa saleta e recolhido a própria essência num pote em troca de umas libras e da consciência de que estaria de algum modo fazendo o bem a alguém. Dean tinha descoberto isso havia apenas três anos, sua mãe lhe contara em seu aniversário de 18 anos. Antes disso, vivera com a sensação de que seu pai tinha sido um francês que a mãe tinha encontrado em algumas férias aos 41 anos, um romance tardio, nos últimos alentos de um verão glorioso, duas pessoas solitárias, uma noite de paixão *et cetera et al*. Essa parte sobre ele ser francês acabou sendo verdade. O resto era uma açucarada ficção.

Dean não se chocara nem se sentira traído diante da revelação. De certa forma, as coisas faziam mais sentido. Nunca tinha considerado a mãe como o tipo que teria um encontro ao estilo Shirley Valentine com um estrangeiro moreno. Sempre tivera dificuldade para alinhar essa noção consigo mesmo e com sua existência. O homem anônimo num cubículo sem nenhuma afinidade com sua mãe parecia se encaixar muito mais na noção dele de si mesmo.

Tinha sido concebido pouco antes de a lei mudar, antes de os doadores serem obrigados a ficar acessíveis às suas crianças quando elas se tornassem adultas. Dean não tinha nenhum recurso legal em relação ao pai. Não tinha o direito de conhecê-lo. E durante três anos não tivera nenhum desejo de conhecê-lo nem de encontrá-lo.

Até agora.

Mexeu-se para a frente na direção da beirada da cova, segurando o baseado nos lábios. Esticou-se no chão e pegou a fotografia com a mão direita estendida, mas seus dedos não chegaram nem a se aproximar do caixão de Sky, sobre o qual estava a fotografia. Teria que deixá-la ali, a sua filhota, assim como a tinha deixado no hospital. Ficou ali estendido durante algum tempo, com a cabeça e os braços dependurados na cova, olhando a fotografia de Isadora. Acima dele, as nuvens se juntavam no céu e a noite começava a cair. A brisa parecia estar indo embora, discretamente; ele a sentiu se distanciar, sussurrando de modo conspirador pelas árvores atrás dele. Então, tudo ficou sossegado e quieto, e pela última vez na vida Dean ficou sozinho com suas duas meninas — Sky, num brilhante caixão branco, Isadora na fotografia salpicada de terra —, em paz uma com a outra. As lágrimas vieram afinal, em pingos grossos, pesados, que caíram direto no buraco do chão.

Ele a deixou ali, com os ursinhos, as flores e a filha, com o último soluço de suas lágrimas, e foi encontrar sua mãe, para se perder na cerveja e com companhia.

Maggie

Quando Maggie chegou à casa de repouso na manhã de quarta-feira, Daniel estava aprumado na cama, segurando uma xícara de chá pela alça, e na metade do *Daily Telegraph*. Ergueu os olhos quando ela entrou no quarto, espiando-a com jovialidade por cima dos óculos de leitura.

— *Bonjour* — saudou-a, com alegria na voz e no rosto.

Maggie surpreendeu-se. Quando o deixara na noite anterior, ele estava sonolento depois de uma longa tarde de incômodos, murmúrios e sussurros inquietos sobre coisas que não faziam muito sentido. A certa altura, ele tinha se virado para Maggie, com a saliva acumulada nos cantos da boca, e falado: "É você. É *você*. Você. Não. Me deixe. *Morrer*!". Ela havia conversado com as enfermeiras responsáveis, e elas disseram: "Talvez esteja se espalhando pelo cérebro. O comportamento dele pode ficar mais extravagante". Maggie tinha sentido medo ao sair de casa aquela manhã, medo do que poderia encontrar. Pelo que sabia, hoje talvez seria o dia — o dia da morte de Daniel. Mesmo assim, tinha lhe trazido frutas secas e iogurte de frutas secas da nova loja que tinha aberto na estação, e ele olhou para a sacola com algum prazer quando ela a tirou da bolsa e a colocou diante dele.

— Nossa, como você parece melhor hoje! — exclamou ela.

Ele assentiu e colocou o jornal de lado.

— Estou me sentindo muito bem hoje. Não sei por quê. Talvez vá melhorar. — Ele soltou uma risada esquisita, e Maggie sorriu, indecisa. Esse tipo de brincadeira sempre a deixava sem rumo. Humor negro. Maggie não tinha muito o dom do riso diante da adversidade. A única abordagem diante da morte, achava ela, era um grave respeito.

— Bem — murmurou ela —, você está bem hoje, e isso é maravilhoso. — Ela o viu pegar a sacola de papel marrom e tirar dela um damasco seco inteiro. Ele lhe ofereceu a sacola. — Não, obrigada. Já comi.

Ela o observou morder um bocado da cor de âmbar e começar a mastigar. Havia dias que ele não mastigava nada. Havia dias que não segurava uma xícara de chá nem pegava no jornal. A morte vinha aprontando, como brincadeira de criança, dando voltas na ponta dos pés, com malícia: "Aqui estou eu! Ah, não, estou brincando, estou aqui... não, ali!". Toda vez que perguntava a uma enfermeira "quanto tempo? quanto tempo você dá?", recebia a mesma resposta. *Pode ser a qualquer momento*. A morte não só nos acerta com um cajado como vai embora e nos deixa para morrer. A morte brincava primeiro. A morte nos enfia a cabeça na privada de nossa extinção e depois nos puxa pelo colarinho. A morte não era tão simples como Maggie imaginara.

— Vamos — Daniel puxou os lençóis —, vamos dar uma volta.

Maggie olhou para ele, alarmada.

— Ah, tem certeza?

— Absoluta. — E sorriu largo e franco.

Ele se movimentava devagar, um passo de cada vez, mas falava depressa. Maggie desejou ter trazido algum gravador. As palavras saíam com barulho, como um monte de moedas caindo numa dessas máquinas automáticas em que se pode comprar várias coisas. Ela enlaçou-lhe o braço, ouvindo o melhor que conseguia, algumas das coisas que dizia se perdiam na urgência dele e no sotaque.

— Sabe, não é verdade que eu nunca tive filhos. Não é verdade mesmo.

Estavam no jardim agora. Estava mais frio do que seria confortável para Maggie, que tinha deixado a jaqueta no quarto de Daniel, e ficara apenas com um blusa de algodão de mangas três-quartos. Mas o sol brilhava, e eles ficaram junto de um laguinho cheio de carpas douradas, que passavam apressadas sob a superfície da água cor de jade.

Maggie olhou para Daniel, com ar questionador.

— O que isso significa?

— Significa — continuou ele, voltando o bonito rosto para o sol e apertando os olhos — que eu tenho filhos neste mundo.

— Bem... — Maggie tropeçou nas palavras, sem saber qual postura tomar diante de um pronunciamento que insinuava relações sexuais com outras mulheres sem rosto, quando com ela ele não tinha engatado nem a segunda marcha.

— Tenho quatro — continuou ele. — Dois meninos. Duas meninas. Um tem vinte e nove, um tem vinte e sete, um tem vinte e um e um tem dezoito. Imagine! Quatro filhos. E imagine, também, Maggie, que eu nunca conheci esses filhos. Na verdade, passei trinta anos fazendo de conta que eles não existiam. Que são apenas... *comment s'appellent*... como fadas? Sabe, como fantasmas? Algumas pessoas acreditam neles, outras não. A menos que tenham visto algum. E, como eu nunca vi esses assim chamados "filhos", então eles não existem, *n'est-ce pas*?

— Não compreendo. — Maggie soltou o braço do dele. — Como...

— Eu doei o meu esperma, Maggie May. A minha preciosa semente, eu a dei a senhoras desconhecidas, e pedi a essas senhoras desconhecidas que pegassem a semente, plantassem, mas nunca me procurassem com os bebês.

— Você foi doador de esperma?

— Sim. Fui. Imagina isso, Maggie? Consegue me imaginar fazendo isso? Parece tão distante. Parece tão... extraordinário agora. Agora é extraordinário; na época parecia normal, até mundano. Então, era como doar sangue, sabe, uma coisa boa. E agora, agora finalmente entendo o que fiz. Agora estou meio velho e quase morto, e isso finalmente se tornou real. Eu fiz vida, Maggie! — Ele a agarrou pelos punhos. — Pode acreditar nisso? Eu fiz vida! Eu! Daniel Blanchard! Fiz quatro vidas! E agora, sabe, talvez essas vidas tenham feito outras. Talvez existam mais bebês, suponho, sim, netos! Existem por aí quatro adultos, e estão levando a vida enquanto eu estou encerrando a minha, e nós estamos total, completa e inextricavelmente ligados. Parece... Parece um *milagre*! Sim, um milagre! E eu levei trinta anos para compreender isso, trinta anos para entender o que foi que fiz.

Maggie ergue-se e o encarou. Os olhos dele brilhavam. Parecia enlouquecido. Mas parecia feliz. E ela sabia que essas palavras eram verdadeiras.

— Você acha que é tarde demais, Maggie May? Acha que é tarde demais para eu conhecê-los?

Ela prendeu o fôlego. Nunca o tinha visto assim antes, tão aberto, tão franco. Sentiu uma dor profunda, por amor, por pena, por medo. Sorriu para ele debilmente.

— Ah, querido — disse ela. — Ah, querido. — Ela nunca o chamara de "querido" antes. A conduta dele nunca permitira isso. Agora, contudo, ela sentia isso, que ele era o seu querido, seu doce, querido, bonito homem, e que o amava com todo o seu ser, e que mal conseguia vê-lo morrer, mas que não conseguiria vê-lo morrer com tal vazio no coração. — Não sei, não sei se é tarde demais. Não sei como essas coisas funcionam. O que você sabe dessas crianças... dessa gente? Tem algum tipo de contato com elas?

Ele encolheu os ombros.

— Não, acho que não. Embora a mais nova, a menina, ela tenha os detalhes. É a única que poderia entrar em contato. Mudaram as normas. Lembro-me do dia. Pensei: "Bem, provavelmente vou estar morto quando este chegar aos dezoito, então qual é o problema?" — Ele riu de modo ruidoso, como nunca antes Maggie o ouvira rir. Mais uma vez, ela se esforçou para entender o humor disso.

— Então — continuou ele. — É isso. A menos que o rebento mais jovem resolva que hoje é o dia de encontrar o pai perdido, tudo está perdido. Porque eu posso sentir, Maggie. — ele apontou para a cabeça. — Eu sinto. Não todos os dias. Não agora. Mas a escuridão está dentro de mim agora, e está confortável. Está de chinelos — ele riu —, de roupão, o chocolate. Sim. Está em casa agora. E eu logo irei. É triste. — Ele olhou para ela com olhos abertos e brilhantes. — Sim, é muito triste, muito triste. Mas agora — ele afastou a tristeza dos olhos —, enquanto tenho energia, enquanto consigo ficar de pé, vamos dançar, Maggie May, vamos dançar.

Ele não deixou que Maggie reclamasse. Pegou-a nos braços e pressionou o corpo contra o dela, e juntaram as mãos, e ele pousou o queixo no alto da cabeça dela, embalando-se, e cantarolando um acalanto desafinado no silêncio do ar. Maggie enterrou o rosto no macio tecido aveludado do roupão dele e fechou os olhos. Ela acompanhou seus passos e respirou seu cheiro, um cheiro de hospital, mas ainda inconfundível, e ela pensou *amo você, Daniel, amo você demais*. E então soube o jeito exato de provar isso para ele.

Lydia

— Oi, esquisita. Que tal vir jantar amanhã à noite?

Era Dixie. Há semanas não tinha notícias dela, não desde a festa de *Bem-vinda ao mundo* de Viola, três semanas antes. Era culpa dela, sabia disso. Lydia certamente tinha tempo e podia achar um jeito de ver sua amiga e o novo bebê. Poderia visitá-la toda semana, todo dia se quisesse. Era Dixie quem tinha desculpas para não vê-la. Mas, por algum estranho motivo, Lydia se sentia distante dessa união familiar. Tinha sentido isso naquela noite em sua casa, da primeira vez que levaram Viola, uma espécie de codependência que nunca antes houvera entre Dixie e Clem, com Viola bem no centro disso. Era isso o que acontecia, claro, quando as pessoas procriavam. Seja lá em que circunstâncias, uma nova dinâmica se formava, e outras coisas em torno dessa dinâmica tinham que se curvar e se ajustar a ela. Era inevitável que as coisas mudassem; Lydia só não esperava sentir essa repulsa um tanto esmagadora. Rejeição, sim; distância, sim; desagrado...? Bem, ela foi pega de surpresa.

Isso lhe tinha ocorrido na festa, vendo o bebê ser levado pela sala, de mão em mão, todo mundo o tocando, segurando, como se fosse um amuleto ou possuísse um poder divino. As pessoas pareciam ávidas e gentis, como se sorvessem alguma coisa dele. E o bebê parecia um pedaço molenga de carne, submisso e estranhamente quieto. Não era um bebê bonito. Isso não tinha importância, claro. Mas não era. Tinha um aspecto azulado, com manchas avermelhadas e olhos que nunca pareciam muito abertos, e o cabelo era fino e cheio de floquinhos de pele seca. Ele tinha sido arrumada com um vestido de algodão branco com uma rosa estampada na frente, meias brancas e um par de sapatinhos de couro branco, e deveria, Lydia supunha, parecer atraente. Esse truque parecia estar funcionando com todo mundo, mas não com ela. Tinha evitado a criança o tempo todo e refreava o ímpeto de pegar o casaco e ir embora.

Ficou horas pouco à vontade, esperando que os outros convidados fossem embora e que ela pudesse ficar sozinha com Dixie e Clem, ou melhor, com Dixie. Imaginava as duas, cansadas e um pouco bêbadas, acabadas no final da festa, finalmente tendo a conversa aberta e sincera que havia muito não tinham. Os demais convidados, porém, não saíam, e às seis horas começaram a abrir garrafas de vodca e a escolher músicas no iPod, então Lydia lembrou-se de que Dixie e Clem eram assim; eram sociáveis, espontâneos e não havia motivo nenhum para que um bebê se chocasse com isso. Então, ela pegou o casaco, deu um beijo nas poucas pessoas que conhecia de vista, e Dixie a acompanhou até a porta, com o bebê dormindo junto do peito, de modo que não houve jeito de se abraçarem, e falaram de se encontrar — *Sim, claro, vamos mesmo*. De repente, Lydia estava na calçada de Camden Town, sozinha.

Tinha erguido os olhos para a janela do apartamento e visto a vibração do movimento, de gente, de vida. O mundo seguia adiante sem ela. Ela era seu pior inimigo. E depois tinha passado a noite de sábado sozinha, em sua casa vazia, e não tinha mais falado com Dixie desde então. Ocorreu-lhe que talvez sua amiga estivesse chateada com ela, por não ter segurado a criança na festa, por ter ido embora cedo, por ser um estorvo, por ficar muito tempo sem entrar em contato, mas, quanto maior o tempo de distanciamento, menos Lydia se sentia capaz de fazer alguma ponte. E agora isto: este convite para jantar. Lydia sentiu o espírito mais leve com a perspectiva. Andava havia muito tempo enfiada em si mesma. Sua vida tinha ficado muito densa e difícil, e em semanas a única luzinha tinha sido providenciada por Bendiks e aquela amizade meio esquisita, com alguns flertes, que se estabelecera entre eles desde aquele momento de intimidade algumas semanas atrás.

Lydia respondeu quase de imediato. *Adoraria. A que horas e o que levo?*

Oito horas. Depois que a criança apaga. Traga algo espumante.☺

Então, ela foi na noite seguinte, protegida do vento frio num casacão e agarrando no peito uma sacola com duas garrafas de um bom champanhe. Sabia que Dixie se referira a Prosecco, Cava ou um vinho barato da Tesco, mas Lydia também sabia a quantidade absurda de dinheiro que tinha no banco, que não trazia alegria a ninguém, muito menos a si mesma, e tinha sentido uma palpitação prazerosa quando as duas garrafas passaram pelo caixa.

Ficou secretamente satisfeita de saber que o afável Clem não estaria; embora gostasse dele, aquela era uma noite importante para Dixie e Lydia. E o bebê não estava à vista.

— Ah, caramba — gritou Dixie, pegando a sacola das mãos estendidas de Lydia —, sua doida!

— Bom, achei que a gente ainda não tinha comemorado a chegada do seu bebê...

— Fora a festa de criança que a gente fez três semanas atrás? Com champanhe, balões e tudo mais?

— Bom, sim...

— Sim, eu sei. Nada a ver com você. Tudo bem. Entre, entre, e desculpe a bagunça. Falando sério, não consigo entender como tinha tempo pra guardar as coisas e tal. Quando ela era pequenininha, era fácil, ela dormia o dia todo, mas agora ela fica acordada o tempo todo, e, assim que me vê pegando uma vassoura ou um par de luvas, ela vem atrás. Parece que *quer* viver na imundície.

— Quer que eu mande a Juliette? — As palavras saíram antes que pudesse se frear. Dixie olhou para ela com ar curioso, tentando avaliar se ela estaria ou não brincando. Lydia sorriu, pouco convincente, e deu de ombros. — É que ela não tem muito o que fazer lá...

— Não, tudo bem — interrompeu Dixie. — Mesmo. Gosto de vagabundear, sabe como é?

Lydia sabia. Conhecia Dixie melhor do que qualquer outra pessoa. Tinha sido burrice sua sugerir tal coisa. Observou a amiga empurrando uma garrafa de champanhe na geladeira lotada e depois começar a abrir a outra. — Nenhuma taça de champanhe, a última se foi na festa de Viola. E, na verdade... — deu uma olhada no fundo do armário de copos —, nada de copos de vinho também. Copo de uísque ou pinga? — Ela mostrou as opções.

— Ah, Deus, uísque, claro.

Dixie levou os copos e a garrafa para a sala, dispondo-os na mesinha. Também na mesinha havia um pacote de lenços higiênicos para bebês, alguma coisa parecida com chá numa mamadeirinha, um prato de torradas velhas, um jornal de dois dias atrás e uma caixa de balinhas de fruta.

— Sim, bem-vinda a minha vida — exclamou Dixie, vendo Lydia avaliar a bagunça. — Esta é a área central de operações, bem aqui. É onde acontece a amamentação, onde faço as refeições, onde durmo durante o dia e onde Clem dorme muitas noites. É onde tento ler o jornal e assistir a mais do que vinte minutos de um programa de televisão por vez. É onde vivo.

Lydia olhou para ela, espantada.

— Mas — continuou ela — deixe-me contar uma coisa antes que você entenda mal e pense que arruinei a minha vida... vale cada minutinho. Sinceramente. De verdade mesmo. Saúde! — Ela bateu o copo no de Lydia e sorriu.

— Saúde — concordou Lydia —, e desculpe.

— Desculpar por quê?

— Por ser uma amiga de merda.

A fisionomia de Dixie se contorceu, confusa.

— O que quer dizer com isso?

— Ah, você sabe. Tenho sido inútil. Não tenho telefonado nem mandado mensagem nem trazido alguma comida nem nada para você. Só vi Viola duas vezes desde que ela nasceu. Tenho sido uma droga.

— Oh, sinceramente, Lids. Pelo amor de Deus. Eu garanto, isso não é nada. Conheço você. Sei que criança não é a sua praia, e você foi tão legal de nos receber quando a gente estava tão atrapalhado com o bebê novo, e comprou aquela roupinha linda pra Viola. Sou eu quem tem sido inútil. Sério. Não consigo coordenar as coisas. Faz uma semana que sei que o Clem estaria fora esta noite, e levei até ontem pra finalmente convidá-la. É que tudo está...

— Diferente? — sugeriu Lydia.

— É, tudo mudou. Mas acho que vou começar a sair disso agora. Veja, por exemplo, consigo colocá-la pra dormir agora. É uma novidade. Até duas semanas atrás, ela ficava comigo até eu ir pra cama, dormindo em cima de mim, eu ficava horas grudada nesse sofá. E agora, bom, são só algumas horas, ela vai acordar de novo à meia-noite, mas pelo menos sei que tenho esse pedacinho do dia pra mim. — Ela sorriu e esfregou os cotovelos. — Então, não convidei você pra ficar tagarelando sobre o nenê. E você? Está diferente...

— Estou?

— Sim. Perdeu peso?

Lydia levou a mão ao rosto e considerou a pergunta.

— Sim — acabou dizendo —, provavelmente sim.

Dixie riu.

— Só você, Lydia Pike, consegue perder peso e nem pensar nisso. Eu ainda estou carregando metade daquela barriga de grávida, tenho certeza. — Ela segurou os pneuzinhos extras e suspirou. — E aí, como vão as coisas com o personal?

Lydia corou um pouco ao pensar nisso. Só a menção de Bendiks já a deixava com a sensação de que acabara de transar. Ela não ia contar a Dixie como se sentia de fato em relação ao seu personal trainer. Dixie ia achar que ela enlouquecera. Limpou a garganta.

— Bem — disse —, ótimas. Comecei a me acostumar, não parece mais uma coisa tão esquisita. E está muito melhor agora, porque não preciso mais ir até aquela academia pretensiosa.

— Ele vai até você, não é?

— É. Ou treinamos no parque.

— Uau — exclamou Dixie, com ar de desejo por uma vida que nunca tivera. — E como está o trabalho?

— Oh, tudo bem... vai indo.

Dixie e Lydia nunca falavam do trabalho dela. Era Dixie quem tinha trabalhos interessantes, sempre tinha sido assim. Já era ponto passivo que qualquer conversa sobre trabalho seria sobre o de Dixie. Não o de Lydia.

— E você? — contrapôs ela — Alguma chance de voltar ao trabalho?

— Ah, Deus, não. Não, não, não. Acho que vou tirar o ano todo. Estou longe de me imaginar voltando a trabalhar, muito menos de fazer isso de fato. Parece outro mundo. É difícil acreditar que todas as pessoas ainda existam, que se levantam toda manhã e vão fazer as coisas, enquanto eu estou aqui, com Vi e todas essas fraldas.

— Você já a levou até a sua casa? Levou-a para o vilarejo?

Dixie assentiu.

— Sim, algumas semanas atrás.

Lydia evitou a ideia consciente de "casa" e forçou um sorriso.

— E como foi?

— Foi magnífico. Nunca um bebê foi mais apalpado, cheirado nem adorado na história da humanidade. E foi uma delícia sair da cidade, sabe, respirar aquele ar esplêndido e ouvir aquele vozerio à noite, e sentir-se em casa, sabe. Com a família.

— Clem foi com você?

— Claro, claro que foi. De jeito nenhum que eu ia dirigir tudo aquilo sozinha com o bebê! Sim — Dixie sorriu de esguelha —, vamos acabar voltando pra lá, sabe. Na verdade... — ela fez uma pausa, e Lydia esperou — ... estamos planejando outra viagem no próximo mês. Talvez para ver alguns lugares.

— Ah — Lydia devolveu-lhe o sorriso de esguelha.

Não era preciso conversar. Dixie sabia como Lydia se sentia em relação à terra natal, e Lydia sabia o quanto Dixie ainda era apegada ao lugar. Sempre concordaram em discordar sobre os méritos da vida no País de Gales.

— Você nunca... — começou Dixie — ... sente vontade? Sabe. Nunca sente saudade de lá? A sensação? As pessoas?

Lydia riu e sacudiu a cabeça.

— Agora que estamos mais velhas — contou Dixie —, não sei... eu me achava a própria londrina. Achava que tinha encontrado meu lugar, meu ritmo, que pertencia a este lugar, mas agora, com quase trinta, tudo parece um pouco... *grande* demais. Entende? Muitas lojas desnecessárias, restaurantes, ruas, gente, barulho, cheiros e... não sei, não preciso muito mais disso. É desperdício. Fico pensando, se vou me enclausurar em minha vilazinha londrina, vendo as mesmas poucas pessoas, comprando a mesma comida das mesmas poucas lojas, fazendo os mesmos caminhos pela mesma extensão de verde, acenando para as mesmas pessoas ao cruzar a rua, por que não ir embora e viver aquela vida de vilarejo onde eu possa comprar uma bela casa, um jardim e onde a minha mãe possa me ajudar com o meu bebê?

— Mas e o trabalho? A carreira? Não há muita demanda para diretores de cinema em Walterston.

— Já pensamos nisso. Vamos nos revezar, eu e Clem. Posso trabalhar em Cardiff. Fazer televisão. Ele tem amigos aqui que podem acomodá-lo, se necessário. Deve dar certo. Bom, pode dar certo. Ainda não é bem um plano, é uma ideia. Não nos decidimos.

Lydia assentiu, compreendendo. Era só uma questão de tempo, uma questão de quando, não de se. Seus amigos partiriam. Esvaziariam aquele apartamento, comprariam um chalé charmoso em ruínas, levariam seu bebê magricelo e seriam galeses de novo. E aí ela nunca mais os veria. Porque Lydia nunca mais voltaria ao País de Gales. Sabia disso desde o momento em que embarcou no trem para a estação Euston de Londres, sete anos antes, com todas as suas coisas num baú aos seus pés. O País de Gales era onde ela bebia demais. O País de Gales era onde sua mãe tinha morrido, e seu pai tinha morrido, e sua infância tinha morrido quando algo estranho e desagradável havia acontecido na sacada de um pequeno apartamento de um vilarejo no meio de lugar nenhum. Em Londres, ela tinha deixado tudo isso para trás e seguido em frente, adiante e além. Lydia era agradecida a Londres como nunca se sentira agradecida a um ser humano. Ela lhe tinha dado mais que qualquer ser humano, e tinha sido leal, inspiradora e amável com ela. Talvez fosse solitária e vivesse distante do mundo aqui, mas preferia ser solitária e distante em uma cidade que a compreendia do que num vilarejo que não a compreendia.

— Você vai aparecer se a gente se mudar?

Lydia hesitou.

— Sim, claro.

Dixie lançou-lhe um olhar de quem sabia, e Lydia sabia, que ela não iria aparecer, mas naquele ponto da vida delas teriam que fingir que ela iria.

— E eu vou voltar toda hora.

— Pode ficar em casa.

— Bem, sim, ia dizer isso. Mas ia ficar meio apertado, não?

— Ah, claro, eu teria que abrir a ala oeste para vocês, obviamente...

— Mas claro.

— E aí este apartamento, uau, vai acabar.

— Para sempre. Outros jovens vão morar aqui.

— Livres, independentes, sem um problema no mundo.

— Festejando, farreando…

Elas riram alto e depois silenciaram, ainda sorrindo.

— Foi bom ser jovem, não foi? — perguntou Dixie.

— Com certeza.

— Mas estou ansiosa pela próxima parte agora. A parte adulta, grande. Acho que vai ser bom. Acho que vou gostar de chegar à meia-idade. Combina comigo.

Lydia concordou. Dixie sempre teve alguma coisa de moradora de chalé: acompanhava a série rural *The Archers* na TV, fazia bolos, tirava o pó dos móveis. Agora que Lydia pensava nisso, era inevitável que sua amiga tivesse um filho antes dos 30 e voltasse para o interior. Do mesmo jeito que algumas pessoas tinham um breve caso lésbico na juventude e depois se casavam com um homem, o tempo de Dixie em Londres como uma moça moderna de Camden tinha sido só uma fase, algo para escapar do sistema.

Onde isso tudo deixava Lydia? Sozinha. Com sua empregada filipina e seu treinador letão e mais ninguém na vida que não fosse pago para estar nela. E, enquanto olhava o rosto diferente de sua amiga, vestida em um adolescente jeans justo e uma camiseta imensa, ocorreu-lhe que, mesmo sendo ela, Lydia, a estar com elegantes jeans e camiseta, e ter uma imensa e refinada casa, empregados e uma conta bancária de sete dígitos, no fundo ela ainda era a adolescente desajeitada que jamais seria capaz de assumir as responsabilidades que Dixie assumira.

Lydia foi embora duas horas depois. Não chegou a mencionar a carta do tio Rod nem o Registro de Parentes de Doadores nem a crescente atração pelo seu (provavelmente gay) personal trainer. Mal falara de si mesma, na verdade. Não achou que isso a ajudaria. Dixie já tinha saído da vida de Lydia ao se tornar mãe. Agora, estava saindo fisicamente também, ao voltar para o País de Gales. Pedir que ela se envolvesse nessas tramas sombrias e enroladas de sua existência íntima teria sido inútil e decepcionante.

Portanto, em vez disso, foi para casa, serviu-se de gim tônica, sentou-se diante do computador e rezou: "Por favor, por favor, por favor, que haja alguém lá hoje. Por favor". E abriu a conta e havia um e-mail do Registro. Ela parou. Já houvera antes e-mails do Registro, informando-a sobre as mudanças no funcionamento do site e newsletters mensais. Mas este parecia diferente. Ela deu outro gole no gim e, então, com os dedos um pouco trêmulos, abriu o e-mail. "Centro de Fertilidade de Wigmore: Doador 32 tem uma nova lista no Registro de Parentes de Doadores".

Lydia ficou sem fôlego. Recuou na cadeira giratória, afastando-se fisicamente do computador, afastando-se desse avanço milagroso. Levou as mãos ao rosto e riu. Não porque fosse engraçado, mas porque estava tão dominada pelo choque e pelos nervos que não teve outra reação. Fez o mesmo quando bateu na traseira da caminhonete cheia de crianças de uma mulher, numa estrada em Finchley, rindo tanto que não conseguia dar informações à motorista.

Tirou as mãos do rosto, respirou fundo, sufocando a histeria crescente que ameaçava engoli-la. E então clicou no link e esperou por quem iria encontrar do outro lado.

Robyn

Uma semana depois de Robyn ter se flagrado encarando o reflexo de Jack no espelho do banheiro, eles comemoraram seis semanas desde o primeiro encontro. Foi ideia de Jack. Ele, claro, não tinha absolutamente nenhuma ideia do que vinha se rompendo na cabeça de Robyn. Jack achava que era o trabalho, como sempre. Robyn se esforçava para fazer de conta que era mesmo trabalho, como sempre. Tinha quase conseguido se convencer de que tudo era risível, que era doida de pensar nessas coisas. Afinal, é só olhar Paul e Linda McCartney, Brad Pitt e Angelina Jolie; eles instintiva e naturalmente se sentiram atraídos por pessoas que se pareciam com eles. Isso é normal. Inevitável. É provável que fosse bom até. Não significava que Jack fosse seu irmão. Não significava nada. Porém, lá estava ela. A dúvida. E, por trás dela, uma desagradável possibilidade. Em consequência dessa pequena, ínfima possibilidade, Robyn não conseguia encostar em Jack.

Fingira que estava menstruada. "Com uma menstruação muito difícil", disse ela, séria. "A mais difícil que já tive, talvez até vá ao médico. Com dores", acrescentou, pensando melhor. "Dores bem fortes." Ela massageou a barriga com o punho, estremecendo.

Jack tinha apertado os ombros dela com delicadeza, dizendo: "Deve mesmo consultar um médico".

"Estou me sentindo meio, sabe, áspera", disse ela, um instante depois quando ele tentou beijá-la. "Desculpe, desculpe mesmo. Sinto muito. Tenho certeza de que vou melhorar logo."

Ele a beijara na testa, e ela tinha pensado: *Ótimo*. Um irmão beijaria a testa da irmã. Aceitava que segurasse suas mãos, apertasse seus ombros, acariciasse o cabelo e até que esfregasse o nariz no dela com gentileza. Pois, apesar de todos os medos, dúvidas e apreensões, ela ainda amava Jack mais do que a vida.

— O que é isso? — perguntou, quando ele lhe deu um pacote embrulhado em papel de seda.

— Abra — disse ele. Estava inclinado por trás dela no sofá, com os braços em seus ombros. O sol brilhava pela janela atrás dele, e toda a sala estava banhada de uma luz um tanto otimista. Ela viu os próprios dedos no colo agarrarem o presente delicado, amarrado com fitas espiraladas. Não tinha comprado nada para ele. Sentiu-se tomada de tristeza, e respirou fundo para afugentá-la. Era sábado à noite. Estava com o seu grande amor. Ele lhe comprara um presente. Então, começou a desatar as fitas e a puxar o papel. Dentro, havia um cubo de tecido, laranja queimado, tafetá. Ela desembrulhou o cubo e um vestido surgiu. *O* vestido. O vestido cor de fogo que tinha admirado na vitrine daquela loja havia semanas, pouco antes de conhecer Jack, quando a vida dela parecia normal e seguia um rumo previsível, ainda que encantador. Ela tinha se convencido a não comprá-lo com o dinheiro do aniversário. E aqui estava ele, no seu colo. O mesmo vestido.

Jack interpretou o silêncio dela como desaprovação e inclinou-se em sua direção.

— Tudo bem? Gosta dele? Posso devolver se não gostar. Eles disseram que não teria problema. Mas é que olhei o vestido e imediatamente vislumbrei você nele...

— Não, não, tudo bem. Gosto muito. É que... — Ela se virou e o encarou. — Eu vi este vestido numa vitrine. Pouco antes de conhecer você. Quase o comprei.

— O quê? O mesmo vestido?

— É. — Ela passou os dedos pelo vestido, pensativa.

— Uau — disse Jack, baixinho. — Aí está, então. Obviamente fomos feitos um para o outro.

Ela sorriu e tentou rir, mas não conseguiu. Rapazes já tinham comprado coisas para ela antes; lingerie, perfume, até um par de brincos de zircônia em forma de cubinhos. A lingerie sempre estava errada, tamanho errado, cor errada, tipo errado. O perfume sempre estava errado também. E quanto aos brincos... nunca ninguém a presenteara com roupas antes. Sua mãe já tinha aprendido havia muito tempo que comprar roupas para sua filha significava tristeza e uma troca na loja. Robyn era uma mulher que sabia do que gostava e do que não gostava.

Ela olhava para o vestido com espanto. O que isso significava? Imaginou por um instante que Jack fosse de fato seu irmão. Não apenas outra criança gerada pelo mesmo homem que a gerara, mas de fato um irmão mais velho, que morasse com ela desde que nascera. Esse irmão verdadeiro teria sido capaz de escolher o vestido mais bonito disponível numa rua estilosa e presenteá-la com ele? Não, era provável que esse irmão verdadeiro se esquecesse por completo de seu aniversário e aí sairia correndo para comprar uma caixa de bombons na lojinha da esquina. Mas, então, essa história de vestido era na verdade uma coisa boa? Isso significava que a ligação entre eles se baseava apenas em romance, em uma atração animal e não no DNA?

— Você vai experimentar? — perguntou Jack, levantando-se.

— Ah é, claro. — Robyn se levantou devagar e foi na direção do banheiro com o vestido nas mãos.

— Você não precisa ficar envergonhada. — Ele riu.

— Não, eu sei. É que eu também preciso ir ao banheiro. — Forçou um sorriso. — Já volto.

O vestido serviu direitinho nela. Robyn já sabia disso. Olhou-se no espelho de corpo inteiro e admirou o modo como ele se ajustava a sua cintura e erguia os seios; a singularidade da cor sobre seu tom de pele, o modo como contrastava com seu cabelo. Ela era a única pessoa que saberia como tal vestido lhe cairia bem. Resolveu que o usaria naquela noite, embora estivesse usando tênis e não salto alto. Jack abriu um sorriso quando ela voltou um instante depois.

— Nossa! — exclamou ele, admirando-a. — Como sou bom. Veja só a minha até agora inexplorada habilidade para comprar vestidos! Você ficou linda. Venha aqui.

Ela se aproximou e deixou que ele a abraçasse. Apertou o rosto contra a maciez da malha dele, sentindo o cheiro dele nas camadas de roupa, o cheiro tranquilizador, elegante e doce do seu amado. *Está tudo bem*, pensou ela, *está tudo certo. Não há nada de errado neste panorama. O meu irmão não teria escolhido este vestido. O meu irmão não teria esse cheirinho bom.* E, pela centésima vez na semana, ela empurrou as preocupações para os recônditos da mente e deu um sorriso, tentando seguir em frente com essa história de paixão.

— Tenho outra coisa pra você. — Jack afastou-se gentilmente dela, sorrindo.

— Ah, Deus, o quê? — perguntou ela, mais áspera do que intencionara.

— Bom, não é um presente, é uma sugestão. Ia esperar até o jantar, mas, já que esse vestido fez um sucesso tão ofuscante, estou todo animado, então... — Ele enfiou a mão no bolso de trás do jeans e tirou de lá um pacotinho embrulhado no mesmo papel de seda cremoso do vestido e amarrado com as mesmas fitas rosadas. — Não, não se assuste, não é um anel.

Ela sorriu, nervosa, e puxou a fita. No pacotinho, viu duas chaves em um elo de metal.

— Daqui — disse Jack.

— Chaves? — repetiu Robyn, redundante.

— Sim. São para você.

— Oh, claro.

— Andei pensando... — Ele fez uma pausa, e ela podia ver os nervos pulsando nos músculos sob a pele. — Detesto quando não está aqui. Não é que não consiga viver sem você ou coisa assim. Mas todo o planejamento e tal só pra ficarmos juntos. E todo o trajeto, pra lá e pra cá. E a sua faculdade fica literalmente a meia hora. Achei que teria mais sentido pra você, quem sabe, mudar-se pra cá.

Robyn piscou.

— Morar junto.

Ela piscou de novo.

— Sei, sei que estamos juntos há apenas algumas semanas, e que você só tem dezoito. Mas não prenderia você, garanto. Pode ir e vir, fazer suas coisas e sair todas as noites se quiser. Mas só pra eu saber que no final de tudo você estaria aqui. Comigo. É só isso.

Morar junto. Ela deixou que essa noção se assentasse. Morar aqui, neste apartamento pitoresco, acordar todas as manhãs nos braços de Jack, caminhar por uma avenida arborizada até a estação de metrô, chegar da faculdade e encontrar Jack ao computador, digitando mais um romance bem recebido, abrir uma garrafa de vinho, beber no sofá, nos braços um do outro, enquanto assistem a filmes ou documentários interessantes. Fazer isso todo dia. Ela queria, sim. Queria muito, mesmo. Queria isso desde a noite em que se conheceram, e sentiu a inutilidade das horas separadas, sentiu a futilidade das jornadas solitárias de trem até sua casa, observando tudo o que queria passar correndo pela janela na direção contrária.

Agora ele oferecia isso a ela. E ela não podia aceitar. Porque era tudo um engano. Ela suspirou. Depois sorriu. Pegou as chaves do pacotinho, segurando-as na palma da mão.

— Posso pensar sobre isso?

Ele pareceu surpreso, mas só por um instante.

— Claro, claro que sim. Por quanto tempo quiser. É um grande passo. Eu sei. Mas guarde essas aí. — Ele apontou as chaves. — Fique com elas. São suas.

Ele fechou a mão dela sobre as chaves, e depois a beijou nos lábios. Ela deixou.

Oi, sou eu. Não pense que a estou perseguindo. Diga o que está acontecendo. Eu aguento, não importa o que seja. Só preciso saber. J.

Robyn suspirou e desligou o telefone. Sentia-se enjoada. Havia cinco dias não comia direito, vivendo à base de frutas, cereais e refrigerantes diet. Não via Jack desde sábado. Tinham transado naquela noite, e agora ela não conseguia apagar da consciência as lembranças. Tinha sido ótimo. Ela tinha deixado tudo de lado, pensado no vestido, garantido a si mesma que não estava fazendo nada de errado. Na manhã seguinte, tinha colocado as chaves na bolsa, enfiado o vestido de tafetá numa sacola e saído do apartamento de Jack, sem saber quando ou se de fato voltaria. Se descobrisse que Jack era seu meio-irmão, aí teria que conviver com o fato de que não só havia feito sexo com ele conscientemente, mas também o tinha enganado, deixando que isso acontecesse. Toda vez que fechava os olhos era o que via, os dois se devorando. Na hora, parecera paixão; agora parecia que tinham se comportado como *animais*. Quando era pequena, tinham duas cadelas, mãe e filha. A maior parte do tempo elas eram indiferentes uma à outra, mas às vezes uma delas montava na outra com vontade. Pensava nesses dois cachorros agora, fazendo algo tão aleatório e tão antinatural que não tinha de fato nenhum sentido evolutivo nem antropológico, e se lembrava de si mesma.

Ligou o telefone e leu a mensagem de novo: *Querido Jack,* imaginou a resposta, *não posso falar com você agora porque talvez tenhamos cometido incesto. Estou esperando a resposta da clínica onde fui gerada para descobrir a identidade do meu pai verdadeiro, de modo que eu possa felizmente tirar essa possibilidade da minha cabeça. Enquanto isso, toda vez que penso no que andamos fazendo, sinto vontade de vomitar. Com amor, R. Bj.*

Em vez disso, ela digitou: *Desculpe. Não ando boa. Não é nada que você tenha feito, garanto. Entro em contato logo, R. Bj.*

Um instante depois, o telefone trinou: *Desde que não tenha feito alguma coisa pra chateá-la. Vou tentar ter paciência. Saudades, J. Bjs.*

Finalmente, no dia seguinte, o carteiro trouxe o que Robyn estava esperando. Estava num caro envelope creme, com uma discreta marca em maiúsculas enfeitadas: CFW. Ela levou a carta até o quarto e sentou-se de pernas cruzadas sobre a cama, olhando para o envelope fechado com cuidado. Ali estava ele. O primeiro passo. Dentro daquele inócuo envelope creme havia um novo mundo, um mundo onde ela nunca quis pôr os pés, um mundo que a apavorava. Ela respirou fundo e o rasgou com o dedo.

Prezada Srta. Inglis,

Agradecemos o seu pedido relativo ao Doador 32. De acordo com nossos registros, existem três outros nascimentos relacionados a esse doador. Uma menina, em 1980, um menino, em 1983, e um menino, em 1989. Não houve mais nenhum nascimento relacionado a este doador desde o seu. Esperamos que esta informação possa ajudá-la de alguma forma.

Atenciosamente,
Clínica de Fertilidade de Wigmore

Robyn deixou a carta cair na cama.

Uma menina.

Dois meninos.

Uma menina.

Dois meninos.

Um menino nascido em 1983.

O mesmo ano em que Jack nasceu.

Ela ficou gelada diante desse fato.

De repente, todas as dúvidas que tinha sobre seus medos e preocupações evaporaram, deixando-a com nada além da mais amarga e violenta certeza. Em algum lugar por aí havia um homem de 27 anos que era seu irmão. E talvez seu namorado.

Ela enfiou a carta de volta no envelope, amassou-a, formando uma bola, e arremessou-a contra a parede do quarto.

A mãe de Robyn dobrou o jornal que estava lendo na mesa da cozinha e ergueu-se.

— Que tal entrar no Registro de Parentes de Doadores?

Robyn puxou o jornal na sua direção e encarou a mãe, confusa.

— Por quê? — perguntou. — Ele não vai estar lá. Acha que o pai era um órfão de Barnardo morto num acidente de carro na França. Se for filho de um doador, ele na verdade não sabe.

— Não, não procurar pelo Jack. Mas, se descobrir os dois meninos e a menina, então, fica sabendo. Vai saber que não é ele.

Robyn estremeceu. Odiava a ideia dessa outra mulher em algum lugar que partilhava dos genes dela. Não queria conhecê-la. Robyn iria odiá-la, sabia disso. Mas o que sua mãe dizia tinha sentido. Se entrasse nesse tal Registro e lá encontrasse outro homem nascido em 1983, então poderia sair correndo até o metrô, voar pela avenida Holloway de Jack, pular nos braços dele, pendurar-se no pescoço dele e nunca, nunca mais soltar.

— Tem razão — ela empurrou o jornal de novo —, tem toda a razão.

Tirou da cabeça a ideia da mulher que partilhava dos seus genes e subiu as escadas atrás do laptop.

No início, o link dos doadores do Reino Unido era proibitivo. Robyn baixou um folheto e ficou zonza com a quantidade de informações que deveria dar antes mesmo de começar o registro. Depois, ficou desanimada ao se dar conta de quantas etapas teria que atravessar antes de conseguir descobrir qualquer coisa sobre parentescos genéticos, masculinos, femininos ou qualquer outra coisa. Primeiro, teria que preencher um formulário, depois se submeter a um teste de DNA, e depois teria que esperar que a agência conseguisse permissão para compartilhar com ela a informação sobre qualquer combinação genética... e tudo era feito por escrito. Poderia levar dias ou mesmo semanas até ela descobrir o que queria saber. E nesse meio-tempo ainda guardaria as chaves da porta do seu namorado na bolsa e um imenso buraco no coração, onde ele deveria estar. Ela suspirou, aproximou a cadeira da escrivaninha e começou a fazer o que era necessário.

Três dias depois chegou uma carta. Robyn nem sequer esperava que já fosse do Registro de Parentes de Doadores. Tinha se arrastado pelo fim de semana, penosamente, pisando em ovos, ao imaginar Jack no seu apartamento iluminado, resmungando por lá, perdido sem ela. Ela a abriu sem desperdiçar paciência. E ali estava. Um par. Uma mulher. Ela não continuou a ler. Deixou a carta cair no chão, e deixou-se cair com tudo no último degrau da escada. Sentiu que estava enlouquecendo devagar. Havia duas semanas, antes de ver o próprio rosto no reflexo do namorado, estava a caminho do nirvana. Havia duas semanas, sabia exatamente quem era e para onde ia e tinha um homem ao seu lado que iria ajudá-la a chegar lá. Agora, tinha adernado e dado com a cara no fosso. Sentia-se equivocada e disforme, como se todos os seus ângulos e nuances mais íntimos estivessem retorcidos. Estar com Jack tinha afrouxado o vínculo com seus pais, de certa forma. Ao conhecê-lo, tinha se aberto para ela a possibilidade de uma vida além da de filha. Agora estava em casa de novo, filha de novo. Não era onde queria estar. Tinha experimentado a vida adulta, e ela lhe tinha sido arrancada de novo. Queria voltar para Jack. Mas não podia voltar para

Jack. Não podia nem contar para Jack por que não podia voltar, pois ele enlouqueceria. Enquanto isso, a única chance que tivera para sossegar a cabeça acabou sendo um tremendo zero à esquerda. Uma mulher. Uma maldita e horrível mulher.

Ela olhou para a carta jogada no chão. Estava furiosa com o Registro de Parentes de Doadores, e estava furiosa com essa mulher que reivindicava um parentesco genético. Inútil. Fora de propósito. Cooperando secretamente e conspirando para dizimar a sua vida por completo. Sentiu-se zangada com o homem também, o doador. Era um masturbador. Literalmente, pejorativamente, de todas as maneiras concebíveis: um masturbador. Que tipo de homem saía por aí doando esperma a estranhos? Que tipo de homem permitia que seu DNA fosse copiado, violentado e ricocheteado pelo mundo sem olhar para trás? Que tipo de homem abandonaria no mundo os recém-nascidos, jogando-os no ar como cartas de baralho, saindo de perto antes mesmo de ver onde tinham caído?

A vida toda ela tinha sido grata a esse homem. A vida toda o tinha colocado num pedestal, admirando-o, grata pelo altruísmo dele. Altruísmo — a primeira palavra de quatro sílabas que aprendera quando criança. Tinha nascido do altruísmo. Altruísmo. É, tá bom. Ele não era melhor do que um Romeuzinho qualquer, espalhando suas sementes pelo vilarejo sem ligar para as consequências. Não passava de mais um idiota. Egoísta, cretino e cruel.

À medida que esses pensamentos circulavam em sua cabeça, Robyn começou a soluçar violentamente. Tudo veio à tona: suas pobres irmãs; seus pais, que nunca de fato deixaram de ter marcas de tristeza nos olhos, não importava o quanto Robyn se esforçasse para lhes dar alegria e orgulho; o seu lindo Jack, sozinho no apartamento que tinha oferecido a ela, perguntando-se por que ela não estaria mais apaixonada por ele.

Robyn soluçou por uns 30 minutos. Foi a primeira vez que chorou desde os 17 anos. Robyn não gostava de chorar. Não era do seu feitio. Essas lágrimas, porém, estavam atrasadas, eram necessárias, e a casa estava vazia, portanto ela as deixou correr até acabarem. Até ser interrompida pelo som da campainha. Olhou piscando para a porta da frente. Quem poderia ser? Ninguém nunca vinha ali durante o dia a não ser o carteiro, e ele já tinha passado. Secou o rosto com um lenço, observou a vermelhidão no espelho perto da porta e então fungou uma tentativa:

— Olá?

— Robyn? — Era uma voz de mulher, alta e franca.

— Sim? Quem é?

— É Sam. Mãe de Jack. Posso entrar?

— Ah — disse Robyn, quase choramingando.

Deu outra olhada no rosto. Parecia uma garota que tinha chorado por meia hora. Teria que dar uma explicação.

— Um momento — disse na direção da porta fechada, enquanto apressadamente limpava os olhos manchados e arrumava o cabelo —, um momento. — Então, escancarou a porta e esforçou-se ao máximo para dar um sorriso completamente normal para a mãe do namorado. — Oi, Sam! — disse. — O que está fazendo aqui?

Sam lhe deu um olhar estranho, quase condescendente.

— Você sabe por que estou aqui.

Robyn riu, nervosa. *Pronto* — pensou ela —, *pronto*.

— Sei? — perguntou, o mais delicada possível.

— Claro que sim. Vai me deixar entrar ou não?

Dean

Dean pegou o copo da mão estendida de Tommy e tomou tudo de um gole só. Tinha gosto de gasolina, de parafina. Queimou-lhe o fundo da garganta, e os vapores saíram pelas suas narinas. Ficaram ali nas orelhas. Entorpeceram todos os cantos torturados de sua mente. Tragou o baseado que Tommy acabara de lhe dar, e depois deixou o corpo cair no sofá e o mundo recuar, só por uns momentos.

Tommy era um primo. Tinha estado no Exército nos últimos quatro anos e agora tinha pedido dispensa e estava de volta a Londres. Bom ajuste do tempo. Dean e Tommy tinham crescido juntos, e era mais fácil estar com as pessoas com quem a gente tinha sido criado, Dean sempre achara. E neste momento ele precisava de alguém que fosse simples. Tommy era o bonitão da família. Dean sempre gostou de sair com ele pela cidade porque a combinação das feições mais escuras e incomuns de Dean e a geometria facial do tipo homem de ação de Tommy (de certo modo, ele só poderia mesmo ser soldado) transmitiam uma impressão bastante respeitável. E Tommy, ao contrário de Dean, gostava de falar com as garotas, abordando-as, elogiando-as, perseguindo-as. Dean gostava de garotas, só não gostava de toda a negociação necessária para chegar a elas. Assim, ele e Tommy faziam uma boa combinação.

Tinham passado a tarde toda falando sobre o tempo de Tommy no Afeganistão: as balas, a sujeira, as noites sob as estrelas, imaginando se viveria até o nascer do sol. Ele usava muito jargão quando conversava. Dean não entendia muito, mas gostava da distração dos próprios problemas. Nas duas últimas horas, estivera num mundo em que atiradores explodiam crianças, que não esperavam ser levadas para casa e cuidadas, onde homens eram homens e as mulheres não estavam muito no cenário. Tinha sido bom. Agora, porém, quando Tommy pegou o meio baseado de volta e o tragou, Dean sabia que o Show do Tommy estava acabando. Um breve silêncio se fez, e Tommy suspirou.

— Minha mãe me contou toda a merda que andou rolando. Que doideira, cara. — Ele sacudiu a cabeça com pesar.

Dean concordou.

— Puxa, quantos anos ela tinha?

— Sky?

Tommy assentiu.

— Dezenove — disse Dean.

— Que merda. — Tommy soltou o ar pelos lábios apertados e fez uma careta. — Sabe, esse tipo de coisa acontece o tempo todo lá — fez um gesto com o braço, indicando um lugar que Dean supôs ser o Afeganistão, e não o sudeste de Londres —, é esperado. Mas aqui... Nos tempos modernos e com essa idade. A gente imaginaria, a gente imaginaria que eles dariam um jeito. Uma garota, com toda a vida pela frente. Que foda, cara... — Ele estremeceu de novo e apertou o baseado num cinzeiro. — E o bebê? — perguntou ele. — Menino, menina?

— Menina.

— Certo. E o que ela tem? Minha mãe disse que ainda está no hospital.

— É, isso mesmo. Está recebendo cuidados especiais, sabe, numa incubadora. Fios e aquela merda toda.

— Merda — disse Tommy.

— É, mas ela vai indo bem. Vai sair no próximo mês, eles dizem.

— Ah, certo. Que bom. E ela está bem, né? Você sabe, em termos cerebrais?

Dean hesitou. Não tinha nem pensado nisso. Como a própria Sky tinha sido um bebê prematuro, nunca lhe ocorrera que um bebê prematuro pudesse não ser 100% normal. Essa sugestão amargurou-o um pouco.

— Até onde sei — respondeu. — Sim, ela está bem.

— Bom saber, que bom. E aí ela vem pra cá, né? — Ele deu uma olhada questionadora para o insalubre apartamento. Não tinha sido um apartamento bonito quando Sky vivia aqui, mas pelo menos era arrumado, estava meio limpo, e tinha coisas como toalhas limpas e sabonete líquido. Agora, depois de viver ali sozinho durante as piores quatro semanas de sua vida, Dean sabia que o apartamento estava sórdido. Tinha tentado arrumar quando Tommy dissera que viria, mas tudo o que fez foi chutar coisas do meio da sala para os cantos; o lugar ainda cheirava a mofo, cigarro e solidão.

— Não, aqui não.

— Então onde?

Dean não tinha visto a filha desde o dia do nascimento dela, e não tinha ideia do que aconteceria no mês seguinte, quando ela finalmente recebesse alta. A mãe dele tinha se oferecido para ficar com Isadora. Assim como, claro, a mãe de Sky, Rose, que achava que tinha mais direitos, sendo a avó materna, e Dean a compreendia. De certa maneira, queria que o bebê ficasse com Rose. Ela era mais jovem que a mãe dele, tinha outros netos, morava numa casa melhor, e assumiria a responsabilidade sem problema. A mãe de Dean era diferente. Gostava da vida que levava. Era independente, e a vida toda não tivera mais ninguém além de Dean com quem se preocupar. Não estava aparelhada para ter um bebê na vida. No entanto, a ideia de sua filha crescendo com uma mulher controladora demais, na casa dela, com todas aquelas revistas de merda por todo canto e suas filhas fúteis com os filhos mimados, a tevê gritando o dia todo, e as malditas fadinhas de plástico do jardim... Rose trataria a criança como uma boneca, colocando-a num imenso carrinho embabadado, com um laço na cabeça, e passearia com ela por Peckham como se fosse a reencarnação sagrada de sua maldita princesinha.

Ele se encolhia diante da ideia de sua filha se tornar outra Sky. Essa mulher já tinha colocado no mundo quatro princesas neuróticas; ele não queria que ela fizesse isso com mais uma. Tampouco queria descarregar um bebê em cima dos 62 anos de sua mãe. Ainda que ela dissesse estar feliz por fazer isso por ele, ele sabia que não era o que ela queria. E sabia que Rose lutaria com unhas e dentes para ficar com a criança, e talvez até tivesse mais direitos. Portanto, só havia outra solução. Mas bastava Dean dar uma olhada no apartamento e dar uma olhada no espelho para sua cara desolada, cinzenta e assustadora, que ele enrolaria mais um baseado, sabendo que isso não ia acontecer. Não conseguia nem encarar a filha na proteção e segurança daquela moderna unidade do hospital. Como poderia educá-la ali, naquele lugar fétido, e encontrar em si o bocado que fosse de amor e cuidado para um bebê? Nunca iria ser um pai para sua filha, já sabia disso. Era pequeno demais, por dentro e por fora. Não havia nada dentro dele para o seu bebê. Não estava preparado de jeito nenhum.

— Não sei — disse ele, por fim, derrotado. — Com a mãe de Sky, suponho. Ela tem o kit completo, sabe, está tudo pronto. Tem mais sentido.

— E você? — perguntou Tommy. — Vai visitar?

— É — ele pegou a garrafa de Aftershock e serviu a ambos outra dose. — É, vou visitar.

Ele fez uma careta diante da mentira. Não iria visitar. Ficaria ali, apodrecendo e putrefazendo-se, e um dia, tomara fosse mais cedo que mais tarde, ele morreria.

— Saúde — brindou, erguendo o copo —, é bom ter você de volta.

Bateram os copos, pesarosos, ambos cientes, embora não querendo reconhecer, do peso da profunda, pesada e impenetrável merda em que não tinham tocado, por trás da fachada tranquila dessa conversa.

Dean acordou na manhã seguinte com uma moça chamada Kate na cama. Ela tinha o cabelo vermelho. Nunca antes dormira com uma ruiva. Piscando as pálpebras pegajosas, olhou para ela, ainda embaçado de sono. O cabelo dela era perfeito, de um tom laranja vivo. Cenoura. Era ao mesmo tempo alarmante e maravilhoso. Quase estendeu a mão para tocá-lo, mas percebeu que tinha o braço preso sob o corpo adormecido dela, e que seu braço estava totalmente dormente. Puxou-o pouco a pouco, estremecendo pelo incômodo. Livrou finalmente o braço e sacudiu-o de um lado para o outro, tentando recuperar o tato. Formigava sem parar, distraindo-o por um instante da cabeça latejante. Não fazia ideia do percurso que o trouxera até a cama desta moça de cabelo cenoura.

Sabia que Tommy o arrastara para um bar na noite anterior em alguma hora depois das dez. Sabia que era uma noite dançante, que havia uma DJ com rabo de cavalo e uniforme escolar instalada num canto, e que tinha dançado ao som de "Right on Time", do Black Box, com uma garrafa de Budweiser na mão. Sabia que Tommy começara a escanear o lugar em busca de garotas assim que entraram, e conseguiu esquadrinhar algo meio respeitável entre as mulheres espalhadas pelo bar. Mas não sabia de onde esta tinha vindo. Só sabia que o nome dela era Kate. Lembrava-se disso apenas porque era o nome da sua avó. Lembrava-se de ter dito isso a ela na noite passada: "Você tem o mesmo nome da minha avó". Mas sem acrescentar: e o mesmo nome do meio da minha filhinha.

Perscrutou o quarto de Kate. Parecia o quarto de uma estudante. Ela tinha uma penteadeira cheia de bijuterias e fotos de amigos, um violão encostado na parede, um laptop, um sari pendurado na janela. E ali, ao lado da cama, uma caneca em que estava escrito "Deptford University" com um chá frio pela metade.

A garota começou a se mexer, e Dean prendeu a respiração. Não tinha ideia do que esperar. Porém, à medida que se virava na direção dele, ficou agradavelmente surpreso de ver que era bonita. Não tão bonita quanto Sky, mas também não era como aquela ruiva do *Girls Aloud*. Tinha feições delicadas, sardas no lugar certo e seus lábios eram meio da cor de morango.

— Argh, céus — murmurou ela à medida que abria os olhos para ele. Virou-se de novo para longe dele e grunhiu.

— É, prazer em conhecer você também — disse Dean, com o máximo de humor que conseguiu.

— Ó céus... Não você — gemeu ela. — Não você. Isto aqui — ela apontou a cabeça — dói, dói muito.

Dean se ergueu e jogou as pernas para fora da cama.

— Vou pegar um analgésico pra você. Onde você guarda?

Sem falar, ela apontou um recipiente de plástico na penteadeira. Ele abriu a tampa e lhe trouxe um envelope de analgésico e um copo de água da escrivaninha.

— Obrigada. — Ela se endireitou e tirou o cabelo do rosto. Ao observá-la e também ao considerar a própria aparência, ocorreu a Dean que ambos estavam com as roupas de baixo. Ele estava de cueca, e Kate estava usando uma camiseta cinza e sutiã.

— Então... — disse ele —, eu e você? Nós não...

— Não. Não fizemos.

— Ah, certo. — Ele tentou trazer à tona alguma coisa das profundezas de sua mente que pudesse fazê-lo lembrar do que haviam feito exatamente, mas não encontrou nada.

Ela colocou o remédio na boca e o engoliu freneticamente com água.

— Lembra? Nós conversamos?

— Nós conversamos?

— É. Ficamos acordados até as tantas, conversando na cozinha.

— Certo.

— É, e fumando. Fumamos um monte. A minha garganta está como se eu tivesse engolido vidro. — Ela levou a mão à garganta, acariciando-a com cuidado.

— Então, do que falamos, você e eu?

— Oh, de nada e de tudo. De sua namorada morta, principalmente. E de sua filhinha doente. Ah, e de seu pai doador de esperma.

— Não diga! — Dean virou-se e olhou para ela, chocado.

— É. Foi mesmo. Ou seja, tudo o que eu queria era encontrar um cara legal e talvez me enroscar nele um pouco. Típico de mim pra cacete! Eu acabo ficando com o senhor Namorada Morta e fazendo um consultório sentimental na minha cozinha. — As palavras dela soaram cruéis, mas Dean percebeu que ela só estava sendo irreverente. Conseguia se lembrar agora. Lembrava-se de ver o rosto bonito dela à luz de uma vela, e ela enchendo a chaleira e mexendo o chá numa caneca. Lembrava-se de sanduíches de presunto em pratinhos de plástico e de preparar e enrolar, preparar e enrolar, preparar e enrolar uma dúzia de baseados grossos, lançando no ar uma bruma de fumaça a envolvê-los. E lembrava-se de ter falado. Não só tagarelado, mas de realmente falado. E lembrava-se de dizer: "É fácil conversar com você, parece que é como se já conhecesse você, sei lá, há milênios".

Naquela manhã, não se sentia como se já a conhecesse havia milênios. Sentia-se como se nunca a tivesse visto na vida. Sentia-se inconveniente agora, sabendo que tinha se aberto com essa estranha garota de cabelos cenoura e ombros sardentos.

— Desculpe — disse ele em seguida. — Não tive a intenção de despejar tudo em você.

Ela sorriu, e ele gostou da fisionomia dela sorrindo. Num instante, pôde entender por que talvez tenha conseguido se abrir com aquela moça.

— Tudo bem — respondeu ela, puxando o cabelo espesso num coque bagunçado. — Fico feliz de ter ajudado. Mas me apavora pensar no monte de erros naquele formulário que enviamos. Droga. Deve parecer que foi preenchido por alguma criança psicótica.

Ele sorriu, curioso.

— Que formulário? — perguntou Dean, tendo intimamente uma gradual sensação de desconforto à medida que uma lembrança começava a se desenrolar na sua cabeça.

Ela se virou e deu uma olhada nele.

— Você não se lembra?

— Do quê?

— De entrar na Internet à noite?

Ele olhou para o laptop na escrivaninha dela, e depois para a cadeira giratória de plástico diante dela, e para o banquinho de madeira à esquerda, e, sim, ele se lembrava de ter-se sentado naquele banquinho de madeira e visto Kate digitando, até se lembrava de ter pensado: Ela *é boa de digitação*. Assim como essa lembrança se revelou, outra também surgiu.

Kate e ele na cozinha, Kate colocando canecas na pia, despejando água da torneira nos copos e dizendo: "Vamos lá em cima. Está no meu quarto".

Lembrava-se do pálido verde-hortelã das paredes da escada, e da foto de um gato com capa de chuva e chapéu grudada na porta do banheiro. E, antes disso, da conversa que precedera a subida ao quarto de Kate.

"Você nunca fica pensando? Nunca quer saber?"

"O quê? Irmãos, irmãs, essas coisas?"

"É. Gente que tem parentesco com você, sabe. Deus, se eu achasse que tem gente por aí da minha família de verdade, eu não iria resistir. Ia ter que descobrir. Ia querer saber."

"É. Nunca me preocupei muito com isso. Sabe, parece que tem até um lugar agora, organizaram isso no ano passado, onde a gente pode rastrear os parentes genéticos. A minha mãe me falou disso. Mas eu nunca tinha mesmo pensado nisso. Sabe, acho que, com o bebê chegando e depois com tudo o que aconteceu, eu não fiquei muito ligado nisso."

"Como é que se chama?"

"Não sei. Registro de Parentes alguma coisa."

"Está on-line?"

"É, está. A minha mãe disse que é isso que a gente tem que fazer, se quiser se registrar. Tem que fazer on-line."

Lembrava-se de ter sido tomado por uma sensação de entusiasmo e aventura. Uma sensação de estar no lugar certo, na hora certa e com a pessoa certa. Que isso estava destinado a acontecer. De repente, sentiu a possibilidade de outra vida vindo a galope na sua direção, pelo campo aberto de sua imaginação. Tinha se sentido leve e renovado, como uma casa trancada e fechada durante anos a fio sendo aberta para as forças da natureza. Achou que tinha sido a melhor ideia do mundo. Tinha quase subido correndo a escada de Kate na pressa de levar a vida para esse novo lugar. Sim, pensara. Vamos nessa. Vamos *arrasar*.

E então se sentou naquele banquinho e a observou fazendo isso, tec, tec, tec, páginas e páginas de detalhes pessoais. Esperara alguma coisa ao final. Uma banda, talvez, um toque de corneta, luzes piscando e uma resma de fotos de homens e mulheres com as palavras "SEUS IRMÃOS E IRMÃS" embaixo.

Mas ficou decepcionado quando percebeu que teria de esperar que seres humanos de verdade lessem aqueles formulários, verificassem os detalhes, se certificassem de que todos os envolvidos estavam contentes de serem informados da existência dele, e de que com certeza não haveria foto nenhuma.

"Que otário!" — dissera ele. — "Que otário de merda!"

"Sim, mas está lá agora. No sistema. Pronto. Em algum momento dos próximos dias, você vai descobrir se tem ou não irmãos e irmãs por aí."

"Merda."

"Eu sei" — ela completara.

Depois, fumaram mais um e foram dormir.

Na manhã seguinte, à luz berrante de uma viva manhã de primavera, consciente do cheiro de fumo velho e dentes não escovados, Dean se sentia aterrado pelo transcorrido. Kate estava vestindo uma camiseta com capuz.

— Não acredito que fizemos aquilo.

— É. — Ela sorriu. — Legal, não é? O espírito do jogo do copo pode aparecer a qualquer hora!

— Mas será que eu posso, sabe, mudar de ideia? Dizia isso?

— É, acho que sim. Acho que eles vão informar a quem já tiver se registrado que alguém novo se registrou, e aí vão perguntar a ambos se querem compartilhar os detalhes. Acho que você pode se recusar a qualquer momento. — Ela o encarou, com os punhos ainda enrolados nas mangas do imenso casaco. — Mas não vai, não é? — perguntou ela, pensativa. — Não vai dizer não?

Ele não conseguia colocar a cabeça para pensar naquilo agora.

— Não sei. Depende, acho. Depende do que digam.

Kate se sentou na beirada da cama perto de Dean, apoiando o queixo nas mãos. Olhou para ele pelo canto dos olhos.

— Sabe de uma coisa? Você tem que me contar o que acontecer. Não estou pedindo seu número de telefone, nem para ser sua namorada, nem nada disso. Na verdade, cacete, você é a última pessoa com quem quero sair. Você está mais pra um completo acidente de carro. Mas tem que pelo menos me mandar uma mensagem. Quando alguma coisa acontecer.

Dean concordou, distraído.

— Como eu conheci você ontem à noite? — perguntou ele, de repente.

Ela riu. Tinha dentes bonitos.

— Você não se lembra?

— Não. Lembro de ter dançado naquele bar. Lembro de ter estado na sua cozinha. Mas não me lembro de onde você apareceu.

— Fui enviada — ela fez graça com cara séria — pelas sombrias e impenetráveis forças do destino para mudar o rumo de sua vida para sempre.

Dean riu, pouco à vontade. Não entendia o humor dela, mas percebia que ela era engraçada e inteligente. Mais inteligente que ele.

— Falando sério.

— Falando sério? — repetiu ela. — O seu amigo vomitou nos meus sapatos. E você me ajudou a limpá-los.

Dean riu.

— Você quer dizer Tommy?

— É. O soldadinho. Estava tentando me dizer como as ruivas lhe davam mais tesão e como isso durava mais e aí simplesmente botou tudo pra fora em cima de mim, pra valer. Era azul.

— Azul?

— O vômito era azul.

Dean teve outra lembrança vívida: a de abrir a lata de lixo de Kate e jogar fora um par de sapatos de lona manchados de azul.

— Então, vai anotar o meu número, senhor Namorada Morta? Basta uma mensagem de três palavras: *Tenho irmã legal*. Ou *Conheci meu irmão*. Ou *Mudei de ideia*. Só pra eu saber.

— Sim, claro. Claro que vou.

— Ótimo — disse ela, sorrindo satisfeita e dando um tapinha na mão dele. — Vamos descer. Vamos tomar uma bela xícara de chá.

Ele a acompanhou pela escada, passando pela foto do gatinho com capa de chuva, pelas paredes verde-hortelã e de volta à cozinha, onde, na noite anterior, ele tinha tomado uma decisão que mudaria sua vida para sempre.

Maggie

Maggie prendeu a respiração, apertou os olhos e fez uma careta. Jeannie, sua amiga, puxou o tecido de sua pele e jogou a tira cheia de pelos numa pequena lixeira no chão. Maggie segurou um grito. Jeannie alisou outra tira de tecido na parte de dentro das nádegas de Maggie, e mais uma vez Maggie prendeu a respiração.

— Segure aí, Maggie, pode ser? — Jeannie indicou uma parte da coxa. Maggie segurou-a e a tensionou enquanto Jeannie depilava mais alguns pelos de uma região sobre a qual Maggie tentava não pensar muito.

Maggie deixou escapar um gritinho entre os lábios cerrados e disse:

— Está terminando?

Com os olhos cheios de rímel, Jeannie examinou minuciosamente a virilha de Maggie e correu os dedos pela linha do biquíni.

— Sim — respondeu, vagamente —, quase terminando. Mais uns minutinhos, acho.

Jeannie fazia a depilação de Maggie havia uns 25 anos. Nenhuma delas se lembrava se eram amigas antes da primeira vez que Jeannie a depilou ou se tinham se tornado amigas por causa disso, mas com certeza eram conhecidas. Maggie não é o tipo de pessoa que deixaria qualquer um ver esses seus ângulos íntimos.

Maggie vinha à casa de Jeannie uma vez por mês. Não precisava muito, já que ninguém mais a via nua nos últimos tempos, e ela deixara de frequentar as piscinas da cidade, pois ficava todo o tempo livre na casa de repouso. Em certa época, pensou que talvez Daniel pudesse aprovar suas formas nuas, mas isso não ia acontecer. Mesmo assim, Maggie achava importante estar bem depilada, em todos os lugares, em qualquer ocasião. Sentia-se limpa depois da depilação, higiênica.

Jeannie finalmente declarou que tinha terminado e espalhou um creme nas pernas de Maggie.

— Como vai seu amigo? — perguntou ela, tirando as luvas de borracha e deixando-as cair no lixo.

Maggie sorriu, melancólica. *Seu amigo*. Era só isso o que ele seria. Sentia-se tomada de tristeza toda vez que pensava na agradável jornada que ela e Daniel jamais poderiam partilhar.

— Daniel?

— É.

— Ah — Maggie rolou de cima da mesa de tratamento de Jeannie e recolheu suas roupas —, não muito bem. Você sabe. É um processo estranho, tenho que admitir. Muito estranho estar tão perto de alguém que praticamente...

— Está morrendo?

— Bem... Sim. — Maggie não gostava desse uso um tanto cruel da palavra. Tinha certeza de que havia um jeito melhor de falar disso. — Mas é esquisito. Em alguns dias ele não parece ter nada de errado. Em outros, eu imagino que vou chegar e ver uma cama vazia, sabe, arrumada, com o lençol esticado nos cantos e fronhas novas. Tudo pronto para o próximo coitado. — Ela se arrepiou ligeiramente. — Fico tão triste por ele. Tudo se prolonga e é tão imprevisível. De certo modo, seria melhor...

— Ser atropelado por um ônibus?

— Bem, não! — Maggie riu, nervosa. — Não! Isso seria extremamente doloroso. E talvez a gente não... morresse de uma vez. Pode acabar numa cadeira de rodas. Ou com problema cerebral. Não! Mas, talvez, à moda suíça. Uma injeçãozinha. Fim.

— Bom — Jeannie limpou as mãos numa toalha de papel e tirou o avental branco —, isso é um pouco o que estão fazendo ali, não? Cuidados paliativos? Montes de pequenas injeções, que vão matando aos pouquinhos...

— Não! — protestou Maggie. — Não! Só estão ajudando com a dor!

— Sim, mas não estão tentando mantê-lo vivo, né? Não estão tentando fazê-lo melhorar?

— Não, mas isso não significa que o estejam matando. Sabe, ele dançou comigo outro dia. Mesmo. Levou-me para caminhar nos jardins, e me pediu para dançar. Ou seja, se estivessem "acabando com o sofrimento dele", ele não conseguiria fazer isso, não é? Com certeza, seria um declínio lento em vez dessa agitação. E... — Ela fez uma pausa. Havia quase uma semana convivia com a estranha revelação de Daniel. Não tinha falado sobre isso com ninguém. Sobretudo porque na verdade não falava muito com ninguém nos últimos tempos, uma vez que a vida andava monopolizada por Daniel. Olhou para sua velha amiga. Talvez, além dos filhos, da sua mãe e de Daniel, a pessoa mais íntima de sua vida, e sentiu as palavras transbordarem.

— Ele me contou uma coisa espantosa, Jeannie — disse, vestindo a calça preta. — Se eu contar, promete que não vai falar para mais ninguém?

Jeannie ergueu as sobrancelhas.

— E eu lá conheço alguém que se interessaria pelo seu amigo Daniel, já que ninguém nem mesmo o conhece?

Maggie ficou firme.

— Bem, nunca se sabe. Prometa.

— Prometo. — Jeannie suspirou e sorriu para a amiga.

— Ele foi doador de esperma, lá nos anos oitenta e noventa.

As sobrancelhas excessivamente tiradas de Jeannie foram parar na linha do cabelo.

— Uau! — ela exclamou.

— E tem quatro filhos. Dois meninos e duas meninas. Todos com uns vinte e poucos.

— Minha nossa! — Jeannie ajeitou uma almofada atrás das costas e encarou Maggie com impaciência.

— Pois é. E ele nunca conheceu nenhum deles. Não sabe nada além dos aniversários e do sexo. E agora que está, bem, você sabe, perto do fim, diz que quer vê-los. Ou pelo menos saber deles. E obviamente, na presente situação dele, não há muito que se possa fazer.

— Então, você quer se envolver nisso?

— Bem, acho que sim. Embora não tenha ideia de como começar. Quero dizer, por onde começar. É como achar uma agulha num palheiro. Na verdade, quatro agulhas.

— Ele disse a você em que clínica fez a doação?

— Não — disse Maggie. — Não. Não perguntei nada depois que ele me contou, na verdade. Não queria insistir muito. Por causa da condição dele.

— Bom, mas se está decidida a fazer isso por ele, precisa de alguma coisa para começar.

— Sim, sim. Eu sei. Claro, você tem razão.

— Quando vai vê-lo de novo?

— Mais tarde, lá pelas seis.

— E está decidida a fazer isso por ele?

— Completamente.

— Bom, então não pode perder tempo. Leve bloquinho e caneta e pergunte tudo. Se o câncer está tomando o cérebro, hoje pode ser sua última chance.

Maggie arrepiou-se um pouco. Mas depois assentiu.

— Eu sei. — Ela sentiu uma imensa tristeza se formar dentro dela diante da ideia do cérebro de Daniel se reduzir. — Vou conversar com ele hoje.

Estavam passando com o carrinho de bebidas quando Maggie chegou à casa de repouso, logo depois das seis.

— Vinho? Cerveja? Sherry? — perguntou uma mulher alegre, com uma rosa no cabelo. Havia no carrinho uma rosa igual num vaso e bolos de chocolate com confeitos prateados, presente de algum simpatizante. Sempre apareciam bolos ali pelos corredores. Bolos, livros e caixas de vinho. Maggie achava notável que houvesse tanta gente generosa no mundo, gente que silenciosamente espalhava confeitos nos bolos recém-assados, guardando-os em recipientes plásticos, e achando um tempo em seu dia para entregá-los, sem ficar para saber se foram apreciados, mas voltando na semana seguinte para pegar os recipientes, tudo em nome da mera gentileza humana.

Maggie sempre pensara em si mesma como uma boa pessoa. Sorria para todo mundo que encontrava, fazia doações para a caridade e sempre dizia às pessoas que elas estavam bem. Fazia reciclagem, tomava conta das crianças dos outros e fazia doações generosas quando amigos lhe pediam para patrocinar uma corrida ou caminhada. Ela mesma tinha participado de uma corrida engraçada uns anos antes. Só um quilômetro. Usando uma roupa rosa. Em nome do câncer de mama.

Gostava de pensar em si mesma como um raio de sol, uma pessoa que alegrava o dia, alguém que distribuía um bom carma. No entanto, vinha se questionando sobre essa avaliação cada vez mais nos últimos tempos, confrontada pelo rico caldo do infindável dar-se, contribuir, fazer, cuidar que chapinhava por aquela casa de repouso todos os dias.

— Gostaria de um copo de vinho, senhor Blanchard? — perguntou gentilmente a moça com a rosa no cabelo quando ela entrou no quarto.

Daniel sorriu.

— Sim — declarou, alegre. — Sim. Acho que hoje adoraria beber um vinho. O que você tem?

— Tinto ou branco? — disse a senhora, cujo crachá, como Maggie observou, a indicava como "April".

Daniel sorriu de novo, um sorriso especial. Um sorriso que usava quando um inglês o divertia de algum modo indefinido, como Maggie já notara. Ele usava muito esse sorriso com ela. Já tinha desistido de lhe perguntar por que sorria. Ele nunca explicava.

— Nesse caso — continuou ele —, vou tomar um bom copo de seu melhor *branco*. Obrigado.

April despejou o vinho em um pequeno copo redondo, do tipo que usavam para servir vinho nos bares de antigamente. O copo estava arranhado e velho demais para conservar o brilho, e o vinho parecia não estar longe da temperatura ambiente. Mesmo assim, pensou Maggie, um copo de vinho é sempre um copo de vinho quando se está preso à cama de uma casa de repouso. Se ela estivesse naquela cama com o câncer lhe percorrendo as entranhas, refletiu, não faria nada além de beber vinho o dia todo, quente, barato ou como fosse. Não haveria razão para não fazê-lo.

April serviu Maggie de um copo de vinho tinto e depois deixou uma fatia de bolo para cada um em um guardanapo de papel — bolo que ela e Daniel já sabiam que não comeriam —, e os deixou sozinhos de novo.

Apesar do entusiasmo pela ideia do vinho, Daniel não tinha o aspecto de quem quisesse beber e, de fato, mal tocou nele. Seu rosto tinha adquirido novos contornos frouxos da noite para o dia, e o cabelo estava mais fino, mais espetado; menos parecido com cabelo e mais com algo próximo de um enchimento. Todo ele parecia achatado, como um personagem de desenho animado saindo de debaixo de um rolo compressor. Era como se o corpo dele estivesse adquirindo a textura, a forma e as linhas de sua cama, como se ele e a cama estivessem crescendo juntos. Ele pousou o copo na bandeja, e Maggie teve que dar um pulo para segurá-lo, pois o copo oscilou vulnerável na mão dele.

— Obrigado, Maggie. Meus braços parecem galhinhos. Mesmo. Não dá pra acreditar que eu antes carregava livros pesados nestes braços. Construí uma parede de jardim com estes braços. Desci dois lances de escada com a minha mãe nestes braços. E agora... — Ele deixou as palavras sumirem.

Maggie queria mergulhar nesses fatos sobre os livros pesados, a parede do jardim e a mãe carregada. Quando?, queria ela perguntar. Por quê? Que livros? Que parede? Porém, sentia a fragilidade de Daniel e sabia que deveria apenas fazê-lo pensar em coisas vitais, e naquele momento a história exata de uma parede de jardim estava longe de ser vital.

— Escute — começou ela, prendendo primeiro o cabelo atrás da orelha e tirando da bolsa um bloquinho e uma caneta —, aquilo que você disse outro dia, no jardim, lembra? Sobre ter sido doador de esperma? Sobre as crianças? — Ela o encarou, ansiosa, desejando que ele se lembrasse. Deu-se um brilho no olhar dele, e ela suspirou, aliviada.

— Sim — respondeu ele. — Claro que me lembro. A gente não se esquece da primeira vez que conta a outra pessoa sobre o mais profundo e antigo dos segredos.

Ela sorriu, agradecida pela lembrança, e pela confiança nela.

— Ótimo — ela pegou a mão dele —, fico feliz. Mas escute... e você tem total liberdade para dizer não... andei pensando...

— Sim. — Ele a interrompeu. — Sim, quero que faça isso.

— Faça o quê? — Maggie levou a mão à garganta, surpresa.

— Encontre-os. Se possível. Quero que os encontre. Quero saber que estão contentes, esplêndidos, bonitos e alegres pela existência que eu proporcionei. Sabe, que não estão zangados. Ou mesmo que estejam.

— Mesmo? — Maggie alisou as páginas abertas do seu bloquinho. — Nossa, isso é maravilhoso. Há dias penso em lhe perguntar, mas tive medo de você não querer mais falar do assunto. A última coisa que desejo é chateá-lo, sabe disso, não é?

— Ah, Maggie — Daniel sorriu e apertou-lhe a mão. — Como poderia me chatear? Não imagino que você tenha chateado alguém na vida!

Maggie sorriu, sabendo bem no fundo que isso talvez fosse verdade, e certo mérito dela.

— Sim — continuou ele —, dou-lhe permissão. Acho que tenho tempo. E, sabendo que isso pode ser possível... bem, vou arrumar tempo. Li um artigo no ano passado. Existe agora um site para os filhos de pais doadores. Lembrei-me disso de repente, no meio de um sonho, alguns dias atrás. É possível, imagino, que meus filhos estejam nesse site, que tenham até se conhecido. Podem estar em algum lugar agora, tomando um chá ou, talvez, um copinho de vinho quente — ele riu bem alto —, imaginando quem seria esse tal "pai" deles. Vale a pena dar uma olhada, suponho. Todos esses anos achei que isso não importava, e agora estou quase indo e, bom, meu *timing* é horrível. Percebo isso. Horrível, horrível, mesmo. Mas mesmo que você só encontre um. Mesmo que descubra que só um desses filhos está vivo. Talvez a cor do cabelo deles. Ou o nome. Ou o que fazem. Só uma informação, mesmo pequena. Seria o maior presente que levaria. Seria a melhor coisa que alguém já fez por mim.

Ele olhou sorrindo para os lençóis da cama, para as mãos deles entrelaçadas. Os olhos dele estavam úmidos de novo. Eles esfregaram os dedos como sinal de sorte, e Maggie também piscou os olhos molhados. Não perguntou a ele como se sentiria se não encontrasse ninguém. Tampouco lhe perguntou como se sentiria se ela encontrasse alguém quando ele já tivesse tão mergulhado no oceano da própria extinção que não pudesse mais ter consciência de nada. Nem como se sentiria se encontrasse alguém triste, magoado ou cheio de ódio e fúria. Ela simplesmente sorriu e acariciou a mão dele.

— Pode deixar comigo, Daniel, vou fazer tudo o que puder.

O apartamento de Daniel eram os últimos dois andares de uma casa nos arredores do centro da cidade. A casa ficava depois de uma entrada de veículos coberta de cascalho, e seu estilo era do período final, e mais feio, da arquitetura eduardiana. Ainda assim, conservava vários aspectos agradáveis, como alguns vitrais na porta da frente, janelas amplas e uma placa de bronze bem polido na qual havia seis botões de vidro, cada um para uma campainha. O botão do apartamento de Daniel dizia: M. D. Blanchard. O instinto natural de Maggie seria apertar o botão, mas em sua bolsa havia um molho de chaves. Daniel tinha lhe dado as chaves na noite anterior com instruções precisas sobre outra chave pendurada num prego na parede atrás da escrivaninha, uma gaveta onde essa chave servia e uma pasta verde intitulada "CFW", dentro da qual Maggie encontraria tudo o que precisava para entrar em contato com a clínica de fertilidade e identificá-lo o suficiente para entrar no Registro de Parentes de Doadores. Maggie já tinha estado antes no apartamento de Daniel. Uma vez para tomar champanhe no terraço, em uma noite muito bonita do início de setembro ("Esta pode ser nossa última oportunidade em muito tempo de nos sentarmos ao ar livre, então não devemos perdê-la") e uma vez para ajudá-lo a fazer as malas para a internação na casa de repouso. Ela tinha esvaziado a geladeira, aberto as gavetas e desligado a televisão, mas tudo com a supervisão dele. Agora, sozinha ali, sentia-se como uma invasora.

O ar dentro do apartamento estava parado e denso. Sua faxineira estivera ali algumas vezes no último mês, então ele não estava exatamente como tinha sido deixado, mas ainda assim parecia uma invasão estar ali, perturbando a poeira e as marcas de aspirador do tapete, para também deixar marcas no lugar. Era pouco provável que Daniel voltasse para lá, mas se o fizesse, se Deus existisse e realizasse um milagre (coisas estranhas aconteciam todo dia), então seria bom para ele encontrar o espaço intocado, à sua espera, como um bom cachorro.

O apartamento de Daniel não era bem o apartamento de um francês de meia-idade, era mais de um inglês idoso. Nas paredes havia reproduções de pinturas, e a mobília era pesada e escura. As cortinas eram de jacquard creme, e o sofá, um Chesterfield. Nas prateleiras de livros, enfileiravam-se clássicos britânicos, e a cozinha retinha um ar meio mofado. Um pano azul ressecado estava pendurado na torneira em forma de cisne. Era um belo apartamento. Maggie tinha se imaginado vivendo nele, talvez, havia muito tempo, quando Daniel era apenas um homem sério com dor nas costas. Na época, todas as lâmpadas estavam acesas, a atmosfera estava plena do final do verão e canto de pássaros, e ela estivera agradavelmente animada pelo champanhe e pela proximidade do homem mais charmoso de Bury St Edmunds. Tudo parecia ser possível então.

Ela deixou a bolsa numa mesinha e desenrolou a echarpe de seda. Olhou em volta, tentando localizar a "escrivaninha de nogueira". Encontrou-a escondida atrás de uma poltrona grande demais. Nela ficavam uma coleção de pesos de papel de vidro e algumas pequenas fotografias em preto e branco emolduradas de pessoas (os pais dele, imaginava ela) se casando há muito tempo. Ela se agachou, tateando a parede atrás da escrivaninha pelo espaço reservado aos joelhos, até localizar a chave, pendurada num cordão verde. Então achou a gavetinha escondida dentro de outra gaveta atrás de um painel secreto, e ali estava, como prometido, uma pasta verde-clara, mofada e desbotada, com as letras "CFW".

Levou a pasta até a poltrona e se recostou no estofado pesado. Pousou-a no colo por um momento, sentindo a enormidade de sua tarefa, a completa confiança de Daniel. Aquela pasta continha vidas. Gente. Histórias. E, sobretudo, segredos. Maggie não ligava para segredos. Nem mentiras. Não era do tipo que faria malabarismos com todos os pedacinhos necessários, as coisas que não deviam ser ditas, as pessoas a quem certas coisas não podiam ser mencionadas, as palavras que "nunca foram ditas", os acontecimentos que "nunca ocorreram". Era tudo muito confuso e enervante. Uma vida sem segredos e mentiras era um caminho fácil de trilhar. Naquela pasta havia vidas com tantas camadas de complexidade que Maggie ficava tonta só de pensar.

Daniel não tinha computador. "Para quem vou enviar um e-mail?", protestara ele. "O que tem na Internet que eu não consiga achar nos meus livros? O quê?"

"Mas e as reservas para as férias?", argumentara Maggie.

"Férias! Ah, sim, férias", respondeu ele. "Não saio de férias. O mar fica a uma hora da minha casa, e eu moro numa das cidades mais bonitas deste país. Tiro férias no terraço." Ele tinha sorrido, e Maggie tinha sorrido e pensado que nunca tinha conhecido ninguém tão fascinante e ao mesmo tempo tão prosaico quanto Daniel.

Ela teria que levar a papelada para casa, a fim de usar seu computador. O trabalho dela aqui estava feito. Ainda assim, ocorreu-lhe que havia mais a fazer. Talvez nunca voltasse àquele apartamento. Não tinha o direito de fazer isso. Não estava incluída em nenhum documento oficial de Daniel. Tudo indicava que seria ela a lidar com as coisas dele quando ele morresse, mas não havia nada definido, e supondo que, ponderou ela, supondo que conseguisse traçar um filho ou dois, e supondo que esse filho ou dois quisesse entrar em contato com Daniel, e supondo que tudo isso acontecesse tarde demais, que Daniel estivesse em coma ou, pior, morto. O que ela poderia contar a essa pessoa sobre o homem que queriam conhecer?

Poderia relatar as suas lembranças dele, contar as suas escassas historietas. Mas isso não seria suficiente. Fazia apenas um ano que o conhecia, e a maior parte do tempo ele estivera à beira da morte. Sabia muito pouco dele. Era tão obscuro e impenetrável. Sabia que tinha uma mãe idosa, um irmão solteiro, que fora médico, que se aposentara por causa da saúde frágil. (Ele não tinha explicado muito, mas ela suspeitava que a doença fosse mais psíquica que física. As pessoas em geral gostavam de falar de suas doenças físicas. Já as psíquicas...) Sabia que tinha um barco ancorado em Aldeburgh, uma dinga chamada *Clarissa*. (Não sabia por que se chamava *Clarissa*, e nunca tivera a chance de ver o barco, uma vez que Daniel parou de sair com ele quando suas costas começaram a incomodá-lo, exatamente no mesmo momento em que surgiu na vida de Maggie. Ela a sentiu de novo, a punhalada de dor por ter perdido o melhor de Daniel por uma fração de tempo.)

Sabia que gostava de ler, de beber e de comer, que a maioria dos donos de restaurantes de Bury e dos povoados vizinhos o conhecia pelo nome e o cumprimentava calorosamente quando ele entrava em seus estabelecimentos. Não sabia como ele podia arcar com saídas regulares para comer fora, nem como fizera para mobiliar sua casa de tamanho generoso de modo tão elegante, nem como pagava pelo champanhe, vinho, pelas roupas boas e pela fisioterapia particular. Não sabia de nada daquele homem que realmente pudesse ajudar um jovem cheio de perguntas, e detestaria tirar uma pessoa da ignorância e depois não ser capaz de dar a ela nada além de uma noção vaga da pessoa que jamais poderia conhecer.

Então, ela foi até a cozinha de Daniel e encontrou um estoque de sacolas amassadas, e começou a enchê-las com o que poderia descrever como recordações. Parecia horrível fazer isso: despojar a casa da essência do homem, sem a permissão dele, sem o conhecimento dele, e normalmente isso não era de jeito nenhum o tipo de coisa que Maggie faria. Mas aquela situação não tinha nada de normal. Daniel não tinha lhe pedido algo normal. As regras normais não se aplicavam.

Ela colocou na sacola os dois porta-retratos do antigo casal. ("E esta", ela se imaginou contando a um jovem abatido, "é a foto dos pais de seu pai. Seus avós, suponho.") Guardou um vidro do pós-barba dele (algo num vidro estriado de uma loja chamada Trumper's que cheirava a pepino e grama cortada). Ela encontrou antigos pacotes cheios de retratos de Daniel de várias maneiras: no barco, sentado num banco com uma amiga, na Regata Henley, segurando um King Charles spaniel de alguém. Ela apenas passou o dedo por elas apressadamente, sem nenhuma vontade de estudá-las direito sem a permissão do dono. Pegou um álbum cheio de pequenas fotos em preto e branco de parentes mortos havia muito tempo em vestidos de melindrosa e carros pontudos. Pegou cadernos de uma prateleira, embora não os tenha aberto para ver o que continham, achando que isso também ia um pouco além dos limites. Tirou da parede um mapa emoldurado, uma representação em aquarela da região de Dieppe de onde ele veio, e pegou um caderninho de endereços da mesinha de telefone. E depois ajeitou a almofada da poltrona para tirar a marca que seu corpo ali deixara, deu uma última olhada em volta e, em silencioso respeito, fechou a porta atrás de si e foi para sua casa.

Lydia

Lydia comprara uma gata. Era azulada, tinha o focinho achatado e bochechas gordas. Ela a tinha comprado pela Internet de alguém que criava gatos em uma casa perto de Kettering. A casa era fria, feia e não muito aquecida, mas a senhora tinha sido simpática, amorosa, e pareceu quase comovida ao se despedir da gata bigoduda que ela chamava de Samsara. Era da raça British Blue. Lydia a tinha visto num anúncio de sachês usados para perfumar as casas e se apaixonou imediatamente por ela. Uma gata azulada que se parecia com um urso. Ela sempre fora do tipo que gostava de cachorros. Mas, agora, gostava de gatos. Na verdade fazia sentido. Tudo na sua vida indicava GATO. A imensa casa vazia, a paixão pelo personal gay, sua trôpega amizade com a única amiga de verdade, seu trabalho superpoderoso. GATO GATO GATO.

Deu à gata o nome de Queenie. Tinha três anos. Entre os filhotes de uma ninhada, o criador tinha ficado com ela, mas, como a gata era infértil, acabaria não valendo a pena para ele. Isso significava que já havia sido treinada na caixinha de areia, e não era muito obcecada por novelos e brincadeiras sem fim. Assim que Lydia abriu a porta de sua caixa, ficou claro que ela tinha encontrado o animal certo. Queenie sacudiu uma pata por vez, inspecionando a sala, avistando o sofá modular de couro branco e então saltando sobre ele, o móvel mais caro da casa. O sol a tinha destacado, fazendo o seu pelo ficar de um azul mais claro, e Lydia teve certeza de ver a gata sorrir de prazer, como se dissesse: "Finalmente, estou num lugar que condiz com meu status de pequena deusa azulada".

A presença da gata na casa trouxe suavidade a alguns aspectos da sua vida, que ela tanto precisava. Queenie dormia na cama de Lydia à noite, e acordava-a gentilmente pela manhã, aproximando o focinho do nariz dela e pressionando-lhe o peito com delicadeza com as patinhas macias. A gata depois a acompanhava da cama para o banheiro, do banheiro para o closet, do closet para a cozinha e da cozinha para o escritório.

Juliette detestava a gata. Tinha recuado horrorizada na primeira vez que vira Queenie sentada imperiosamente no vistoso sofá branco, lambendo o próprio pelo de modo meticuloso. A gata e Juliette trocaram olhares astutos, e Juliette cruzou os braços, falou alguma coisa em tagalo, que soara como um xingamento, antes de se virar e sair da sala.

Lydia assumiu inteira responsabilidade pela caixinha de areia e pelas tigelinhas de plástico onde Queenie comia seus biscoitos. (Lydia adorava vê-la comendo biscoitos. Em especial, adorava o som específico que a gata fazia ao mordiscá-los com os dentinhos delicados.)

Queenie estava agora sentada na poltrona do closet de Lydia, observando-a com interesse enquanto ela avaliava o contorno de seu próprio traseiro no espelho. Lydia não tinha dedicado muito tempo da vida pensando no seu traseiro. Mas hoje estava usando uma calça nova de ginástica, feita com um tecido hi-tech com montes de costuras e contornos e um pouco de brilho. Não tinha sido feita para os tímidos, e Lydia, em termos de aparência, era bastante tímida. Ela falou com a gata (para quê serviria a gata de uma mulher solteira se não para falar com ela?):

— Acho que posso sair com isto. Não acha? Não sou muito gorda. Sabe, são só algumas partes protuberantes. Mas, sinceramente, que diferença faz, não é? Ele é gay. Não é? Acha que ele é gay? Você já o conhece. O que acha?

Queenie lhe deu um olhar um pouco constrangido e foi embora.

Claro que fica constrangida, pensou Lydia, *ela é fêmea. E é uma gata*. Lydia suspirou e passou as mãos pelo traseiro uma última vez. Ela iria usar a calça brilhosa. Se Bendiks fosse gay (claro que era), ele então não ficaria atrapalhado diante da visão de algumas colinas de carne nos contornos de seu traseiro, mas ficaria satisfeito por ela ter se livrado das despojadas calças folgadas com cordão na cintura. Lydia puxou o cabelo num rabo de cavalo apertado e deu uma última olhada na sua aparência antes de ela e Queenie descerem as escadas para cumprimentá-lo à porta.

Bendiks, porém, estava um pouco diferente hoje. Parecia menos arrumado. O rosto dele não parecia ter sido recém-esfoliado com um monte de cremes caros. As sobrancelhas não pareciam ter sido tiradas e penteadas, e os olhos não estavam disfarçados com nenhum tipo de corretivo, e pareciam cinzentos e saltados. O cabelo estava muito comprido e ele estava cheirando a suor, pela primeira vez.

— Oi, Lydia, como vai? — Agachou-se para acariciar a gata, que já tinha se enroscado em suas pernas. — E você, senhorita Queenie, como vai? — Ele coçou-a atrás das orelhas, e o focinho já sorridente de Queenie esticou-se ainda mais. A gata de Lydia gostava das mesmas coisas que ela, pelo visto, de sofás a música e homens. O sorriso de Bendiks, por outro lado, estava tímido e pouco convincente. Se Lydia não soubesse que ele era do Leste Europeu, diria que andou chorando.

— E você, como está? — perguntou ela, quando ele se ergueu.

— Ah, estou bem, sabe?

Lydia percebeu nesse um tanto patético "sabe" uma ponte para a tristeza dele.

— Você parece... — começou ela.

— Eu sei — ele disse, melancólico. — Estou péssimo. Tudo bem. Pode me dizer. Eu também digo a você quando está péssima. Tudo bem você devolver o elogio. Não dormi. Na verdade, nem me deitei para dormir. Fiquei acordado a noite toda.

— Bem, sim, você parece bem cansado. Está tudo bem?

— Não — suspirou ele. — Não está tudo bem. Tudo está um pavor.

— Ah, Deus! — disse ela, tentando não soar muito fascinada pela ideia do apuro dele. — Nossa, entre, entre. Quer alguma coisa? Um chá? Um café?

— Ah! Uma vodca seria melhor, acho.

— É mesmo?

— Não — ele riu, meio áspero —, não. Melhor não fazer isso. Um café seria ótimo.

Lydia deu uma olhada na cozinha e pediu a Juliette, de modo muito respeitoso, se ela se importaria de preparar dois expressos duplos. E depois guiou Bendiks até o terraço dos fundos onde o sol primaveril brincava no deque e esquentava as almofadas cor de creme da mobília de ratã. Bendiks sentou-se, e Queenie saltou feito bailarina no colo dele, onde girou umas três vezes antes de se acomodar como uma bola e olhar contente para Lydia. Bendiks deixou o queixo pender no peito, depois escondeu a cara no corpo do gato.

— Merda — disse, por fim, erguendo o rosto de novo e girando a cabeça. — Pesada, pesada, pesada. — A voz dele pareceu falhar um tanto, e Lydia estacou. Não tinha certeza de estar preparada para as lágrimas de outra pessoa. Observou-o, esperando que falasse de novo.

— Hoje — recomeçou ele por fim — estou falido.

Lydia arregalou os olhos.

— Hoje tive uma audiência e me disseram que estou falido. Que tudo o que tenho não é mais meu. Que não posso mais trabalhar deste jeito e que todos os meus cartões de crédito foram rasgados. Hoje deixei de existir.

— Meu Deus, Bendiks. Isso é horrível.

— Eu sei, eu sei. — Ele suspirou e levou as mãos ao rosto tenso. — É muito horrível. Estou destruído.

— Oh, coitado, coitado de você. Como aconteceu isso?

Bendiks encolheu os ombros e puxou os pelos da gata de modo desconsolado.

— Cartões de crédito. Gastos demasiados. O de sempre. Fui bem idiota, bem idiota mesmo. Um otário total.

— Mas — começou Lydia, tateando devagar — estar falido não é melhor quando a gente tem dívidas? Não é como um novo começo?

— Não de onde sou — disse ele. — Fui reduzido ao status de uma criança. Nada de crédito. Nada de emprego autônomo. Vou ter que voltar a trabalhar numa academia, ser empregado de novo. E tive que devolver o meu apartamento.

— Ah, não, por quê?

— Porque era caro demais. Foi outra decisão burra. Escolhi um apartamento de que eu gostava e não um que eu podia pagar. Venho fazendo malabarismos, sabe, pagando tudo no crédito de modo que eu pudesse usar a renda para pagar este estúpido e lindo apartamento. E agora vou ter que viver só da renda. Então, adeus, lindo apartamento de um quarto em Willesden. Olá, apartamento horroroso e partilhado em Wembley.

— Você já tem alguém com quem dividir?

— Bem, não. Mas vou ter que fazer isso. Provavelmente alguém da academia. E eu conheço onde moram. São uns buracos. — Ele estremeceu um pouco e baixou os olhos, chateado.

Lydia olhava para ele com desespero. Sentia o coração se partir por ele de um jeito que não conhecia. O coração de Lydia, em geral, era um órgão sedado. Ficava quietinho dentro dela, deixando que seu sangue fluísse tranquilamente pelo corpo. Às vezes dava um pulo diante de um animal atraente ou de um homem bonito. Às vezes ficava embotado de dor com a solidão ou a saudade. E uma vez tinha se acelerado em nervosa antecipação em uma entrevista ao vivo numa rádio, quando era estudante. A maior parte do tempo, porém, o coração dela não fazia nada, não sentia nada, ali na caixa sob as costelas, batendo tum-tum-tuns por segundos, por momentos e dias. Então, esta sensação, ela poderia chamá-la de compaixão, era uma novidade. Bendiks parecia arrasado ali no seu sofá. Parecia com a criança a que estava reduzido no processo de falência. Era insuportável para ela pensar nele encaixotando as coisas e se mudando para uma casa úmida cheia de gente em algum canto afastado de Londres. Queria que ele se sentisse bem consigo mesmo. O orgulho dele era uma de suas características mais atraentes.

— Fique aqui — disse ela, e as palavras saltaram de sua boca e pairaram no ar antes que ela pudesse pensar no que estava fazendo.

— O quê?

— Posso alugar um quarto pra você, pela mesma quantia que pagaria dividindo um apartamentinho ruim. Você teria um banheiro privativo. Autonomia. Entra e sai quando quiser. Enquanto você está se ajeitando.

Bendiks ficou com uma expressão de agradável surpresa.

— Não. — Ele colocou uma das mãos no peito. — Está falando sério?

Lydia assentiu.

— Sim, por que não? Esta casa sempre foi grande demais pra mim, não é?

— Sim, mas Lydia, a sua privacidade, o seu espaço... Detestaria violar isso.

— Tudo bem — insistiu ela. — Passo a maior parte do tempo no escritório mesmo. Provavelmente a gente nem vai se ver. — Ela terminou de dizer isso com um riso curto, agudo. Ainda enquanto falava, foi listando as armadilhas em potencial dessa sugestão irrefletida. Encontros constrangedores na cozinha pela manhã com o rosto ainda amassado e os cabelos desgrenhados. Um cruzando com o outro no corredor em estado de seminudez. A possibilidade de homens estranhos, mulheres ou ambos atravessando a casa e sons indistinguíveis de cópula flutuando pelas paredes nas piores horas. E, pior ainda, a perspectiva horrível de conversas não solicitadas, tagarelices, palavras em momentos inesperados. Lydia estava acostumada a uma quantidade bem pequena de falas na sua existência diária, e gostava disso. A conversação era superestimada, na opinião dela.

O sorriso dela começou a murchar e minguar à medida que essas apreensões inundavam seus pensamentos. Será que a indubitável vantagem de poder ver o perfumado Bendiks todos os dias num ambiente informal e íntimo seria rapidamente ultrapassada pelas desvantagens de partilhar a casa com um homem que mal conhecia?

Ele pareceu perceber o sorriso congelado de Lydia e olhava para ela, pensativo.

— Você não pensou direito nisso, não é?

— Não! — interferiu ela. — Pensei! Tudo bem!

— Veja, adoro esta casa, Lydia. Sabe que sim. E adoraria ficar aqui com você. Resolveria todos os meus problemas. Seria perfeito. Mas não quero, de jeito nenhum, que você se sinta pouco à vontade ou infeliz. Por favor, não tenha medo de dizer isso se preferir que eu não venha.

O sorriso de Lydia se suavizou de novo. Vai ser bom. Tem que ser bom. Porque não conseguia dizer não a este homem bonito.

— Sinceramente, vai ser um prazer. Quero que fique. Mesmo.

Bendiks ficou radiante.

— Neste caso, adoraria aceitar. Obrigado, Lydia. Você me fez muito, muito feliz.

Ela não se lembrava da última vez que fizera alguém feliz. Passava pela vida sem tocar ninguém, sem causar impacto nenhum. E ali estava, como um pequeno e estranho milagre. Aquele homem tinha entrado na casa dela havia dez minutos, parecendo abatido e perdido. Agora, a fisionomia dele tinha recuperado a cor, toda a sua conduta estava viva e energizada. Ela tinha feito isso. Com um gesto ousado, não planejado. Quando olhava para ele, sentia mais do que compaixão. Este, ela se fazia lembrar, era um homem que a compreendia. Este era um homem que conhecia a perda. Este era um homem de um país estrangeiro que tinha vindo para Londres e construído uma vida para si mesmo. Este era um homem com quem se sentia à vontade e, na verdade, pensando bem, talvez até gostasse de tê-lo por perto, já que estava topando com a mais enervante e singular experiência de sua vida.

Pois agora o Registro de Parentes de Doadores mostrava duas pessoas.

Duas.

Um homem e uma mulher.

O homem tinha surgido na última noite.

A mulher ainda não tinha respondido ao seu pedido de contato. Já se haviam passado três semanas desde que ela tentara, mas ainda não havia resposta. Lydia se esforçava para não tomar isso como algo pessoal. Por que se registrar numa agência como essa se não tivesse interesse de entrar em contato com seus irmãos? Não fazia sentido. Não, ela racionalizava, essa pessoa está de férias. Sim, deve ser isso. Estava fora. Tinha 18 anos, então talvez tivesse tirado o ano. Ou estivesse estudando fora. Imaginava essa moça num cybercafé em Nova Déli, acessando os e-mails, encontrando um do Registro. Imaginou-a com uma amiga, dizendo "Uau, veja só, eu tenho uma irmã!" e depois saindo para ver o Taj Mahal ou algo assim.

Ou talvez esteja doente? Talvez tenha passado mal de repente e esteja agora num hospital em algum lugar, temendo pela vida, sem saber do pedido de contato do Registro. Talvez uma mãe seriamente preocupada não tenha conseguido lhe contar isso diante do seu estado atual. Ou talvez ela apenas não tenha conexão de Internet. Ou talvez tenha ido para a casa de uma tia idosa no interior. Ou talvez esteja neste exato momento preenchendo um formulário e dando à agência permissão para divulgar seus dados pessoais. Lydia ainda verificava os e-mails de modo obsessivo. A preocupação com a espera de notícia dessa irmã tinha tomado o lugar da preocupação com a espera por um par. Será que essa experiência era isso? Esperar, esperar e esperar?

Justamente quando ela ainda assimilava em sua vida este jogo desesperador de esperar, inventar pretextos e inventar outros cenários diferentes por causa da falta de contato, aparecia mais um. Um homem desta vez. Vinte e um anos. Agora ia começar tudo de novo. Estava com os nervos em frangalhos. Não conseguia se concentrar em nada por mais de meia hora antes que tudo voltasse violentamente a sua consciência. Irmão. Irmã. Contato. Espera. Quase desejava não ter se registrado. Não esperava que fosse assim. Não esperava que fosse essa agonia.

Juliette surgiu no terraço, com uma bandeja na qual se equilibravam duas xícaras pequenas com pires, alguns biscoitos e dois copos com água. Lydia ergueu-se num pulo para pegar a bandeja. Juliette manifestou-se com bom humor, dizendo:

— Não, você senta. Senta.

Lydia sentiu uma leve onda de constrangimento pelo excesso de formalidade e solicitude na oferta do café. Isso era tão pouco necessário. Ela não precisava de toda essa afetação cinco-estrelas. Só queria alguém que deixasse a casa bonita.

— Juliette — disse ela, para quebrar o constrangimento, para se humanizar —, não sei se já apresentei vocês direito. Este é Bendiks, o meu preparador físico. Bendiks, esta é Juliette. Juliette toma conta de mim. — Ela terminou a frase com um riso nervoso. *Tomar conta dela* fazia com que parecesse uma tia velha solteirona e enlouquecida com tendência a fugir de casa de camisola.

Juliette sorriu desconfiada para Bendiks e mal tocou na sólida mão que ele lhe estendeu em cumprimento.

— Muito prazer — ele falou.

— Sim — disse Juliette, circunspecta, antes de se virar e voltar para dentro da casa.

Bendiks riu.

— Ela é bastante protetora.

Lydia pensou nisso e achou que ele talvez estivesse certo. Lydia pagava Juliette para cuidar dela e da casa, e nada que estivesse incluído nesse combinado original — gatos, visitas — era preterido.

— Sim — concordou ela —, mas é muitíssimo competente no trabalho dela. Do meu ponto de vista, ela é um investimento. Eu a pago para que deixe a minha casa exatamente como estava quando eu a comprei. Se eu morasse aqui sozinha, ela ia ficar igual a uma república de estudantes. Sabe, estou aqui há um ano e não há uma crostinha de nada em lugar nenhum. São coisas assim que conservam o valor de venda de uma casa.

— Tudo bem. — Bendiks lhe sorriu. — Não sou inglês. Não precisa justificar essas coisas pra mim. De onde venho, quem pode ter empregada tem empregada. De onde venho, a gente ia achar que seria loucura sua não ter uma. Vocês, ingleses, são muito esquisitos com essas coisas. Tão envergonhados de ter dinheiro e sucesso. Tão envergonhados de seus enfeites. Você tinha que comemorar! Uma jovem bonita, realizada, pronta. Uau. Devia anunciar isso em cima do telhado! Devia ter orgulho de si mesma!

Lydia piscou. Ele disse mesmo isso? Ele disse mesmo que sou bonita? Lydia não tinha ideia se era bonita ou não. O espelho cada vez lhe dizia uma coisa quando se olhava nele. Ninguém nunca lhe dissera que era bonita. Também nunca lhe tinham dito que não era. Cabia a ela chegar às próprias conclusões, e tinha falhado. Esse elogio de Bendiks, porém, funcionou como um pesinho na balança da crença de que talvez fosse bonita. Ele não tinha nenhum motivo para lhe dizer isso. Nada a ganhar com isso.

Então, sentada ali no terraço, com o sol esquentando seu rosto, a gata no colo de Bendiks, olhando-a com um sorriso sonhador, o próprio Bendiks olhando-a com um misto de orgulho e afeto, e intimamente uma sensação crescente de que talvez não fosse esquisita, afinal. Ocorreu-lhe que, pela primeira vez na vida, as pecinhas de seu quebra-cabeças pessoal estavam se juntando. Era quase como se ela estivesse finalmente começando a ter noção de si mesma. A gata, o treinador, o companheiro de casa em potencial, o desapego de Dixie, o fato de não partilhar do mesmo DNA de um homem que odiava, os irmãos que esperava conhecer, até esta casa, esta estúpida casa imensa: parecia que tudo significava alguma coisa. O palco estava pronto. A ocasião era propícia. Tudo o que Lydia precisava era que alguém entrasse em contato dizendo que queria conhecê-la.

Robyn

Sam olhava atentamente para Robyn por cima dos nós dos dedos. Tinha os olhos sérios e tristes. Ao seu lado, havia uma caneca de chá de hortelã que Robyn já sabia que ela não iria beber. Havia coisas demais a serem ditas.

— Por que está magoando o meu filho? — perguntou Sam, baixinho.

Robyn retraiu-se. Não estava esperando essas palavras. Imaginava que Sam sabia exatamente por que ela estava magoando o filho dela. *Porque ele é meu irmão, claro!*, uma vozinha gritava em sua cabeça.

— Você não sabe? — perguntou ela, cutucando um fio solto na toalha, incapaz de sustentar o olhar intenso de Sam.

— Sei do quê?

— Achei que soubesse — murmurou ela.

— Vou lhe dizer o que sei, mocinha, e o que sei é que o meu filho nunca sentiu por mais ninguém o que sente por você. Ele é um jovem sensível, um homem bonito, gentil e maravilhoso, e lhe ofereceu o coração em uma bandeja. E ele achou, e eu achei, que você se sentia da mesma maneira. Ficou claro para mim que vocês eram loucos um pelo outro... e agora você o deixou num limbo, e eu sei que ele já é adulto e sei que não tenho nada com isso e não deveria estar aqui, e que deveria simplesmente não me meter, mas não consigo. Porque ele é o meu único filho, e eu o amo tanto que não *aguento* o que você está fazendo com ele. *Não aguento!*

A voz dela vacilou nessas últimas palavras, e Robyn ergueu os olhos. Ela estava chorando.

Robyn desviou o olhar novamente.

— Olhe, não é tão simples assim — começou a dizer. — É que... eu achei que soubesse. Você realmente não sabe?

— Sei do quê?

— O pai de Jack... ele era mesmo um órfão de Barnardo? Ele morreu mesmo num acidente de carro?

Sam piscou os olhos, livrando-se das lágrimas, e a encarou com ar de espanto.

— O quê? — perguntou, confusa.

— Isso é tudo verdade? Essa história sobre o pai de Jack?

— Claro que é verdade.

Assim que ela disse essas palavras, Robyn soube que eram verdadeiras, e sentiu que tudo em seu íntimo despencava e se inundava delas, como a comporta de uma represa se abrindo. Suas pernas amoleceram, o coração desacelerou, e depois voltou a acelerar à medida que sentia a explosão de um riso maníaco se formando em seu peito. Ela o engoliu e sorriu com calma para Sam.

— Mesmo?

— Sim, claro que sim. Por que raios eu iria mentir sobre tal coisa? E o que isso tem a ver com você e o Jack?!

O riso animava-se sob a superfície. O sorriso de Robyn se alargou.

— Eu achei... você vai pensar que sou louca... mas pensei que ele talvez fosse meu irmão.

— O quê?!

— É, sabe, é maluco, né? Mas eram tantas coisas... somos tão parecidos, e depois eu entrei no Registro de Parentes de Doadores, e eles me disseram que eu tinha um irmão nascido em 1983. Aí, eu pensei... E você! — Ela se lembrou de repente. — Você foi tão estranha naquela noite na sua casa, quando falávamos sobre ser filho de um doador. Você ficou me olhando de modo esquisito...

Sam olhou para ela e sacudiu a cabeça.

— Fiquei? — perguntou.

— Sim! Como se estivesse pensando em alguma coisa. Como se você também tivesse usado um doador.

Sam riu.

— É mesmo? — disse. — Sinceramente, não me lembro. Mas se estava olhando pra você de modo estranho era provável que fosse porque sempre acho interessante tudo o que tem a ver com paternidade. Porque Jack não tem pai. Acho que estou sempre inconscientemente procurando me certificar, procurando outros modos de ver, diferentes formas de ver as coisas. Porque sempre me senti culpada de não ter-lhe dado um pai.

Seu rosto decidido se suavizou, e ela pousou a mão larga e magra na de Robyn.

— Ah, querida — entoou ela. — Querida menina. Não acredito que você tenha ficado todo esse tempo achando que estava fazendo alguma coisa de errado. Devia ter vindo direto falar comigo, querida. Eu já a teria tranquilizado há muito tempo e a poupado de toda essa tristeza. Porque você e Jack, bem, são perfeitos juntos. E, acredite, eu vou fazer o que puder para apoiá-los. Acredito em vocês dois, e não é fácil dizer isso. Ele é o meu filho, o meu único filho, ninguém jamais seria suficiente para ele. Mas você é. Sinceramente, acredito nisso. Por qual outro motivo estaria aqui? — Ela fez uma pausa, a boca ainda entreaberta pelas últimas sílabas, as mãos bem abertas diante de si. Em seguida, recostou-se na cadeira e riu.

Robyn sorriu. Finalmente, tinha acabado. Sentiu que todas as inconveniências dentro dela tinham se dissipado. Não tinha dormido com o irmão. Não era uma pervertida ou maluca. Era normal. Completa, esplêndida, linda, absolutamente normal.

— Então — continuou Sam, inclinando-se sobre a mesa —, está tudo bem? Está tranquilizada?

— Sim. — Sorriu Robyn. — Estou. Mas, por favor, me prometa uma coisa? Por favor?

Sam olhou-a em expectativa.

— Não conte a Jack. Por favor, não conte a ele. Detestaria que ele soubesse de toda essa merda esquisita com a qual andei me preocupando. Só quero que tudo volte ao normal...

Sam sorriu e concordou.

— Não se preocupe, esse segredo está seguro comigo.

A primeira coisa que Robyn fez quando Sam saiu, meia hora depois, foi ligar para Jack.

— Desculpe, desculpe. Andei assustada. E andei pirando. Mas não estou mais pirada. Estou totalmente sã. Senti saudade. Amo você. Suas chaves estão nas minhas mãos. Estou pronta. Ainda posso me mudar?

Houve um momento de silêncio, e então Jack riu.

— Como assim, agora?

— Sim — disse Robyn, esbaforida. — Por que não? Posso arrumar as coisas e chegar até o começo da noite.

Jack riu de novo.

— Uau! — exclamou ele.

— Você está bem?

— Estou — confirmou ele. — Estou ótimo. Estou bem. Só estou, merda, não sei. Andei tão... Deus, nem consigo achar as palavras. Andei completamente desesperado. Senti tanto a sua falta. Pensei... — Ele fez uma pausa e suspirou. — Pensei que estava tudo terminado.

Robyn sorriu e respirou ternamente ao telefone.

— Tenho raiva de mim mesma. Muita raiva de mim. Esta... esta não sou eu. Sinceramente. Não faço esse tipo de coisa. Mas nunca antes ninguém me pediu para morar junto.

— A culpa é minha. Soube assim que falei. Sabia que era demais. Você é muito jovem. A gente acabou de se conhecer. Fui um idiota.

— Não! — exclamou ela. — Não! Você não foi idiota. Eu fui idiota. Uma idiota de pensar que isso não era uma ótima ideia. Fiquei adoentada. Perdi peso. Estou horrível. Adoro você. Vou arrumar as coisas. Vejo você em algumas horas. Eu amo você.

— Também amo você. — Jack riu.

— Psiu. Me deixe ir. Amo você.

— Amo você.

— Pare de dizer que me ama! Eu te amo!

— Eu te amo mais.

Ela suspirou.

— Você ganhou. Até daqui a pouco.

Ela desligou o telefone e o colocou na mesa da cozinha, rindo para ele. Tentou parar de sorrir, mas não conseguiu. O sorriso ficou grudado no rosto. Deu então uma olhada na cozinha dos pais dela. Olhou para os azulejos de tom amarelo-claro estampados com cachos de uvas arroxeadas, os gorduchos potes de cerâmica enfileirados: CHÁ, CAFÉ,

AÇÚCAR, com as grossas tampas de cortiça. Olhou para o quadro de avisos magnético crivado de contas de água, consultas dentárias, recibos de compras, baterias de carro, e para a porta da despensa e seus aventais manchados e garfos enferrujados de churrasco. Aquela tinha sido a sua cozinha desde que nascera. Aquela cozinha não tinha mudado uma vírgula, só perdera o brilho, desbotara e se amontoara. Robyn, porém, tinha mudado. E não mudara aos poucos, num desenvolvimento pouco perceptível, mas da noite para o dia, assim que conhecera Jack. Agora, essa mudança a estava levando dali, para longe de Essex, da casa de seus pais. E ela estava pronta. Pronta para ser adulta. Pronta para Jack. Para valer.

Entretanto, isso não era fácil. A partir de algum ponto daquele caos remexido das últimas semanas ela tinha colocado outra coisa em seu mundo. Dois irmãos. E uma irmã. Nunca tinha desejado saber deles. Nunca tinha se interessado por essas pessoas. Não eram relevantes no seu percurso. Mas agora ali estavam. A tal "irmã" tinha solicitado informações. E agora havia outra pessoa. Ele tinha acabado de se registrar na semana anterior. Era o mais jovem dos dois irmãos. Ali estavam elas, pessoas de verdade, saindo de sombras translúcidas e encarnando em duas dimensões, a um clique de estarem por completo diante dela, com cheiros, vozes, defeitos, concepções, necessidades e desejos. Ela ficava tentando guardá-las de novo no baú de seu passado, mas elas se recusavam, estourando as laterais como um excesso de roupas em malas muito cheias. Tinha soprado vida nessas pessoas, e, agora que tinha terminado com isso, elas se recusavam a sumir. Irmã. Irmão. Irmão. Esboços, indistintos, sinistros como fantasmas.

"O que você vai fazer em relação a eles?", perguntara-lhe sua mãe na noite anterior.

"Nada", respondera ela, já sabendo que isso não era verdade. Ainda que preferisse que fosse.

No balcão da cozinha, a mãe tinha parado de mexer um molho em um recipiente de vidro, e Robyn a vira inspirar, acalmando alguma reação natural. Passou-se um instante, e então, devagar, ela começou a misturar o molho de novo, ritmicamente. Estava procurando as palavras adequadas.

"Bem", começara ela, deixando o recipiente no meio da mesa, "talvez agora não. Talvez mais adiante. Quando estiver mais tranquila".

Robyn ouviu as palavras bem-intencionadas da mãe e refletiu um pouco antes de dizer, circunspecta, mas não sem sentimentos: "Sim. Talvez mais adiante. Talvez logo".

A conversa terminou. O jantar foi servido.

Dean

Ele conseguia ouvi-la ao fundo. Um barulhinho suave, como o de passarinhos no peitoril de uma janela. Era chocante. Ele nunca a ouvira chorar. A última vez que a vira — a primeira vez que a vira —, ela estava emudecida por causa dos tubos e máquinas. Não tinha havido nenhum choro vigoroso de indignação quando foi retirada da barriga da mãe, apenas um silêncio patético. Esse som tanto o alarmava como o tranquilizava.

— Ela está bem? — perguntou ele a Rose.

— Sim, está ótima. Só quer um colinho, não é, lindinha?

Ele ouviu Rose se aproximar do barulhinho e depois ouviu fungadelas, e sons de pele no fone, e depois o barulhinho distante parou, e ele ouviu Rose dizendo:

— Pronto, pronto, lindinha. Pronto, pronto, meu anjo. É melhor assim, né?

No tom de voz de Rose havia meia dúzia de sentimentos diferentes, e Dean conseguia ler todos eles. Escute, dizia ela, este é o som de sua filhinha órfã chorando. Escute, este é o meu som, que instintivamente sei o que deseja a sua filhinha chorando, e estou me saindo muito melhor do que você ou sua mãe ineficaz jamais fariam. Escute também o som da paternidade, isto é o que você deveria estar fazendo agora. Eu não deveria estar acalmando esse bebê chorão. Você deveria acalmá-la. Embora o subtexto fosse: *Não quero você perto desse bebê, entendeu?* Este bebê é meu. Filha da minha filha. Você deixou de ter qualquer direito sobre este bebê depois desse comportamento desalmado e autocentrado das últimas dez semanas.

Por mais que Dean não gostasse da mãe de sua falecida namorada, reconhecia que ela tinha razão. Só estava ao telefone com ela agora porque a administração entrara em contato para reaver o apartamento e ele precisava da certidão de nascimento da criança para tentar assumi-lo em seu nome. Era uma atitude covarde e irresponsável, pois no fundo sabia que não tinha intenção nenhuma de viver ali com o bebê. O máximo que conseguia conceber era que o bebê talvez viesse para passar uma noite esporádica se Rose precisasse ir a algum lugar. Mas realmente aquele apartamento jamais seria um lar para a filha dele. E ele jamais seria um pai. A verdade era que ele estava usando a existência do bebê para tentar engambelar o governo e conseguir uma casa. Era um derrotado. Conseguia imaginar Sky, com a imensa barriga, sentada na cadeira diante dele, dizendo: "Você é patético, sabia? Patético pra cacete". E ela estaria certa.

— Pra quê precisa da certidão de nascimento dela? — perguntou Rose, desconfiada.

— Preciso para coisas como auxílio para bebês, imposto ou algo assim. Recebi uma carta.

— Envie para mim. Eu cuido disso — rosnou Rose.

— Não. Diz que tem que ser o pai registrado. Diz que tem que ser eu.

— Hã — murmurou ela, duvidando. — Não me lembro de nunca ter que fazer nada desse tipo com elas... Saffron, Dean está ao telefone: você se lembra de alguma vez ter tido que mandar a certidão de nascimento das crianças para solicitar algum tipo de auxílio ou imposto?

Dean prendeu a respiração, ouvindo a irmã de Sky ao fundo dizer:

— Não tenho ideia. Mas acho que não. Acho que o governo pega as informações nos computadores, essas coisas.

— Não — disse Rose a Dean. — Não vou dar essa certidão de nascimento a você. Ponto-final.

— Mas ela é minha filha. É o meu nome que está nessa certidão.

— É, bom, sorte sua. Para ser sincera, eu quase disse "pai desconhecido", afinal, convenhamos, Dean, é o que você podia ser.

E então ela desligou.

Dean ficou olhando para o telefone por um instante. Não estava surpreso. Ela até que tinha sido civilizada. E ele não tinha energia ou meios para encará-la. Então, pronto. O apartamento seria tirado dele. Ele teria que voltar a morar com a mãe. Bem no fundo, uma pequena parte dele estava contente. Toda essa mudança, emprego, ter um filho, ser responsável por si mesmo... nunca se encaixou direito. Sempre pareceu cedo demais. Colocou o telefone sobre a mesa e deu uma olhada no apartamento desguarnecido. Sim, pensou. A conversa com Rose tinha fechado a questão. Ele se mudaria dali. De volta pra casa da mãe. Fingiria que nada naqueles doze meses jamais acontecera. Começaria tudo de novo. E, ao começar tudo de novo, talvez descobrisse algum propósito em si mesmo.

Dean e Tommy sentaram-se lado a lado no Alliance, bem em frente ao escritório do Serviço Social, do outro lado da rua. Tommy acabara de se inscrever — "pela primeira vez na vida", resmungou ele, desconsolado. Dean tinha se inscrito também. Não pela primeira vez na vida. Fazia um ano que Dean estava desempregado. Assim que fora morar com Sky deixara as coisas descambarem um pouco no emprego de motorista. Não parecia valer muito a pena se levantar para isso. A mãe sempre lhe dera uma grana semanal que ele havia poupado para o futuro. Era irônico que, no momento em que começou a construir um futuro, tivesse jogado tudo para o alto. Era quase como se soubesse que não haveria futuro nenhum.

Eram 3h35, e diante deles sobre a mesa havia duas canecas de cerveja e dois pacotes de batata frita rasgados de cima a baixo e mostrando o interior prateado e oleoso. Ambos olhavam para longe, em silêncio. Com Tommy era tudo ou nada. Ou não se conseguia arrancar uma palavra dele ou nenhuma palavra que prestasse. Porém, Dean não se incomodava com nenhum desses jeitos.

Deixou o silêncio se estender por algum tempo, organizando os pensamentos. Havia algo sobre o que queria conversar, mas não sabia bem por onde começar. Então, começou por onde sabia que Tommy acharia mais interessante.

— Então, fui para a casa daquela ruiva na sexta à noite — disse ele.

— Ah é, achei mesmo que ia. — Tommy piscou para ele. — E como foi?

— É — ele respondeu —, foi legal. É uma menina inteligente.

— Inteligente, é?

— É. Ela é estudante.

— Uau. De que merda falaram?

Dean riu.

— Oh, certo, já sei. Não precisou de muita conversa, né?

— Não, nada disso. A gente nem... sabe?

— O quê? Sério? — Tommy pegou a caneca.

— Calculo — disse ele —, é justo. Um pouco cedo provavelmente. Um pouco cedo pra isso tudo. Tem razão de não se envolver.

— Bem, sim, mas foi um pouco mais que isso. Quer dizer, eu gostei dela. Ela era legal. E aconteceu uma coisa. — Ele respirou fundo e deu uma olhada rápida em Tommy pelo canto do olho.

Tommy olhou para ele, curioso.

— Ah, é?

— Foi meio esquisito, na verdade, e não contei nada disso a você antes, mas, enquanto você esteve fora, a minha mãe me contou uma coisa. Ela me disse que o meu pai não foi quem ela tinha dito. Que o meu pai era...

— Doador. Eu sei. A minha mãe me contou. Anos atrás.

— Como? Você sabia?

— É. Jurei segredo. Preferia que não tivesse me contado.

— Que merda! Não acredito que você sabia disso o tempo todo e nunca falou nada.

— Quase falei, um monte de vezes. A minha mãe nunca devia ter me contado. Mas isso é ótimo. Sua mãe finalmente contou.

— Bem, sim, eu acho. E está tudo bem e tal. Não fiquei chateado nem nada. Meio que fez sentido. Mas naquela noite, com aquela garota, Kate, a gente estava bem chapado. Sabe, completamente fodidos, e aí entramos na Internet, e ela me colocou nesse tal de Registro de Parentes de Doadores.

— Porra... e?

— E tem dois pares. Garotas. Mulheres. Irmãs. Uma tem dezoito. A outra tem vinte e nove.

— Cacete — disse Tommy, colocando a caneca na mesa e arregalando os olhos para Dean.

— É, eu sei. Não pensei em fazer isso. Meio que aconteceu. E agora uma delas quer entrar em contato.

— Não diga! Qual delas?

— A que tem vinte e nove. Mora em Londres. Em algum lugar ao norte. E é solteira, não tem filhos, mora sozinha. O nome dela é Lydia.

— Lydia? — Tommy experimentou pronunciar bem o nome, como se estivesse verificando credenciais. Assentiu, em aprovação. — Lydia — disse de novo. — Parece esnobe.

— Aparentemente é galesa.

— Ah — disse Tommy, descartando a teoria.

— É, ela quer um encontro.

— Porra, cara! — Tommy quase gritou

— Sei. É que... sei lá. Uma parte de mim realmente quer isso. Mas outra parte está muito, muito, muito apavorada, apavorada pra caramba.

— Você contou pra sua mãe?

— Sim. Ela acha que tenho que pensar um pouco. Ver como me sinto. Você sabe como ela é, não se abre muito.

— É, sei. Mas, merda, isso é gigantesco. Totalmente gigantesco.

— Eu sei. Eu sei. — Dean bebeu a cerveja e catou com os dedos umas migalhas de batatinha em volta do pacote. — O que você faria? — perguntou ele por fim, voltando os olhos esperançosos para o primo.

— Caramba, eu iria. Nossa... Mas eu aguento essas coisas. Não sou, você sabe, sensível como você. Não quero dizer que seja fácil. É um negócio complicado. Mas, se fosse você, eu encarava. Porque é o seu sangue. Você tem mais sangue em comum com essa mulher do que comigo. A pior coisa que pode acontecer é vocês não se darem bem. A melhor coisa que pode acontecer é você ter uma irmã para o resto da vida. E basta uma viagem de metrô até o norte, algumas horas do seu dia. É, se fosse você, eu encarava mesmo. O que você tem a perder?

Dean assentiu. Ele sabia que Tommy diria isso. E bem no íntimo sabia que Tommy tinha razão. Ele deveria encarar isso. Deveria encontrar essa mulher, Lydia. E deveria tentar contato com a outra, a adolescente. Sua vida andava completamente destrambelhada. A namorada havia morrido, ele não tinha emprego e sua filha fora levada por uma mulher que ele não suportava. Talvez precisasse de alguma coisa assim para ajudá-lo a perceber o propósito das coisas. Pois, com certeza, de onde estava era muito difícil enxergá-lo.

Ele concordou, e seu olhar atravessou a sala e foi dar na obscuridade abafada do início da tarde. Pensou em outro bar, do outro lado do rio, talvez um como este ou um mais refinado. Pensou numa mulher: imaginava-a alta e suntuosa, usando uma capa impermeável. Ele se imaginou aproximando-se dela, avaliando o perfil, que seria aquilino e elegante. Ele a viu virando-se para ele, sorrindo e dizendo, com a voz graciosa: "Oi, Dean, sou Lydia. É ótimo conhecer você".

Depois, a imagem se foi, e ele estava ali de novo, em Deptford, tomando uma com o primo Tommy, e ainda sem saber direito o que fazer em seguida.

Cara Lydia,

Meu nome é Dean. Tenho vinte e um anos e moro em Deptford, que fica no sudeste de Londres. Não estou trabalhando agora. Tive um ano difícil. E estou em transição, acabando de voltar para a casa da minha mãe. Minha mãe me contou sobre meu pai há três anos. Quando eu fiz dezoito. Eu costumava achar que meu pai era um homem que ela havia conhecido nas férias quando tinha quarenta e um anos. Não me incomodava muito. Achava até legal. Como você descobriu? E o que achou disso? Bom, acho que estou pronto para encontrá-la, se você estiver. Como disse, não trabalho, então estou livre e disponível. Quem sabe você tem um lugar? Posso ir na sua direção. Ou em algum lugar central? É só dizer. Não sou muito bom ao telefone, então é melhor mandar mensagem e tal. Avise.

abraço,
Dean Higgins

Dean releu o e-mail. Achou que parecia bastante bom. Simpático, mas não assustadoramente simpático. E meio inteligente, mas não como se quisesse se dar ao trabalho de parecer inteligente. E com um pouco de informação, mas não demais a ponto de não terem do que falar quando se encontrassem.

— Mãe — chamou ele, por cima dos ombros. — O que acha?

Ela entrou na sala, arrumando-se para um encontro com um homem que tinha conhecido na Internet. O cabelo liso estava macio e brilhante depois de uma sessão de hidratação, e ela usava um vestido estampado de preto e branco, sem mangas, que mostrava seu colo. Dean achava que os braços dela estavam um pouco gorduchos e flácidos para um vestido sem mangas, e que o pescoço já vira dias melhores. Mas ela parecia bastante bonita com a maquiagem leve e os brincos pendentes de pérola.

— Tudo bem — disse ela —, vou usar um cardigã.

— Não — replicou Dean —, você está ótima. Sinceramente. Está muito bonita.

A mãe sorriu e acariciou seu ombro.

— Obrigada — disse. — Se continuar me dizendo essas coisas, pode ficar mais tempo. — Ela não tinha ficado muito entusiasmada com a notícia da volta dele. "Imagino", dissera, suavemente, "enquanto você ajeita a vida. Sim, por que não?" Dean ficara surpreso. Sempre imaginara que sua mãe estava sozinha ali, que iria gostar de tê-lo de volta. Mas parece que muita coisa tinha mudado naquele ano em que esteve fora. Sem falar na atitude dela em relação a encontros.

— Deixe-me dar uma olhada nisso, então. — Ela puxou outra cadeira na direção da escrivaninha e apertou os olhos diante da tela enquanto lia. — Está bom — disse, em seguida. — Passe um corretor. Mas está bom.

— Bom? — perguntou Dean.

— Sim, querido. Está bom.

— Quer dizer que podia ser melhor?

— Não, sinceramente, está bem assim. Não precisa ter muito mais que isso, não é? Quero dizer, você vai falar bastante quando de fato a encontrar, suponho.

— Você acha uma droga, não é?

— Não. Não acho uma droga. Só pouco informativo, só isso. Mas, é como disse, vocês vão ter muito tempo para realmente se conhecer ao vivo.

Dean suspirou. Ele ainda não estava completamente convencido de que essa era uma ideia boa. Estava levando isso adiante porque as pessoas cuja opinião valorizava mais — sua mãe, seu primo e Kate, a ruiva — achavam que devia encarar isso. Mas, realmente, o que ele e essa refinada mulher chamada Lydia teriam em comum? Ela era cientista. Ele era um motorista desempregado. Ela era do País de Gales. Ele, da Inglaterra. Ia ser um desastre.

Ele passou um corretor ortográfico pelo e-mail e, com uma sensação de tremedeira, entusiasmo e frio na barriga, clicou em "enviar". Na sua imaginação, ele viu a mulher alta de nariz aquilino sentada num calmo escritório de sua bastante imponente casa. Ela usava uma blusa branca engomada, de gola virada, e remexia com os dedos num cordão de pérolas que tinha no pescoço. Ele a viu clicar no e-mail para abri-lo e a viu lendo, com um sorrisinho brincando nos lábios. Tentou imaginar o que estaria se passando pela cabeça dela enquanto lia suas palavras, se estaria tão nervosa quanto ele, ou se não estaria sentindo nada além de frio desdém por esse palerma quase iletrado de Deptford.

— Bom, querido — disse sua mãe, já com as sandálias azuis e os braços cobertos por um cardigã branco justo de botões prateados —, estou indo.

Ela cheirava a alguma coisa que ele nunca sentira antes. Inicialmente, achou que fosse perfume, mas depois se deu conta de que era outra coisa; ardor, vibração, nervos.

— Tudo bem? — ele perguntou, virando-se para ela.

— Claro que sim — devolveu ela, animada.

— E esse cara... ele é legal, não é?

— Ele é ótimo, Dean. Mesmo.

— E vocês vão se encontrar em público, certo?

— Sim. É só o nosso segundo encontro. Por favor, o que pensa que eu sou? — Ela riu e apertou-lhe os ombros. — E você, vai ficar bem?

Ele se virou para o monitor.

— Sim, fique tranquila.

Ela sorriu para ele com carinho.

— Ah, Dean...

Ele olhou para ela e ficou um pouco assustado ao vê-la comovida.

— Nunca pensei nisso tudo. Nunca pensei no impacto disso em você... Sinto-me muito mal.

— Como assim?

— Isso aí... — ela fez um gesto indicando o documento na tela do computador. — Ver você atravessar tudo isso. Deve estar tão assustado. E é tudo culpa minha.

Dean olhou para a mãe com afeto.

— Do que está falando? — Ele riu.

— É que — suspirou ela — vinte e dois anos atrás eu tomei uma decisão completamente egoísta, e agora é você quem está pagando o preço disso.

Dean riu de novo.

— Sinceramente, mãe, está tudo bem.

Ela o encarou intensamente.

— Mesmo? — perguntou. — Está bem mesmo? Porque, pra falar a verdade, Dean, na maior parte do tempo, sinto-me muito culpada.

Dean olhou sua mãe, soltando o ar.

— Sinceramente. Eu coloquei você no mundo, e, até onde posso ver, isso não fez bem nenhum a você. E aí fico pensando, sei lá, tendo feito o que fiz, para ter você, devia ter me esforçado mais, dado-lhe mais oportunidades, então, talvez... ah, sei lá... Parece que fiz tudo errado.

Dean suspirou de novo e então segurou as mãos da mãe nas suas. Estavam úmidas e macias.

— Mãe, eu adoro você, tá bom? Amo você e estou feliz por ter feito o que fez. Gosto de viver. E isso — ele indicou a tela —, isso é bom. Tá? Vai ser ótimo. Faz parte da vida, não é? Da vida que me deu.

Sua mãe sorriu agradecida, apertando as mãos dele.

— Ter você foi a melhor coisa que já me aconteceu — disse ela. — De verdade. Mesmo. E tenho tanto orgulho de você. — Ela se inclinou e o beijou no rosto. Depois, afastou-se, apreciando-o com amor.

— Estou feliz que esteja de volta — confessou depois de um momento. — Não gostava de você sozinho naquele lugar. Completamente sozinho. Com todas as lembranças. Fique aqui quanto tempo quiser, tá bom?

Ela se inclinou para abraçá-lo, e ele a abraçou também. Sua mãe querida. A melhor mulher do mundo. Ele a ficou observando ao sair, os quadris largos retesando o tecido do vestido, os tornozelos grossos inadequados nas sandálias, indo para o segundo encontro com um homem chamado Alan. De repente, sentiu o coração se apertar por ela, e sorriu debilmente. Esperou até ouvir a porta da frente se fechando atrás dela, e então foi até o quintal dos fundos fazer um baseado. Fumou-o devagar e profundamente, soltando a fumaça para o mundo, imaginando que ela cruzava o céu de Londres, de sul a norte, como uma oferenda num cachimbo da paz, e atravessava as janelas estreitas e altas de uma casa estreita e alta até os cômodos particulares de uma dona chamada Lydia Pike.

Maggie

Maggie convidou sua amiga Jeannie para jantar na noite seguinte. Ela a convidou por três motivos: primeiro, porque queria uma pedicure; segundo, porque Matilda, sua neta de 18 meses, ia passar a noite com ela e, ainda que Maggie tivesse dado à luz dois filhos e os criado sozinha, ela se sentia um tanto amarrada quando ficava com uma criança que não tinha visto nascer diretamente. Em terceiro lugar, e principalmente, porque queria a ajuda dela para registrar Daniel no tal site de doadores. Tinha dado uma rápida olhada nele na noite anterior ao chegar do apartamento dele, e logo saíra. Tudo lhe pareceu bastante enrolado, e ela não soube por onde começar na hora de relacionar as informações da pasta de Daniel com os dados necessários para o formulário.

Eram sete e meia, e Jeannie estava no andar de cima com Matilda, tendo se oferecido para ler uma historinha enquanto Maggie preparava o jantar. Maggie ouvia Matilda lá em cima, correndo de um lado para outro, com gritos agudos de excitação, e percebeu que Jeannie tinha caído na velha armadilha do livro: na tentativa de ser carinhosa com uma criança pequena fazendo-a rir, acabara estimulando um ciclo interminável que resultava, em geral, em histeria e, logo em seguida, em lágrimas. Maggie ergueu as sobrancelhas e sorriu. Era gostoso sentir a casa viva. Ela gostava de morar sozinha, mas era em momentos como aquele que se lembrava como era quando a casa estava cheia de vida de outras pessoas.

Na parte lateral da lareira, havia uma caçarola de *coq au vin*, embora Maggie considerasse um pouco antiquado chamá-lo assim agora; frango ensopado lhe parecia mais adequado. No balcão da cozinha, ela arrumou as verduras numa tigelinha branca (tinha se livrado das coisas estampadas quando o marido se mudou, substituindo-as por coisas grandes e brancas, como as usadas nos bares chiques). Abriu um vidro de molho francês e depois fatiou um pão francês grosso, conhecido como "rustique". Colocou na mesa uma toalha de bolinhas vibrantes e arrumou com mais pratos brancos e guardanapos de papel de bolinhas para combinar.

Já tinha aberto uma garrafa de vinho. Era um vinho recomendado por Daniel havia muitos meses, francês, naturalmente, e ela se apegara a ele menos pelo vinho em si do que pela lembrança de uma charmosa noite enluarada num bistrô em Aldeburgh, regada a peixe com erva-doce, velas vermelhas tremeluzentes e uma refrescante caminhada até o carro por ruas de pedra, acompanhada do som das gaivotas que voejavam no ar ao escurecer.

Tinha passado três horas na casa de repouso hoje. Daniel suavemente relaxado, com a fisionomia tranquila, numa espécie de sorriso conciso a maior parte do tempo de sua visita. Maggie gostava de imaginar que isso em parte pudesse ser inspirado pela presença dela, pelo encanto tranquilizador de sua conversa comedida, mas sabia que na realidade era efeito dos remédios. Ele não quis falar de nada sério, e ela se sentiu insegura para trazer à tona o assunto do Registro de Parentes de Doadores devido ao estado dele. As enfermeiras estavam contentes com seu estado. Tinha estabilizado, diziam. O que lhe trazia à mente a imagem de um carro acelerado brecando a poucos metros de um rochedo íngreme, e então ficando ali com o motor ligado, o motorista tamborilando os dedos na direção antes de enfiar o pé no acelerador novamente e se jogar lá embaixo. Isso era o que ela podia esperar de melhor: um motor ligado. Só esperava que o motor de Daniel continuasse ligado tempo suficiente para que ela entrasse em contato com pelo menos um dos seus filhos perdidos.

Jeannie por fim desceu, meia hora depois. Estava corada e tinha o cabelo ondulado em desalinho. Pegou a taça de vinho no balcão da cozinha e a encheu até a boca.

— Imagine, e eu achando que estava pronta para ser avó. — Ela riu.

Maggie riu também.

— Cansativo, não é? Especialmente na nossa idade. Não sei como essas mães mais velhas fazem isso, sabe, essas que agora têm bebês aos quarenta. É coisa para mulher jovem, na minha opinião.

— Coisa de mulher bem jovem — concordou Jeannie. — Saúde. — Ela ergueu a taça na direção de Maggie. — À idade e sem crianças!

— Ah, sim, isso mesmo. — Maggie sorriu e bateu a taça na de Jeannie. — E saúde a você também. Obrigada por vir. E muito obrigada pelas lindas unhas do pé.

— É sempre um prazer fazer os seus pés, senhora Smith. Os mais bonitos que conheço.

As duas mulheres se sentaram e desfrutaram de uma refeição agradável com ensopado e pão, tendo os sons de Matilda — através da babá eletrônica — dormindo profundamente como acompanhamento da suave conversa. Falaram de Daniel, falaram de seus filhos, falaram das férias na Itália que Jeannie ia passar com o novo namorado. Depois do jantar, levaram as taças de vinho pela metade até a sala e se acomodaram diante do laptop, presente de seu filho no Natal.

Na mesa diante delas estava a papelada de Daniel, arrumada numa pilha de acordo com a importância. Maggie tinha separado as coisas bem pessoais, as fotos e coisas assim. Não eram para os olhos de Jeannie. Apenas para os filhos dele. E então as duas amigas juntas preencheram o formulário que deveria ter sido preenchido pelo homem que se apagava aos poucos numa enorme cama branca, num predinho moderno, a poucos quilômetros de onde estavam.

Jeannie foi embora às 11 horas, e Maggie andou pela casa pequena e arrumada, apagando as luzes, ajeitando a escrivaninha, fechando as cortinas das janelas da sala. Sempre achava essa hora da noite inquietante. As árvores do lado de fora formavam cabeleiras e membros na brisa sombria da noite, e as pessoas que passavam pela janela a caminho de casa pareciam assustadas e com pressa. O coração de Maggie sempre se acelerava um pouco mais ao puxar as cortinas, em algum eco primitivo do içar de pontes, do correr das escotilhas, do trancafiar de portões. As celas não tinham janelas. Úteros não têm janelas. E janelas são apenas buracos em uma casa.

Ela subiu as escadas em silêncio e entrou na ponta dos pés no quarto de hóspedes, onde sua neta dormia. Ela estava virada ao contrário no berço. Ou Jeannie a colocara do lado errado ou ela tinha feito um giro. Estava vestida com um macacãozinho vermelho. Libby, a filha de

Maggie, não gostava de rosa; tinha na verdade objeções bastante fortes à cor rosa e à lavagem cerebral para que as menininhas adorassem o altar decorado de rosa. Maggie não entendia direito por que isso a exasperava tanto. Era só uma cor.

Matilda tinha os cabelos em ondas castanho-avermelhadas, da mesmíssima cor do cabelo de Libby, e seu rosto parecia um tijolinho rechonchudo com dois imensos olhos verdes, como os do pai, e uma boquinha rosa que aparentemente tinha algo a ver com a bisavó paterna. Com os punhos enroscados na orelha, ali estava ela, esse amálgama vivo de uma centena de pessoas diferentes, que tiveram todas elas em algum ponto da vida uma noite de paixão com alguém e fizeram mais um, num ciclo sempre crescente, para fora e adiante, uma força ininterrupta de humanidade que extrapola a si mesma milênios afora. Até chegar aqui, numa pequena casa na atrasada Bury St Edmunds, e ser refinada em uma perfeita e cremosa pérola — Matilda.

De certo modo, o que Daniel tinha feito, em um potinho na Wigmore Street anos antes, e o que essas mulheres misteriosas que usaram o esperma dele tinham feito, tinha subvertido a ordem natural das coisas. Talvez houvesse um padrão definido para essas coisas, uma vasta dança humana, se preferir; pegue a mão de seu parceiro e depois faça um filho, pegue esse filho pela mão e faça outro, e assim por diante, *ad infinitum*. Quando foi que a doação anônima de esperma se encaixou nessa dança? Talvez o que Maggie tenha provocado esta noite seja uma reorquestração da dança, uma junção dos pontos, uma normalização de algo distintamente não natural.

Maggie puxou a coberta de Matilda até o peito, resistindo à tentação de acariciar sua bochecha. Em vez disso, soprou-lhe um beijo silencioso e saiu do quarto, na direção do banheiro. Pensou nas quatro crianças que Daniel tinha ajudado a gerar, deitadas na cama aquela noite, em lugares desconhecidos. Esperava que estivessem tão seguros e felizes quanto sua pequena Matilda. Esperava que suas mães os amassem tanto quanto Libby amava Matilda. Esperava que tivessem tido pais, talvez, ou avós que lhes tivessem mostrado fotos de seus ancestrais, de homens e mulheres de rosto comprido em roupas desajeitadas, de criancinhas em terninhos de marinheiro ou de jovens sujos de fuligem em casas de operários. Esperava que soubessem quem eram e de onde tinham vindo. Esperava que encontrar Daniel fosse apenas o coroamento de uma existência perfeita e não o último degrau de um longo e doloroso percurso para o autoconhecimento. Ela tinha dado início a um processo em seu computador, um processo que poderia terminar em qualquer lugar. Tinha aberto a caixa de Pandora.

Feliz, diante do espelho do banheiro, Maggie limpou a base do rosto e o delineador safira. Havia seis meses não fazia uma limpeza de pele. O botox e os preenchedores havia muito tinham sumido, e sua pele estava pálida e ressecada. Ela tirou a maquiagem rapidamente e com eficiência, tentando não olhar muito para a mulher um pouco envelhecida e solitária do espelho.

Alguns dias depois, Maggie tomou o rumo da casa de repouso com um envelope que tinha chegado pela manhã. Que coisa estranha, era um serviço de entrega especial, e ela teve que assinar seu nome na telinha do computador do motorista. Que coisa estranha mesmo!

Prendeu o fôlego ao abrir a porta do quarto de Daniel. Precisava que ele estivesse bem hoje. Precisava que estivesse normal.

— Bom dia, bonitão — disse, inclinando-se para beijá-lo no rosto. Por alguma estranha razão, quanto menos bonito ele ficava, mais à vontade ela se sentia para sugerir que fosse. — Trouxe torrones e umas tangerinas. Pronto. — Ela esvaziou a sacola na bandeja, e descascou uma tangerina para ele. — Como está hoje? — perguntou, de um jeito bondoso.

— Estou me sentindo bem jovem e bobo — disse ele. — Se não fosse pelo fato de estar grudado a esta cama, eu iria fazer algo inconsequente.

— Ah, é? — Sentou-se, alisando antes a saia. — Como o quê?

— Não sei, Maggie May, talvez pegá-la nos braços e beijá-la na boca.

Maggie ficou vermelha e olhou para ele, surpresa.

— Ah...

— Nunca te beijei, não é, Maggie? Todas aquelas noites agradáveis juntos, e eu nunca te beijei. E agora é tarde demais. Sou um tonto. — Ele sorriu e depois deu uns tapinhas na cama, indicando o seu lado.

Maggie saiu da cadeira para a cama dele, sorrindo com hesitação.

— Não sei o que dizer.

Ele segurou as mãos dela e as apertou.

— Não espero que diga nada. Mas quero que saiba o seguinte: se tivesse tempo de novo, eu a teria beijado naquela noite, lembra, em Aldeburgh?

Maggie sorriu.

— Como poderia esquecer?

— O clima estava tão quente, e você estava com um vestido branco lindo...

— Amarelo. Amarelo-claro...

— Sim, isso mesmo, um vestido amarelo com o cabelo preso para trás. E sua pele estava bronzeada e macia, tive vontade de devorá-la.

Maggie levou a outra mão ao peito, e olhou para ele, divertida e espantada.

— Bem — ela começou a falar —, nossa. Não tinha ideia.

— Não, claro, como teria? Eu fui... muito lento. Muito frio. Achei que minha vida não tinha mais chance. Achei que, se te beijasse, você iria vomitar.

Ela riu. Queria dizer tanta coisa, mas nada chegou aos seus lábios. Em vez disso, disse:

— Que bobagem!

— Não, não é bobagem. Você é uma mulher requintada. Sou um homem avariado. Não queria despejar essa avaria em você. Então mantive distância. Mas agora, bem, a ironia, não posso machucá-la mais porque não vou estar aqui tempo suficiente para isso, mas estou nojento e decadente demais para pegá-la nos braços e fazer as coisas que gostaria. — Ele suspirou e sorriu.

Maggie apertou-lhe a mão e voltou à sua cadeira. Sentia-se comovida com as palavras dele, mas também inquieta. Ele tinha alterado todo o feitio e o sabor de sua vida no último ano. Ela tinha achado que era ela quem estava à espreita, esperando para ser considerada atraente pelo homem que desejava. E durante esse tempo todo ele a desejara também. Como as coisas podiam ter sido diferentes. Mas também muito mais dramáticas.

— Bem — ela acabou dizendo —, devo dizer que, se você tivesse me tomado nos braços em qualquer momento do ano passado, Daniel, eu não o teria afastado.

— Eu sei, Maggie, eu sei. E isso é que torna tudo pior.

— Mas, obrigada — continuou ela —, obrigada por me contar como se sentia. Vai ajudar... — Ela fez uma pausa. Terminou a frase silenciosamente na sua cabeça. *Vai ajudar quando você tiver morrido*.

— Bem, pode ajudar você, mas não vai servir de nada para mim! — Daniel riu, e a gargalhada se transformou em tosse. Ele se ergueu do travesseiro e tossiu na mão fechada. Maggie lhe deu um copo de água. — Ah, Maggie — disse ele, ao se recuperar. — Que homem idiota. Que vida idiota. Que tonto eu fui, sempre.

— Não — disse ela, gentilmente —, fez o melhor que pôde. É o que todos fazemos. Dia após dia. Só o melhor que podemos. Além disso — ela parou, tendo encontrado finalmente o momento certo para se referir ao envelope em sua bolsa —, você fez mais do que muitos.

— É mesmo?

— Sim. Foi doador. Ajudou quatro mulheres a serem mães. Deu o dom da vida.

Daniel sorriu.

— É verdade, suponho. Embora não tenha ideia de que forma essa vida tomou. Esses filhos podem ser estupradores terroristas.

— Bom, acho pouco provável. — A piada era um tanto sombria para seu gosto. — Mas me pediram que fizesse uma coisa. O Registro de Parentes de Doadores. Precisam testar o seu DNA. Enviaram um pequeno kit. — Ela pegou a bolsa e tirou de lá o envelope marrom. — Veja, é bem simples. Só preciso esfregar esse palitinho na sua bochecha, depois enfiar isso aqui e enviar de volta.

Ele olhou para o kit com um interesse divertido.

— Oh, minha nossa, agora sou eu que tenho que fazer o teste de paternidade! — exclamou e riu um pouco.

— Fica contente em fazer isso? — perguntou ela.

— Sim, acho que sim.

— Também precisam de sua certidão de nascimento — continuou ela. — Eu a encontrei no apartamento. Ah, e um comprovante de residência, uma conta. Vou fazer um envio registrado. Mais seguro.

Ele riu de novo.

— Então, acaba dando nisso. Comprovantes e burocracia. Por fim, tudo na vida acaba em alguma papelada. — Ele suspirou.

— Não precisamos fazer isso; você pode mudar de ideia.

— Não, não, não! — disse ele, num tom mais alto do que ela achou que ele ainda alcançasse. — Não. Preciso fazer isso. E quanto antes, melhor. Não posso pegá-la nos braços e arrebatá-la, mas consigo fazer esse negócio. — Ele sorriu. — Pronto. Pegue o meu DNA. Esfregue o palitinho. Estou pronto.

Ele abriu os lábios secos e rachados e mostrou a ela o interior rosado e úmido das bochechas.

Lydia

Afinal, Lydia via que os longos e cavernosos dias de inverno começavam a ficar para trás. Pela janela do escritório, via um céu azulado e limpo e sentia que o sol da tarde esquentava o tapete sob seus pés. Queenie sentava-se bem no meio dele, como se aquela poça de luz solar havia muito esperada só pertencesse a ela. De pernas esticadas, Lydia olhava com desânimo para seus pés. Estavam com um tom meio opaco e esbranquiçado, e as unhas dos pés, matizadas de amarelo. Precisava fazer o pé. Agora que estava dividindo a casa com outro ser humano, isso era essencial. Como poderia mostrar essa massa de carne e osso a outro ser humano? Já tinha investido em pijamas novos. Não pijamas sensuais. A última coisa que tentaria ser às sete da manhã seria sensual. Mas pijamas elegantes. Elegantes e um pouco diferentes. Pijamas que insinuavam cabelos jogados para trás, óculos de leitura e uma boa literatura na cabeceira.

Lydia suspirou. Bendiks tinha se mudado havia quatro dias. Chegou com três malas muito bonitas, uma delas parecendo ser uma Louis Vuitton verdadeira. Desfez as malas silenciosamente no quarto e apareceu às seis horas todo bem-vestido e cheirando a loção cara, depois não voltou até uma hora qualquer da manhã seguinte. Ela o tinha ouvido na casa desde então, a porta dele fechando e abrindo de vez em quando. E ela tinha ficado por um breve instante junto da porta do quarto dele no primeiro dia, com os nós dos dedos suspensos, acalmando-se para lhe perguntar como estava e se precisava de alguma coisa, mas tinha ficado nervosa e então recuou, silenciosamente, na direção do próprio quarto. E depois, achando por engano que ele já tinha saído para o trabalho, topou com ele na manhã do dia anterior, quando usava um dos seus pijamas novos e com uma cara completamente medonha. Tinha dormido tanto que seu rosto parecia uma esponja. Sobressaltou-se ao vê-lo, imaculado, renovado e de saída. Ele lhe deu um sorriso largo, dizendo: "Bom dia, Lydia! Até que enfim vejo você! Estava começando a achar que tinha se mudado!".

"Oh, não!", respondeu ela, animada demais. "Sempre aqui. Por aí, sabe? Trabalhando. Esse tipo de coisa. Está tudo bem?"

"Sim", respondeu ele, de um jeito simples, "está tudo bem. Vejo você mais tarde, tá bom?"

"Ok!", balbuciou ela.

Ela estava sempre suscetível.

A essa suscetibilidade juntou-se uma batida gentil à porta. Ela se sobressaltou.

— Lydia — veio um sussurro masculino —, sou eu. Posso entrar?

Ela rapidamente enfiou os pés feios embaixo da cadeira e pegou uma papelada.

— Sim! — disse ela, num estranho tom de voz agudo. — Entre!

E ali estava ele, numa camiseta simples e num jeans obviamente heterossexual, o cabelo desarrumado e em torvelinho como o pelo de um porquinho-da-índia, os pés descalços macios e bronzeados.

— Oi — disse ele.

— Oi.

— É uma boa hora?

Ela olhou para a escrivaninha, meio à toa, e depois para Bendiks de novo, encolheu os ombros e disse:

— Sim. Tudo bem.

— Ótimo. Posso entrar?

— Hã... — Ela deu uma olhada para o escritório, procurando por itens desgarrados — roupas de baixo, comida já estragada ou um punhado de meias de ginástica ou qualquer coisa que pudesse dar uma indicação de desleixo ou maluquice. Não encontrando nada, ela voltou a olhar para Bendiks, dizendo: — Sim, claro, entre.

Ele entrou e logo se sentou na poltrona de couro do canto, colocando os pés no assento. Ela olhou para eles por um momento, tentando não deixar que nenhum som estranho de vontade ou desejo escapasse de seus lábios.

— Então — ele começou a falar, correndo as mãos pelo braço da poltrona de um jeito que parecia de propósito para alimentar a imaginação dela. — Só queria dizer "oi". Mal vi você. É um pouco estranho estar morando aqui na sua casa e nunca ver a sua cara.

— É, eu sei — concordou ela. — É que, bem, acho que nunca saio muito. Por causa do trabalho e porque Juliette faz todas as compras e... — Ela foi parando de falar à medida que acabavam as razões normais para raramente sair de casa e começavam a aparecer as esquisitas, como o fato de ela não ter amigos nem família, nem passatempos nem interesses.

— Está certo. — Ele sorriu, cruzando os braços no peito. — Porque eu estava começando a achar que você estava me evitando.

— Oh, não. Não, não, não, não. De jeito nenhum. Sou assim sempre. Como uma ermitã. Fechada no escritório, sabe? Não é nada pessoal, eu garanto.

— Ótimo. — Ele sorriu de novo, e depois se inclinou para a frente, avaliando-a de modo tão franco com os olhos castanhos que ela se sentiu corando. — Porque sou tão agradecido a você por tudo, e detestaria se incomodasse por estar aqui.

— Não está! De verdade! É bom ter você aqui.

Ele a fitou, zombeteiro, obviamente não convencido.

— Bem — disse, esfregando o queixo e sorrindo para ela —, tudo bem, então. Mas você é uma mulher muito difícil de entender. É impossível saber no que está pensando.

Lydia sorriu, em parte aliviada. Era uma bênção, achou ela, que Bendiks não conseguisse saber o que ela estava pensando, já que, quando estava na companhia dele, ficava imaginando-o em cima dela a maior parte do tempo.

— Então — ele ajeitou os pés —, como está você? Como vão as coisas?

— Tudo indo. Eu vou... hã — ela lhe sorriu, quase pedindo desculpas, como se fosse dar más notícias —, eu vou me encontrar com meu irmão esta tarde!

— Não diga!

— Sim! Ele entrou em contato! Semana passada! E vamos nos encontrar esta tarde, para um drinque.

— Ah, meu Deus, mas isso... isso é maravilhoso. Você deve estar feliz.

Lydia considerou um instante as palavras ditas por ele. Não lhe ocorreu se sentir feliz. Só tinha sentido medo misturado com certo entusiasmo. O nome de seu irmão era Dean. Ele escrevera um e-mail muito gentil na semana anterior. Gentil, mas não muito inspirador. Ela não sabia muito o que esperar. Era provável que fosse irreal imaginar que essas pessoas fossem particularmente interessantes só porque eram seus irmãos genéticos. Por outro lado, pensava, um monte de gente não se expressava muito bem com palavras. Talvez, quando o encontrasse, ela ficasse agradavelmente surpresa. Ela esperava que sim.

— Então — disse Bendiks —, a que horas vai sair?

Ela olhou para o relógio na tela do computador.

— Daqui a uns quarenta e cinco minutos — respondeu ela.

— Minha nossa. — Ele se ergueu de um pulo. — Vou deixá-la sozinha, então, para ficar pronta. Se preparar.

— Oh, não, sinceramente. Você não precisa...

— Bom, na verdade, vou sair agora também — disse ele — para encontrar um cliente. Só vou tomar uma ducha antes. Mas, escute... Puxa, boa sorte na sua tarde. Vou pensar em você. E vou mandar uma mensagem. A que horas vai se encontrar com ele?

— Cinco e meia.

— Ótimo. Então vou lhe mandar uma mensagem exatamente às cinco e quarenta e cinco. Se não gostar desse rapaz, se quiser voltar pra casa, diga a ele que é uma emergência e precisa ir embora. Combinado? Mas, se estiver feliz, por favor, responda, quero saber.

Lydia sorriu. Ficou comovida pelo instinto de proteção dele.

— Obrigada, Bendiks, é muita gentileza sua. Eu faço isso, prometo.

— Como está se sentindo?

— Aflita — respondeu ela.

Ele sorriu.

— Imagino. Eu me sinto aflito também, e nem sou eu quem vai encontrar esse irmão novinho em folha. — Ele sorriu, enfiou as mãos nos bolsos e virou-se para sair. — Boa sorte, Lydia — disse —, é maravilhoso isso que está acontecendo com você.

E se foi, e Lydia lentamente desenroscou os pés de debaixo da cadeira e respirou fundo. Ficou em suspenso, esperando até ouvi-lo sair do quarto, dez minutos depois, e depois a porta da frente bateu, ela desceu correndo um lance de escadas até o seu quarto para vê-lo pela janela. Ele estava com uma jaqueta jeans (gay?) e calça branca de ginástica (mais gay?) e levava a bolsa de ginástica no ombro. Estava falando com alguém ao celular, e ria. Virou a esquina, e Lydia deixou-se cair de costas na cama.

Comeu um sanduíche, só para o caso de ser o tipo de noite que demandaria um estômago forrado, tomou uma ducha, trocou de roupa e escovou os dentes, tentando ignorar a sensação de frio no estômago e o nó nas entranhas. Já tinha resolvido o que usar. Jeans. Jeans comuns. E uma blusa de manga comprida de jersey preto e sandálias de salto anabela. Penteou o cabelo escuro, passou um pouco de rímel e um pouquinho de brilho, e olhou-se no espelho um pouco mais, até que seu rosto pareceu deformado e ruim, longe do tipo de rosto para aparecer diante de um rapaz de 21 anos que, por acaso, era seu irmão. As fronteiras de seu mundo se tornavam cada vez mais vagas à medida que revia essas tramas comuns. Sentia que a normalidade se afastava dela, como um sonho dissimulado. Porém, não lhe ocorreu em nenhum momento que não iria. Sim, iria. Essa era praticamente a única coisa verdadeira nisso tudo.

Às 4h50, saiu de casa e foi até o metrô. Ia se encontrar com Dean num bar no Hotel London Bridge, um lugar agradável, de aparência leve, que tinha descoberto na Internet ao se informar que era ali que o trem dos subúrbios o deixaria. Dean morava em Deptford. Sendo relativamente nova em Londres, Lydia não sabia muito bem onde Deptford ficava, mas achava que havia um toque rústico relacionado ao lugar. Em comparação, por exemplo, com o som de uma palavra como Chelsea, já lhe trazia à mente torres de tijolinhos e linhas ferroviárias.

Ela chegou ao Borough Bar exatamente às 5h30 e esquadrinhou o lugar. Dean não conseguiu lhe enviar por e-mail uma foto dele, pois parece que não tinha uma máquina digital e seu celular era sem câmera, mas descrevera a si mesmo como alto e magro, com cabelo castanho curto. Lydia concluiu que não havia ninguém no salão que pudesse ser ele, então foi até o balcão e pediu um gim com tônica grande. Levou a bebida para uma mesinha posicionada perto da janela, de modo que pudesse enxergar a chegada dele pela rua, e, ao colocar o copo sobre a mesa e estar prestes a se sentar, ela o viu.

Ele parecia um lêmure que crescera demais, magro e esguio com a cara cheia de olhos. Ele correu o salão com aqueles olhos grandes e assustados, as mãos na ponta de braços compridos enfiadas nos bolsos de uma jaqueta fina de algodão, as pernas compridas numa calça de brim grande demais, uma argolinha de prata na orelha esquerda, pés grandes em tênis azuis e uma sacola na dobra do braço. Tinha o rosto de uma estrela do rock dos anos 1960, todo cheio de lábios, olhos, bochechas e crânio, e o corpo era tão magrelo que podia muito bem não passar de músculos e ossos. Parecia malnutrido e encolhido, porém, por trás das roupas baratas e da atitude oprimida, ele tinha inegavelmente uma beleza etérea.

Ele a viu e sorriu. Tirou uma das mãos do bolso e acenou, numa saudação constrangida. Ela também ergueu a dela e devolveu-lhe o sorriso.

— Dean — disse ela quando ele se aproximou. Ela se levantou e estendeu a mão, como se ele fosse um estudante procurando estágio e não sangue do seu sangue.

— Prazer em conhecê-la.

A mão dele estava pegajosa e o rosto, amedrontado.

Ele está mais nervoso do que eu, pensou Lydia.

Mas viu as feições dele se suavizarem ao olhar para ela.

— Você tem o meu nariz — disse ele, e ela percebeu um tom de deleite infantil na sua voz. — Olhe. — Ele se virou para lhe mostrar o perfil. — Não acha? É o mesmo.

Era.

Ela se virou de lado também, e ele avaliou o nariz dela e sorriu.

— É — ele sorriu —, é. Eu meio que estava esperando que houvesse alguma coisa, sabe, alguma coisa parecida. Só para eu sentir que isso não era só...

— Um encontro com uma total estranha — completou ela.

— É. — Ele sorriu e se sentou.

— Vou pedir uma bebida para você — disse Lydia. — O que quer?

— Ah, tá bom. O que você está bebendo? — Ele apontou o copo dela.

— Gim e tônica — respondeu ela.

— Tá. Vou experimentar. Obrigado.

Lydia trouxe a bebida, e Dean a pegou com as duas mãos esticadas como uma criancinha pegando o copo de suco.

Ela o observou tirando a jaqueta e revelando uma camisa. Camisa especialmente para impressioná-la, ela não pôde deixar de pensar.

Ele levou o copo à boca e tomou um golinho. Fez uma careta. Ela ergueu o copo no ar.

— Um brinde? — sugeriu.

— É, por que não?

— A nós.

— A nós — concordou ele, e eles bateram os copos. Bebidas iguais, narizes iguais.

— Mal pude acreditar quando a vi lá — disse ele. — Preciso ser sincero com você: eu estava completamente bêbado quando me registrei.

— Eu também. — Lydia sorriu.

— É mesmo?

— Bom, na verdade, não. Eu estava bêbada da primeira vez que fui me registrar, mas não fui adiante.

Ele assentiu, compreendendo.

— Nem me lembro de ter feito isso.

— Uau!

— É, sabe como é. Por sorte, a pessoa que estava comigo se lembrava.

— É bem impressionante então que tenha se lembrado de todos aqueles detalhes.

Ele deu uma batidinha na cabeça com a ponta do dedo.

— Está tudo aqui. Número do doador. Clínica. Endereço da clínica. Ficou aqui por três anos.

— Foi quando descobriu?

— É. Quando fiz dezoito. Minha mãe me contou. E você?

— Três meses atrás.

— Tá brincando? — As sobrancelhas grossas dele se juntaram. — Tão tarde assim, hein?

— Sim. Vivi num estado de inocente ignorância até então.

— Então, o quê?

Ela encolheu os ombros, e depois o apreciou com os olhos bem atentos.

— Recebi uma carta anônima. Bem, nem mesmo uma carta. Uma papelada apenas. Da clínica. E um artigo sobre o Registro de Parentes de Doadores.

Os olhos dele se arregalaram com compaixão.

— Céus! E você não tem ideia de quem mandou?

— Não muito. Tudo que sei é que é de alguém do País de Gales. Alguém da família. Que pode ser qualquer um, acho. Minha mãe e meu pai estão ambos mortos, e eu perdi totalmente o contato com todos os meus parentes. Não sei se vou descobrir quem foi. Mas tenho minhas suspeitas.

— Ah, é?

— Sim, meu tio Rod. O irmão do meu pai. Era muito chegado a minha mãe e meu pai. Se alguém sabia disso, esse alguém deve ser ele.

— E seu pai? Ele sabia?

— Não sei. Ele nunca me contou que sabia, mas, quando relembro as coisas, acho que obviamente sabia.

Dean balançou a cabeça devagar de um lado para o outro, incrédulo.

— E eu pensando que a minha vida era fodida.

Lydia lhe sorriu. Claro que a vida dele era ferrada. Dava para dizer só de olhar para ele que a vida dele era uma tremenda confusão. Mas, por enquanto, ele parecia gentil e delicado, e Lydia podia dizer que ele estava gostando da sua companhia, e que aquela experiência estava sendo melhor do que ele tinha imaginado ou esperado. Ela também sentia a mesma coisa. Assim que ele se virou de perfil para lhe mostrar o nariz, ela se sentiu bem. Quanto mais olhava para ele, quanto mais partilhava com ele, mais relaxada e à vontade se sentia, não só em relação a esse encontro, mas em relação a si mesma. Dean era ela, dez anos antes: magro demais, pessimamente vestido, curvado e pedindo desculpas por existir. Aí, ela sentiu — *tuck*... — outra pecinha do quebra-cabeça se encaixando. Uma sensação esmagadora a envolveu, tirando-lhe o fôlego. Era nova e notável, e era algo que tinha esperado a vida toda para sentir.

Sentiu-se *maternal*.

Ali estava finalmente, pela primeira vez desde que seu cachorro morrera, um sentimento de amor e afeição. Queria tocar aquele menino. Queria abraçá-lo. Queria segurá-lo no colo e protegê-lo.

Ela terminou o gim, e Dean terminou o dele, e então ele foi buscar mais um. Ela o observou no balcão do bar. Era um tipo patético. Patético e bonito. Sorriu afetuosamente por trás dele. *Seu irmão*. Seu irmãozinho.

Trouxe outro gim e tônica para Lydia, e uma caneca de cerveja para ele. Não o deixaria pagar outra rodada. Ele obviamente estava duro. Lembrava-se muito bem da dolorosa sensação que tinha ao pagar bebidas em bares quando não tinha dinheiro. Lembrava-se dos dias de puxar uma nota solitária de dez libras de um buraco na parede, de espremer o saldo até a última gota, e de emprestar umas notas amassadas dos amigos. Lembrava-se disso como se fosse ontem. Afinal, ela tinha sido pobre por mais tempo do que era rica.

— Então, o que o levou a decidir seguir adiante com isso? — perguntou ela. — Quero dizer, sei que se registrou quando estava bêbado, mas depois, quando teve que fazer o teste e tudo o mais. Qual foi a motivação?

Viu alguma coisa passar pelos olhos dele. Parecia dor.

— Ah, Deus — disse ele, sorrindo de modo apologético. — Não sei por onde começar. Foi... Merda. — Ela o observou lutando com as palavras. — Três meses atrás, eu estava morando com minha namorada e ela ia ter um bebê. Aí ela entrou em trabalho de parto antes do tempo, começou a perder sangue e, de repente, ela, bem, ela morreu. — Ele suspirou num lamento.

Lydia sentiu suas entranhas se retorcerem num nó.

— E o bebê? — sussurrou ela.

— O bebê está bem — disse ele. — O bebê está ótimo. Ela ficou no hospital por dez semanas, sabe, até dar o tempo dela.

— E onde ela está agora?

— Com a mãe da minha namorada. É. — Ele tamborilou a caneca com dedos embotados.

Lydia ficou sem palavras.

— Meu Deus — suspirou, por fim. — É... Nem sei como você deve estar se sentindo. Você é *tão jovem*.

— É, bom, a gente faz merda. Todo mundo faz. Talvez eu só tenha feito mais cedo. E faz parte disso tudo. — Ele fez um gesto indicando Lydia e ele mesmo. — Tudo *dançou*, entende? O meu apartamento.

A minha namorada. O meu emprego. O meu futuro. Até minha mãe, um pouco. Ela estava se acostumando a não me ter por perto, fazendo as coisas dela, saindo e tal. Tudo dançou ou está dançando, e eu quis começar alguma coisa, sabe? E assim que vi essas pessoas... você, a outra menina, a mais nova... sei lá, parecia ser *o próximo passo*. Não que eu não estivesse me borrando de medo por causa disso. Estou sem comer desde ontem, sabe? Mas ficava pensando... — Ele fez uma pausa. — Tinha muito medo de que você fosse...

— O quê? Uma vaca?

Ele riu.

— Não, não uma vaca. Só pensei que você pudesse ser um pouco... esnobe. Tinha imaginado você, com pérolas e tal.

Lydia riu bem alto.

— Nunca usei pérolas na vida! — disse ela.

— É, bom... — Ele sorriu. — Agora eu vejo isso.

O celular de Lydia fez um barulhinho de gorjeio, e ela o tirou da bolsa, sorrindo de modo apologético para Dean. Era uma mensagem de Bendiks, a mensagem de escape que tinha prometido. *Tudo bem?*, dizia. Ela sorriu de novo e digitou uma resposta simples: *Muito bem*. Desligou o telefone e o enfiou na bolsa.

— Então — disse, voltando-se de novo para Dean —, o seu bebê, com quem se parece?

Ele sorriu, compreendendo a necessidade da pergunta.

— Ela se parece comigo.

— E com quem você se parece?

Ele fez uma pausa, pareceu que ia dizer alguma coisa, depois parou. Olhou para os pés, e depois ergueu o olhar de novo. Avaliou-a, incerto, e depois disse:

— Eu me pareço com você.

Lydia alimentou o irmão naquela noite. Ela comprou uma torta no bar, e o observou comendo com satisfação, enquanto ela se enganava com uma tábua cheia de fatias infelizes de salame, azeitonas quebradas, rolinhos de anchova e um punhado de alcaparras. Deixou o cartão atrás do balcão e, quando foi hora de acertar a conta, ela o fez dissimuladamente, dispensando as objeções de Dean com gentileza.

Eram nove horas quando eles saíram do hotel e parecia que só tinham dado conta de uma pequena fração do monte de coisas sobre as quais queriam conversar. Se o relacionamento deles fosse uma fatia de bolo, esse tempo juntos não passara de migalhas.

Lydia chegou a pensar em convidar Dean para ir à casa dela, mas ficou nervosa quando estava prestes a dizer isso. Ele era seu irmão, isso tinha sido provado científica e oficialmente. Tinham o mesmo nariz. Mesmo assim, refletiu, era um estranho.

Portanto, separaram-se com a promessa de se encontrar de novo muito em breve.

— Quem sabe a outra entre em contato — disse Dean, esperançoso.

— A garota? — perguntou Lydia.

— É. A mais nova. Aí nós três poderíamos nos encontrar.

Lydia sorriu. Não conseguia pensar nisso. Achava que ela e Dean tinham formado um exclusivo clube de dois aquela noite. Parecia menos provável agora que haveria outro membro, muito menos outros dois.

— Quem será o quarto? — perguntou ela.

— O misterioso quarto — segurando o queixo, Dean ponderou o assunto. — O outro menino. Talvez não saiba?

— Imagino que não — concordou ela. — Ou talvez não queira saber...

Dean encolheu os ombros.

Estavam diante da estação de metrô London Bridge. As pessoas passavam por eles, agitadas, prontas para chegar logo em casa. Era hora da despedida. Sorriram constrangidos um para o outro. Tinham bebido o suficiente para deixar a reserva inicial de lado, então se abraçaram. Lydia tentou ao máximo dar ao corpo uma forma mais dócil. Não fora acostumada a abraços, mas não queria dar ao irmão a sensação de que o estava rejeitando. Mas, ao se aproximarem, ela sentiu a mesma coisa nele, a estranha rigidez de uma pessoa pouco à vontade com afeição física. Juntaram-se como dois cabideiros, cutucando um ao outro com cotovelos pontudos e braços enrijecidos. Porém, nesse abraço desajeitado, havia uma afeição verdadeira, e ao se separarem sorriram um para o outro com afeto e emoção.

— Gostei muitíssimo de conhecer você — disse Lydia.

— Eu também.

— Na semana que vem? — perguntou ela.

— É — respondeu ele —, quando quiser. Não estou lá muito ocupado, como sabe...

— Eu também não — confessou Lydia.

Riram, afagaram-se nos braços, e Dean se foi primeiro. Parecia ser papel do mais novo sair antes. Sendo mais velha, o papel dela era observá-lo sair, protegendo-o, para vê-lo em segurança no redemoinho da estação de baldeação.

Lydia ficou ali por um instante depois que ele se foi. Tinha uma mão no bolso da calça jeans, e a outra segurava a alça da bolsa, observando os vestígios azulados no céu da cidade. A temperatura caiu, e Lydia sentiu a brisa fria da noite. Desenrolou a echarpe grossa, cobrindo os ombros e os braços, depois apertou a bolsa contra o corpo e seguiu pela rua, atenta à luz tranquilizadora de um táxi vazio.

A casa a recebeu como uma velha amiga quando se aproximou dela, 30 minutos depois. Depois da singularidade da noite, ela parecia segura e familiar. Sentiu o corpo relaxando à medida que caminhava na direção da porta de entrada. Via-se em menos de um minuto pegando um copo de água, chutando os sapatos, subindo na cama, tirando as roupas, descansando a cabeça, fechando os olhos, ponderando sobre a noite, deixando que tudo se aprofundasse enquanto renovava a consciência sobre sua vida. Porém, ao entrar na cozinha, viu que Bendiks estava sentado à mesa, de camiseta branca e bermuda. Tinha acendido uma vela, estava com um livro na dobra do joelho e, ao ouvi-la entrando, ergueu lentamente o olhar e sorriu.

— Você voltou — disse, um tanto por dizer.

Lydia sorriu, hesitante.

— Voltei — respondeu.

— Fiquei acordado — disse ele, de novo, só por dizer.

— É — completou Lydia, tirando a bolsa do ombro. — Estou vendo.

Bendiks fechou o livro e descruzou as pernas. Olhou-a carinhosamente.

— Sei que é bobagem — começou —, mas, sei lá, fiquei *preocupado*. Sei que me enviou uma mensagem, mas isso faz tempo. Só queria... bom, ter certeza de que chegaria em casa direito. E de que está se sentindo bem. Você está bem? — completou ele.

Lydia soltou a bolsa, e deu um sorriso de alívio.

— Sim. Estou muito bem.

O sorriso de Bendiks também se suavizou, e ele se inclinou na mesa, na direção dela.

— Então, como foi? Como foi tudo? A menos que não queira falar sobre nada.

— Não. — Lydia se sentou, correndo as mãos pelo tampo liso da mesa. — Não. Eu quero, sim, falar. Só não sei o que dizer.

— Como era ele? Era simpático?

Lydia viu a expressão de interesse de Bendiks e sentiu uma onda de prazer. *Que graça*, pensou, *quanta gentileza*.

— Sim, muito simpático. Bastante tímido. Bastante quieto.

— Ah — Bendiks riu, recostando-se de novo na cadeira —, igualzinho a você, então!

— É, sim, acho que sim. É bem parecido comigo. Muito parecido comigo quando eu tinha a idade dele. Mas adorável. Realmente adorável.

Bendiks a encarou, pensativo, quase sonhador.

— Nossa — suspirou. — Que maravilha! Sabe disso, né? O que está acontecendo com você é surpreendente.

Lydia sorriu.

— Eu sei. Parece um sonho.

— É como um sonho. É como um sonho maravilhoso. E agora, você ainda tem mais dois para conhecer. O outro irmão e a outra irmã.

Lydia esfregou os cotovelos.

— Não parece muito real — disse. E não parecia mesmo. A irmã parecia menos real à luz do encontro com Dean.

Bendiks sorriu, erguendo-se.

— Quer alguma coisa? Um café? Talvez um chá?

— Não, obrigada, tudo bem. Acho que vou para a cama. Estou me sentindo um pouco cansada.

— Quer alguma coisa mais forte? — sugeriu ele, brincando. — Um schnapps, talvez? A gente podia ir beber lá no terraço; não está muito frio. Vamos?

Lydia considerou o convite, e os motivos de Bendiks. Ele olhava para ela não exatamente implorando, mas com certeza com alguma intenção. Ficou pensando por que ele queria tomar schnapps com ela no terraço e quase perguntou: por que você quer fazer isso? Lançou em volta um olhar patético, à procura de uma resposta adequada. Em parte, não queria nada além de se sentar no terraço com seu objeto de desejo, para que ficassem ligeiramente bêbados juntos. Por outro lado, queria agarrar a bolsa e fugir para o quarto no andar de cima, fechando a porta com firmeza.

— Hã, tudo bem — disse ela, meio involuntária. — Sim, por que não?

Ele sorriu, exultante, batendo palmas.

— Ótimo, legal. Já volto. — Ela o viu passar pela porta da cozinha e subir os degraus até o quarto, de dois em dois. Viu os músculos das coxas dele se contraírem e se firmarem a cada flexão, e sentiu o estômago bambear diante da possibilidade que se apresentava; a de que ela um dia pudesse sentir os músculos dessas pernas contraindo-se com as suas. Engoliu em seco e desviou o olhar da porta, vislumbrando a escuridão pela janela da cozinha e tentando acalmar os nervos tensionados. Ao ouvi-lo voltar, respirou fundo e o cumprimentou com um sorriso amplo. Ele segurava uma garrafa comprida e fina com um líquido transparente. Ela pegou dois copos e o seguiu até o terraço.

Lydia se sentou primeiro, e Bendiks não se sentou do lado oposto, mas bem junto dela, de modo que seu corpo ficava a poucos centímetros do dela. Ele serviu o schnapps, contando alguma coisa sobre a procedência dele, mas Lydia não estava ouvindo. Em vez disso, uma cena se passava em sua cabeça, na qual ela abriria a boca e perguntaria: "Bendiks, você é gay?". E ele a olharia de esguelha e diria: "Não! Claro que não!". E em seguida, como prova, a inclinaria sobre o braço do sofá e beijaria o seu pescoço com urgência, enquanto correria as mãos por suas coxas desnudas. Ela sacudiu a imagem da cabeça ao perceber que ele estava esperando a resposta a uma pergunta, e disse:

— Desculpe. O que foi?

Ele ergueu as sobrancelhas e riu.

— Nada, nada. Vejo que está longe. E é perfeitamente compreensível, diante da noite que teve.

Ela sorriu debilmente.

— É, sim — ficou agradecida pela interpretação equivocada de seu silêncio. — Foi uma noite e tanto.

— Bom — disse ele, oferecendo-lhe um copo e pegando o seu —, proponho um brinde. Aos seus irmãos. À sua irmã. E, claro, a você: a surpreendente Lydia.

— Ah! — desdenhou ela. — Certo! — Não queria soar falsa, mas honestamente não sabia por que alguém se referiria a ela como "surpreendente".

Mas ele agarrou a autodepreciação dela e rapidamente a enxotou.

— Você é surpreendente. Talvez ache que não, mas eu lhe garanto, da minha perspectiva, como espectador objetivo, você é notável. Sério, é raro encontrar uma mulher como você, tão independente, inteligente, sexy e jovem.

Sexy. Lydia o encarou.

— Ah, pare com isso!

— Por quê? — respondeu Bendiks. — É a mais pura verdade.

Lydia quase se sentiu enjoada diante da densidade dos elogios dele. Era como se tivesse comido seis donuts de uma vez depois de anos comendo repolho. Delicioso e notável, mas demasiado. Ela lhe sorriu, constrangida, e a expressão dele mudou.

— Sinto muito. Eu a ofendi? — Ao dizer isso, estendeu a mão e acariciou a pele do braço dela. Foi um gesto inócuo, nada além do que alguém faria ao roçar um estranho na rua e se desculpar. Porém, assim que a pele dele tocou a dela, foi como se todas as luzes da casa escura de seu corpo de repente se acendessem. Foi como se eletrodos tivessem sido ligados a cada terminal nervoso e ativados. Como se andasse adormecida e fosse despertada. Acordada de modo maravilhoso e apavorante. Ela inspirou tão profunda e rapidamente que foi audível. Bendiks olhou para ela, assustado. — Você está bem? — perguntou ele, de novo levando a mão à pele dela, dessa vez deixando-a ali, acariciando-a de leve.

— Sim — disse ela, de mansinho. — Estou bem.

A mão dele permaneceu. Bem como o olhar.

— Dá pra ver nos seus olhos. Dá pra ver alguma coisa... estrangeira.

Ela piscou e riu.

— É sério — continuou ele. — Em geral você é muito britânica. Mas quando olho para você, assim, lá dentro — ele apontou os olhos dela —, vejo alguma coisa diferente. Alguma coisa empolgante.

Ela recuou um pouco diante da palavra. Não queria que ninguém a achasse empolgante porque não era empolgante. E alguém pensando assim perceberia que ela era terrivelmente decepcionante.

— Desculpe. — Ele se afastou, soltando a mão do braço dela. — Estou te constrangendo. Peço desculpas. Só tenho... — Ele desviou o olhar e procurou as palavras. — Tenho um pouco de medo de você. E também, bem, não sei como dizer isso. Penso muito em você. Só isso. Por favor, me desculpe.

Ela sorriu.

— Claro que desculpo. Não há nada a desculpar. Só estou cansada, só isso.

— Claro que está — disse Bendiks. — Claro. Você disse que estava cansada, e eu a arrastei até aqui para beber comigo. Só queria ficar um pouco com você, porque sinto que estamos sempre como dois navios que passam. E seria uma pena deixar de morar aqui sem saber mais nada sobre você além do que sabia ao me mudar. Mas, se preferir continuar como um navio passando, me diga. Não me ofendo. — Ele lhe deu um sorriso gentil.

Ela sorriu também.

— Não. Não quero continuar como um navio passando. É ótimo ter você aqui. E a gente devia fazer esse tipo de coisa mais vezes.

— Ótimo. — Bendiks serviu mais uma dose em cada copo. — Ótimo. Então, outro brinde. A você e a mim. Mais que navios passando. Mas, quem sabe, também amigos...

— Sim, amigos.

Ao dizer isso, as ideias saborosas e ilícitas de pernas entrelaçadas, lábios entreabertos e corpos juntos fugiram de sua consciência. *Amigos.*

Deixou o schnapps escorrer por sua garganta, tentando fazer cara de que não queria nada mais do que isso.

Robyn

Robyn olhou para o papel pendurado na parede da sua sala na faculdade com uma sensação de pavor e decepção. Tinha ido mal de novo. Era o terceiro exame mensal seguido em que ela não conseguia tirar a nota mínima. O trabalho era interminável, três horas de estudo por dia, mais as aulas, reuniões com o orientador, e mais estudo durante o final de semana. No último final de semana ela deveria ter memorizado cinco capítulos de fisiologia de um livro tão grande que suas mãos doíam só de segurá-lo. Tinha chegado até o começo do capítulo dois e desistido. Sua cabeça, que sempre fora melhor que a de todo mundo, que sempre absorvera fatos e informações sem muito esforço, simplesmente não dava conta de guardar toda essa terminologia. E ainda tinha muitas outras coisas remoendo suas ideias para conseguir encontrar novas maneiras de estudar e praticá-las. Estava falhando. Robyn Inglis estava falhando, e não sabia o que fazer sobre isso.

Ela despregou o papel do quadro de cortiça e o guardou na mochila.

Robyn levantou a tampa da lata de lixo prateada da cozinha de Jack — não, não de Jack, da sua cozinha, precisava ficar se lembrando disso — e recuou. Estava lotada até a boca, com montes de lixo rançoso, esmagado, pedaços de papel e papelão forçados nas laterais, saquinhos de chá endurecidos espremidos, restos de cereal mole e velho cobrindo tudo. Essa lata devia ter sido esvaziada pelo menos um ou dois dias antes. Jack tinha saído às nove e meia para um café da manhã com seu agente em algum clube fechado, do qual Robyn já devia ter ouvido falar, pelo visto, mas não tinha. Ele não voltaria antes da hora do almoço. O que significava que Robyn ficaria no apartamento com aquele lixo rançoso transbordando ou o esvaziaria ela mesma.

Robyn nunca tinha esvaziado uma lata de lixo na vida.

O que não significava que ela não tinha consciência das latas de lixo nem do fato de que precisavam ser esvaziadas de vez em quando. Vira sua mãe milhões de vezes, em milhões de ocasiões, rasgando um furtivo retângulo preto, desgrudando-o com a ponta dos dedos, batendo-o para enchê-lo de ar e depois colocando-o sem esforço na caixa que ficava embaixo da pia. Ela a vira puxando um saco bojudo desse recipiente sob a pia, às vezes com algum esforço, dando um nó na borda e levando-o para fora. Para algum lugar. Robyn não sabia muito bem para onde.

Seus pais nunca pediram que esvaziasse uma lata de lixo.

Ela estudou a lata. Era duas vezes maior que a da casa de seus pais.

Puxou algumas gavetas à procura de um rolo preto. Foi até a janela procurar lugares onde colocar sacos grandes de lixo. Começou a se sentir em pânico. Tinha que conseguir fazer isso. Já estava com quase 19 anos. Estudando medicina. Tinha que conseguir esvaziar uma lata de lixo. Não encontrou um saco de lixo, mas encontrou uma sacola grande que parecia ser suficiente. Tirou a tampa da lata e começou a puxar as beiradas do saco.

— Eca, eca! — reclamou, quando os dedos rasparam num cereal mofado.

Puxou de novo, e o saco se levantou um pouco. Puxou até a metade do cilindro e deixou-o cair. Parecia estar cheio de concreto e chumbo. Ela enrolou as beiradas e tentou de novo, até que, por fim, com algum esforço, livrou-o do recipiente. Ao fazê-lo, o saco se abaulou de maneira agourenta, explodindo a seus pés. O assoalho encerado de Jack foi lavado pelas raspas, aparas, restos e cascas. Um líquido escuro escorreu dessa lavagem e pingou no assoalho. O cheiro era ácido, e Robyn levou a mão à boca.

Ficou tentada a pegar a bolsa, sair pela porta da frente e não voltar até Jack estar em casa. Em vez disso, chorou por cinco minutos, e depois achou um par de luvas de borracha amarelas um tanto grandes numa prateleira sob a pia. Enfiou as luvas, ainda soluçando, e começou a tirar o composto detestável do chão e a colocá-lo na sacola. Sabia que estava sendo patética. Sabia que havia crianças descalças na Índia catando o lixo de outras pessoas 12 horas por dia sob calor intenso. Sabia que era mimada e boba. Mas tudo andava muito difícil nos últimos tempos.

Na noite anterior, no metrô, a caminho de casa, vindo da faculdade, o trem tinha parado por um bom tempo em um túnel, e o vagão logo ficou quente demais. Robyn sentiu o coração acelerar de maneira desagradável. O condutor avisou que estavam presos e que ele não tinha ideia de quando voltariam a trafegar. Ela olhou para as pessoas estranhas que a rodeavam no vagão. Notara um assento vazio a poucos passos, e ficou imaginando a logística para chegar até ele sem chamar muito a atenção. Seu coração acelerou mais a ponto de ter certeza de que o homem de pé perto dela pudesse ouvi-lo. Sua visão periférica começou a se embaçar, e ela se viu tendo um colapso; imaginou-se sendo levada a uma ambulância, enrolada num cobertor cinza, com todo mundo olhando. Viu tudo isso, e o coração começou a acelerar cada vez mais até ela estar prestes a gritar por ajuda, quando, finalmente, o trem voltou a funcionar. Sentiu o vagão sacudir, estavam de novo em movimento, seu coração desacelerou, e ela se sentiu segura. Naqueles instantes, sentiu algo como perder a cabeça, perder o controle sobre si mesma. Naqueles instantes, perdeu-se completamente.

Não entendia por que estava tão desconjuntada. Ali estava ela, de volta ao âmago do próprio romance. Ali estava ela num apartamento em Holloway com o namorado escritor, e seu rosto perfeito, corpo perfeito e vida perfeita. Era Robyn Inglis, a moça mais sortuda do mundo. Seu mundo, porém, parecia-se com aquele trem do metrô da noite passada: preso num túnel. Ela não conseguia sair do lugar sombrio onde se enfiara quando achou que Jack era seu irmão. Sentia-se nervosa, infeliz e esquisita. Só se sentia feliz quando Jack estava ali e ficavam só os dois. No resto do tempo, andava perdida.

Ela pegou o pesado saco de lixo e o carregou escada abaixo até o lado de fora do apartamento — bangue, bangue, bangue a cada degrau. Puxou-o pelo passeio do jardim e, para sua surpresa, encontrou dois imensos recipientes verdes, apenas um pouco mais baixos que ela, lado a lado junto do portão do jardim. Tinham o número da casa pintado. Ela ergueu a tampa com cuidado e foi de novo atacada por outro cheiro horrível. Tentou içar o saco até a boca do lixo, mas não conseguiu. Um senhor de meia-idade passou de bicicleta. Desacelerou, olhou para ela com curiosidade, e por um instante ela achou que fosse ajudá-la. Mas ele não o fez. Seguiu em frente. Robyn o viu desaparecer rua abaixo e quis atirar o saco de lixo nele. Tentou mais três vezes enfiar o saco na lata, mas acabou desistindo e o deixou na calçada.

Quando voltou para o apartamento, pensou em fazer alguma tarefa da faculdade para tentar recuperar o atraso, mas em vez disso resolveu ir para a cama. Os lençóis ainda estavam mornos do corpo dela e de Jack, e a cama desarrumada resplandecia. Lembrava-se de ter acordado naquela manhã e do contentamento de ver a nuca de Jack e da sensação de inquietude e certo pânico quando ele a relembrou de que sairia. Lembrava-se de como seu dia se partira ao meio naquele instante.

Deitou-se com a cabeça no travesseiro de Jack e inspirou o cheiro dele. Então, chorou de novo.

O que tinha acontecido com ela? Detestava essa nova versão de si mesma. Tinha se transformado exatamente no tipo de pessoa que desprezava: carente, grudenta, inútil. Não conseguia esvaziar latas de lixo. Não conseguia viajar sozinha. Não funcionava sem o namorado. Toda vez que ele saía, ela sofria um colapso. Apenas o cheiro dele no travesseiro tirava-a, por alguns instantes, de sua angústia. Era patético.

Chorou até quase adormecer. Um sonho se desenrolou nessa soneca, um sonho com suas irmãs, o rosto extenuado dos últimos dias, o corpo devastado em vestidos bonitos e estilosos que sua mãe insistia em lhes comprar. E depois sonhou com um menino. Ele estava empurrando uma de suas irmãs na cadeira de rodas. Sorria. E assobiava. Parou ao vê-la e disse: "Venha nessa", e ela assim fez, pulando no colo da irmã. Só que não era mais sua irmã. Era outra mulher, mais alta que ela, com pernas compridas e cabelo comprido. Tinha consciência do contato entre elas, e sentia os braços dessa mulher abraçando-a. Ouvia o menino assobiando, e via que se aproximavam de duas portas. Havia um aviso em uma delas, mas ela não conseguia lê-lo. Sabia que, se quisesse se livrar do menino que continuava assobiando e da mulher de pernas compridas, tinha que pular da cadeira de rodas antes de chegar às portas, mas viu-se relaxada, recostando-se no abraço da mulher, sendo levada lentamente até as portas. Segurou a mão da mulher e pensou que ela cheirava bem, cheirava como Jack. As portas se abriram, e Robyn acordou.

O telefone dela estava tocando.

Ergueu-se e saiu da cama com tanta rapidez que sentiu a cabeça zonza.

— Alô? — cochichou ao telefone.

— Oi, querida. — Era sua mãe. — Você está bem?

Robyn relaxou.

— Sim, estou bem. Acabei de ter um sonho esquisito.

— Você estava dormindo? Mas são quase onze horas.

— Eu sei, eu sei. Já levantei e tal. Só que, não sei, estava cansada. Não dormi bem. Não tenho dormido bem.

— Tem certeza de que está bem?

— Sim. Mesmo. Só estou... — mudou o telefone para a outra orelha. — Não sei. Tudo está um pouco...

— Você está sozinha?

— Sim. Jack foi para uma reunião.

— Quer que eu vá até aí?

Robyn fez uma pausa. Queria dizer sim. Mas Jack estaria de volta em uma hora. Suspirou.

— Não. Estou bem. De verdade.

—Acabou de chegar uma coisa para você. Registrado. Recebi. Quer que eu veja o que é?

— Ok.

— Acho que sei o que é — disse sua mãe. — É um daqueles kits, sabe, kit para DNA. É para seu teste de DNA. — Pareceu animada. — O que eu faço com isso?

Robyn considerou a pergunta. Tinha preenchido o formulário duas semanas antes e marcado o item sobre fazer um teste de DNA. Só tinha feito isso por sua mãe.

"Que mal há nisso?", dissera ela. "Você ainda não precisa entrar em contato com ninguém. Mas ao menos saberá quem são."

Robyn imaginou a caixinha na mão da mãe. Então, pensou no seu sonho: o menino feliz empurrando a cadeira de rodas, a mulher acolhedora de braços compridos, as portas que davam para um lugar misterioso. Pensou no que o sonho provocara nela — estava desconfortável no início e depois feliz, quando permitiu se aproximar da mulher e deixar que o menino a empurrasse para um lugar diferente. Era um desses sonhos que parecem mais que um sonho; parecia um guia. Estava perdida, e o menino lhe mostrava para onde ir. Sentiu algo como uma ponte de corda invisível sendo jogada entre sua consciência e a caixa na mão de sua mãe. Ali estava a resposta.

— Venha, então — flagrou-se pedindo, meio sem fôlego. — Venha agora e traga o kit.

— Tem certeza?

— Sim. Quero fazer o teste. Quero conhecê-los.

— Estou indo — disse sua mãe. — Chego em uma hora.

Dean

Dean emergiu para a claridade de uma cintilante tarde de maio na estação de metrô de St John's Wood. Quando saíra de Deptford, o tempo estava encoberto e parecia que ia chover. Talvez o tempo seja sempre assim aqui na St John's Wood, pensou ele. Acompanhando um esboço de mapa que tinha desenhado na mão, dirigiu-se a uma rua larga e curta do outro lado do gramado de críquete. As casas eram discretamente recuadas, algumas atrás de grandes portões elétricos, outras atrás de cercas-vivas aparadas. Eram antigas, vitorianas nas dimensões e na arquitetura, mas com aspecto limpo e vistoso de recém-construídas. E eram imensas. Dean nunca tinha visto tantas casas grandes juntas. No seu lado da cidade, casas como essas se destacavam sozinhas ou em conjuntos de apartamentos baratos. Ele andou devagar, habituando-se ao ambiente, à sensação de outro mundo. Porém, viu um homem numa janela, observando-o com suspeita, e apertou o passo.

Achou a casa de Lydia no final da rua. Tinha a largura de quatro ônibus e cor de osso triturado. As janelas tinham uma cor opaca, de modo que da rua não era possível ver o interior. O jardim da frente era simples, com tulipas e plantas espinhosas, sendo o chão entre elas revestido de cascalho. Degraus de concreto levavam a uma grande porta cinzenta com acessórios modernos, e o número 27 se distinguia pouco acima dela.

Dean ficou um instante na calçada, com as mãos nos bolsos da calça, avaliando a casa. Sem perceber, ficou boquiaberto. A casa era impressionante. Parecia um milagre. Desajeitado, pisou na entrada, onde havia uma fileira embutida de luzes halógenas minúsculas. Segundos depois de apertar um botão conectado a um visor, o rosto de Lydia apareceu na tela.

— Entre!

Ele empurrou a porta e deu com uma mulher asiática de avental. Ela olhava para ele, espantada.

— O que você quer? — berrou a mulher asiática.

— Eu sou, hã...

— Ele veio me ver — disse Lydia, descendo um lance de degraus largos e acarpetados com listas verticais em bege e branco.

A mulher asiática olhou para Lydia como se ela tivesse enlouquecido, e de novo para Dean.

— Tem certeza? — perguntou ela.

Lydia sorriu.

— Tenho, obrigada, Juliette. Este é meu irmão.

A fisionomia de Juliette se suavizou, e ela deu um sorriso largo.

— Ah — disse, mexendo a cabeça com entusiasmo. — Seu irmão! — Sorriu exultante para Lydia, aproximando-se de Dean com os braços estendidos. Pegou as duas mãos dele e sacudiu-as. — Não sabia que tinha um irmão! Sim. Sim. Agora estou vendo. — Ela apontou o rosto dele e depois o próprio. — Vejo que é seu irmão. — Virou-se para Lydia, advertindo-a com o dedo em riste. — Você não me contou que tinha um irmão — reclamou ela.

Lydia desculpou-se com um sorriso, mas não disse à filipina que, até seis semanas atrás, também não sabia que tinha um irmão. Dean e Lydia sorriram um para o outro de modo conspiratório, e Lydia guiou-o até uma sala incrível que parecia um tijolo de vidro enfiado na parede ao fundo da casa. Não havia muita coisa nela, apenas um enorme sofá de couro branco, uma mesa baixa e uma palmeira. A parede de vidro emoldurava um planejado e amplo jardim, com alguns cogumelos entre as plantas e uma mobília quadrada, além do que parecia ser, pelo menos a distância, uma cozinha. Em algum lugar mais adiante, Dean distinguiu a silhueta de um homem de camiseta polo fazendo alguma coisa nas folhas de uma arvorezinha pendente.

Olhando de novo para dentro da casa, na outra ponta desse quadrado de vidro, Dean via uma mesa de jantar preta laqueada rodeada de 12 distintas cadeiras. No centro da mesa havia um prato turquesa com flores. Uma imensa luminária de aço cromado pendia sobre a mesa, e as paredes eram pintadas com um tom de carvão, inclusive os arremates e as beiradas.

— Que casa surpreendente. — Ele se acomodou no impressionante sofá branco.

— É um pouco — Lydia respondeu, sonhadora. — Mas não tem muito a ver comigo. Estava assim quando a comprei. Tudo o que fiz foi comprar uns móveis sem inspiração para completar.

— Não, eu gosto. É minimalista, não é?

— Completamente. Minimalista demais. Mas eu não fico muito tempo aqui embaixo, na verdade. Estou sempre no escritório. Ou no meu quarto. Isso é tudo... — ela abriu os braços — ... para exibição.

— E o que acontece com ela? — Dean fez um gesto na direção da cozinha, do outro lado da casa.

— Juliette?

Ele assentiu.

— É minha... hã... empregada.

— Não diga!

— Sim. Mesmo. Tenho uma empregada. Eu sei. É maluco. Nunca imaginei que fosse ter uma empregada.

— Nem um jardineiro? — Ele apontou o jardim.

— Bom, sim, embora ele não seja contratado. Vem uma vez por semana. Por algumas horas. Já Juliette fica aqui todo dia.

Juliette surgiu à entrada naquele momento e sorriu com carinho para Lydia e Dean.

— Querem alguma coisa?

— Não, obrigada, Juliette, está tudo bem. Não vamos ficar muito aqui. Vamos sair logo.

— Ok, ok. Vou trazer uns petiscos. E água mineral. Um minuto.

Eles a observaram ao sair e depois riram.

— Bom, sabe como é, nunca tive mãe, então acho que me sinto como se ela fosse um presente para mim mesma, de certo modo, para compensar. — Lydia riu de novo, e Dean lhe sorriu.

— Então... o que aconteceu com sua mãe? — Pensara em perguntar naquela noite em que se encontraram em London Bridge, mas preferiu não fazê-lo. Parecia cedo demais para lhe perguntar coisas assim. Mas este era o terceiro encontro deles, e tinham trocado e-mails e mensagens também, então ele achou que ela poderia aceitar a pergunta.

O sorriso dela não vacilou.

— Depende de para quem você pergunta — disse ela, dobrando as pernas sobre o sofá e acariciando os joelhos com as mãos. — De acordo com meu pai, ela se matou; de acordo com outros membros da família, ele a empurrou da sacada. De qualquer modo, ela morreu no chão do lado de fora do apartamento.

Dean estremeceu.

— Quantos anos você tinha?

— Três. Não me lembro dela, na verdade.

— E o que acha que aconteceu?

— Não tenho ideia. Acho que investigaram o meu pai. Ninguém nunca foi preso. Ninguém nunca foi responsabilizado por nada. E depois disso a minha família inteira implodiu. Ninguém mais falou com ninguém. E o tio Rod meio que desapareceu.

— O cara que você acha que enviou a carta anônima?

— É. Esse mesmo. Não o vi mais até o enterro do meu pai, quando eu tinha dezoito. Mas ele não ficou. Só o vi indo embora. Então, é... praticamente não tenho ideia nenhuma do que aconteceu com minha mãe... se ela pulou, se foi empurrada. E, se pulou, não sei por quê. E, se foi empurrada, por que o meu pai teria feito isso. Ao longo dos anos, achei mais fácil não me fazer muitas perguntas. Há muito tempo decidi simplesmente enfiar essa coisa toda numa caixinha e esquecer.

Lydia juntou os dedos e ficou olhando para eles. Dean a observou da ponta do sofá. Imaginou se ela iria chorar. Mas ela não chorou. O rosto dela ficou como uma máscara de gesso.

Juliette entrou na sala trazendo uma bandejinha com uma tigela cheia de nozes, outra com azeitonas e dois copos de água tônica. Sorriu maternalmente e deixou essas coisas diante deles. Dean percebeu que Lydia se remexeu, um tanto constrangida, ao vê-la.

— Obrigada, Juliette — disse ela, num tom estranhamente vivo que Dean não a ouvira usar antes.

Juliette saiu da sala, e Dean virou-se para Lydia.

— Você acha que é uma boa ideia? — ele perguntou.

— O quê?

— Essa caixinha sua. Sabe, guardar as coisas lá?

Ela deu de ombros e se inclinou para pegar um punhado de nozes.

— Não sei — respondeu. — Mas também não sei o que mais posso fazer. Afastei-me da família. O meu pai está morto. E, mesmo que eu soubesse, que diferença isso faria? Ainda seria Lydia Pike. Ainda seria eu mesma. Mas ficaria sabendo que o meu pai não só era um homem cruel, desalmado e sem coração, mas que também era um *assassino*.

— Será que você estava lá? — ponderou Dean. — Quando aconteceu, sabe?

Ela fez uma careta.

— Se eu estava lá, bloqueei completamente tudo. Mas acho que devo ter estado lá, por causa da minha fobia.

— Que fobia?

— Essa coisa com tinta. Sabe, o cheiro de tinta. Minha mãe estava pintando meu quarto quando caiu ou foi empurrada ou sei lá. Ainda tinha tinta nas mãos. Devo ter estado lá, porque, mesmo agora, se eu sentir o cheiro de tinta, eu meio que piro. Preciso ir embora. E foi por isso que...

— Você inventou a sua tinta especial.

— Exato. Não para ficar rica. Não por causa disso tudo. — Ela fez um gesto indicando a casa opulenta. — Nunca quis nada disso. Só queria conseguir pintar a minha casa sem ter ataques de pânico.

Dean se serviu de nozes. Adorava nozes.

— Devia estar lá, então — continuou ele, louco para que surgissem fatos dessas lembranças vagas. — Faz sentido. Se consegue se lembrar do cheiro da tinta... Se associa isso com morte... Deve ter estado lá. Deve até ter visto quando aconteceu. — Ele a estava espremendo. Sabia que a estava espremendo, talvez demais. Observou a reação dela. Mas o rosto de Lydia ainda estava impassível. Ela pegou uma azeitona e a jogou na boca.

— Já pensou em hipnose ou algo do tipo?

Ela riu de novo, mas não um riso divertido, um riso mais parecido com o de irremediável desesperança.

— Não, não pensei. Como disse, o passado está numa caixa. Pronto. — Ela limpou o sal das mãos, deu um tapinha nas coxas. — E então, vamos?

— Aonde vai me levar? — perguntou Dean.

— Vou levá-lo para comer. Muito. Quero engordar você. Quero que ganhe pelo menos meio quilo esta noite. Talvez até mais.

Dean olhou com tristeza para as azeitonas ainda intocadas na tigelinha de vidro. Sentiu-se culpado por deixá-las ali depois de todo o trabalho daquela mulher para servi-lo. Olhou os copos de água tônica. Nem gostava de água tônica, mas bebeu tudo, só para ser educado. E depois pegou um punhado de nozes e se levantou.

Ao passarem pela cozinha a caminho da porta de saída, Dean enfiou a cabeça pela porta.

— Até logo — disse para Juliette —, obrigado pelo aperitivo.

Juliette ficou exultante.

— Não há de quê — respondeu. — Seja muito bem-vindo mesmo.

Lydia o levou a um restaurante chamado Rotisserie.

— Tive a sensação de que você gostava de carne — ela disse.

O restaurante era marrom, pouco claro e aconchegante. Deram-lhes um reservado, separado das mesas vizinhas nas duas pontas por painéis de madeira e folhas de vidro jateado. Dean sentiu-se como se estivesse num sonho. Algumas semanas antes, estava morando naquele apartamento mofado com carpete verde. Algumas semanas antes, ele não era nada. Apenas um homem de 21 anos, sem emprego, sem casa e sem namorada. Agora era irmão de Lydia. E Lydia era uma surpresa. Ele a adorava. Adorava a fisionomia inescrutável, o modo como se comportava, toda contida e calma. Adorava o sorriso meio irônico, meio sarcástico e o sotaque galês. Adorava a casa dela, seu sucesso, a empregada. Adorava seus e-mails, com todas as palavras bem escritas. Gramática e pontuação, tudo certo. Adorava o modo como olhava para ele, como se o adorasse também. E a adorava por levá-lo àquele restaurante elegante, como se fosse perfeitamente normal que ele fizesse tal coisa numa noite de quarta-feira. Sobretudo, adorava-a porque, por trás de todo esse brilho e glamour, por trás do corpo sarado, do cabelo brilhante, dos jeans estilosos e da mansão minimalista, havia uma pessoa exatamente como ele. Era uma estranha também. Era solitária. Ela o cativara. Completamente.

Quando chegara em casa depois do primeiro encontro, sua mãe o esperava, ansiosa.

"E aí? Como ela é?", perguntou logo, antes mesmo de ele ter entrado direito em casa.

Ele sorrira ao responder: "Absolutamente perfeita pra cacete".

Ele pediu meio frango e batatas fritas e uma cerveja. Lydia pediu camarões grandes grelhados e uma salada.

Ela olhava para ele daquele jeito, entre petulante e legal.

— O que foi? — perguntou ele.

— Nada — disse ela. — Só pensando em você.

— O que tem eu?

— Sobre o que vai ser de você.

Ele riu, nervoso.

— Como assim o que vai ser de mim?

— Você sabe o que quero dizer... A sua filha, Dean.

Ele se retraiu. Tinha imaginado que ela falaria disso, mas, mesmo assim, foi pego de surpresa. Apenas duas pessoas em sua vida tinham conversado com ele sobre Isadora. Uma era Rose, mas Dean não prestava muita atenção à voz dela. Aos seus ouvidos, era como um lamento distante, como um cargueiro buzinando a quilômetros da costa. A outra pessoa era sua mãe. Mas sua mãe nunca o tinha forçado a fazer nada na vida. Ela o deixara vagabundear na escola, não dissera nada quando ele desistira de jogar futebol depois das aulas, apesar de o técnico dizer que ele prometia. Ela o deixara sair de um curso superior em alimentação hospitalar e pegar um emprego de motorista, e agora não estava fazendo nada para forçá-lo a assumir a responsabilidade pela filha. De vez em quando dizia que tinha ido visitar a criança. Mostrava fotos de Isadora no celular, e dizia coisas inócuas como: "Ela é tão bonitinha, Dean. Parece uma boneca". Dean dava uma olhadinha rápida na foto e resmungava. Não olhava direito. Via um pouco do cabelo, o nariz redondo, uma camiseta rosa e, da última vez, um sorriso. "Está sorrindo agora, Dean. Como um anjinho." Mas ele não se inteirava. Se se inteirasse, teria que deixá-la entrar nele. Se a deixasse entrar, então seria para sempre, não importava o que ele fizesse, onde estivesse, como uma cicatriz.

Esta era a primeira vez que alguém, além da mãe de Sky e da sua própria, tinha se referido a Isadora como "sua filha". Tommy sempre a chamava de "o bebê".

— O que tem ela? — contrapôs ele, com cuidado.

— Você sabe do que estou falando. Ela é sua filha. Você não a vê desde o dia em que ela nasceu. O que vai fazer em relação a isso? — A voz de Lydia era comedida e serena. Soou gentil, não áspera. Mesmo assim a pergunta o chateou, e ele se flagrou cerrando os punhos embaixo da mesa para segurar a raiva.

— Não vou fazer nada em relação a isso — disse ele, detestando o som da própria voz nesse espaço entre eles, detestando que estivesse mostrando a Lydia outro lado seu, este lado rude, acovardado, infantil.

Ela não disse nada durante algum tempo, apenas olhou para ele com a cabeça ligeiramente inclinada.

Uma garçonete lhes trouxe dois copos de cerveja e uma cestinha de pão. Ele pegou o copo e bebeu, nervoso.

— Não pode não fazer *nada* — Lydia acabou dizendo. — Nada não é uma opção.

— Por que não?

— Porque é sua filha.

— É, bom, a vida não é tão direitinha assim, né? Olhe só pra gente. Com o nosso *misterioso* pai francês e nossa irmã que ainda não conhecemos e outro irmão que nem sabe da nossa existência, e você sem pais, e eu com um bebê sem mãe. É uma merda, não é? É tudo uma merda. No que eu sou diferente? No que o bebê é diferente?

— Você — disse Lydia, simplesmente. — É você quem faz diferença para o bebê.

Ele olhou para ela de relance. A resposta dela tinha lhe tirado o fôlego.

— Mas não de um jeito bom — continuou ele. — O que eu tenho a oferecer a uma criança? Nem casa. Nem emprego. Nem família. Nem futuro.

— Isso não é verdade, é?

— Claro que é. Sou uma maldita perda de tempo. — As pessoas no reservado de trás olharam, disfarçando. Dean baixou a voz. — Sabe de uma coisa? — disse ele, com calma. — Quando vi aquele bebê pela primeira vez, assim que a tiraram, ela me olhou e já deu para ver, mesmo ali, mesmo ela sendo toda pequenininha e amassada, e azul e coberta de sangue e tal, deu pra ver que ela é inteligente. Quando vi isso, já soube que não ia dar. Já soube que eu não seria bom o suficiente para ela... — Ele parou e inspirou fundo até os pulmões doerem, recuperando o fôlego. Mas não bastou. Uma lágrima escorreu de seus olhos, caindo em sua perna. Ele a viu molhar o tecido escuro, e depois a esfregou com o dedão. A ela logo se juntou outra marca molhada, e mais outra. Ele pegou um guardanapo da mesa e levou-o ao rosto.

— Merda — disse ele. — Merda. Desculpe, eu...

— Tudo bem — tranquilizou Lydia, pondo a mão sobre a dele. — Tudo bem. Desabafe.

— Olha só quem fala.

Ela piscou e sorriu.

— É, eu sei. Olha só pra nós. Mas sinceramente, Dean, você não tem nada com que se preocupar. Você tem a mim agora.

— Como assim?

— Não importa o que aconteça com você, com a sua filha, não importa o que você decida fazer, eu lhe darei apoio. Você não está mais sozinho, né?

Ele estava prestes a protestar, a dizer algo negativo. Entreabriu a boca, cheio de palavras belicosas. Você nem me conhece, ele quis dizer, não sabe nada de mim. Você não sabe o que é não ser nada. Você, sua casa imensa, sua empregada. Como posso confiar em você? Como posso confiar que não me deixará na mão?

— Vou sair, só um minuto.

Ela assentiu, sorriu e soltou a mão da dele, liberando-o.

— Ok.

Ele achou um pequeno beco três lojas depois do restaurante. Assim que deixou as luzes da rua, rapidamente montou um baseado. Agachou-se contra uma parede úmida e acendeu-o. Estava pirando. Súbita e completamente. Em dez minutos, tinha deixado de ser o Senhor Que Tem uma Irmã Bacana e virado um farrapo nervoso. Sentiu a tensão diminuir à medida que tragava, e deixou a cabeça cair para trás, apoiando-a na parede. Não tinha feito esse cálculo da equação, pensou. Não tinha calculado a possibilidade de encontrar alguém que gostasse dele o suficiente para fazê-lo encarar a confusão que era sua vida. Não tinha imaginado que conheceria alguém que o amaria. Nos olhos de Lydia havia o mesmo olhar inteligente de desafio da sua filha. E o mesmo olhar de expectativa. Lydia tinha expectativas altas em relação a ele. Num mundo em que ninguém tinha muita esperança nele, onde ninguém nunca esperara nada dele, era difícil aceitar essa noção.

Encarou a ponta recortada e vermelha do baseado e se lembrou de como havia prometido a Sky que pararia de fumar. Que terminaria com o que tinha e pararia de comprar. E pronto. Ele nunca tivera essa intenção. Nem por um segundo. Só disse isso para calá-la. Sempre dizia coisas para calar Sky. Pois o problema com Sky era que ela era bem burrinha. Ela tagarelava, tagarelava sem parar e era só barulho, pois não havia nada de consistente por trás da barulheira. Apenas ar, vento e bobagem. Ele nunca precisou calar a mãe, porque ela nunca disse nada que ele não quisesse ouvir. Mas com Lydia era diferente. Não podia calá-la, porque tudo o que dizia tinha algum sentido. Pois valia a pena ouvi-la. Dizia coisas que ele precisava ouvir. Mas não queria ouvi-las.

Um homem e uma mulher, ambos de cabelos pretos, de uns 30 anos e bem vestidos, passou por ele, rindo alto de alguma coisa.

— Você não faria isso! — disse a mulher, entre risos. — Faria, sim! — disse o homem, e a mulher riu ainda mais alto, e então ambos se viraram e viram Dean agachado nas sombras, e o riso deles parou, a mulher agarrou o braço do homem e olhou para ele, nervosa. Ele ouviu o eco dos sapatos deles na calçada, à medida que se apressavam, e depois ouviu-os retomar a conversa, o riso estridente repercutindo uma vez mais pela rua silenciosa, tendo terminado esse roçar momentâneo das sombras.

Dean terminou o baseado e o esmagou grosseiramente contra a parede de tijolos. Sentia-se como um animalzinho. Como um ratinho, encardido e perdido, algo para ser colocado numa caixa de plástico, removido numa van branca e levado a algum lugar para ser morto e depois descartado. Não era deste mundo, não tinha lugar neste mundo. Foi até a janela do restaurante e viu Lydia recostada na cadeira, procurando-o pela janela. Depois, viu uma garçonete se aproximar da mesa e perguntar algo a ela. Lydia sacudiu a cabeça e sorriu, depois assentiu, e a moça se afastou. Ele viu as pessoas da mesa mais perto da janela olharem para ele, ansiosas. Não queria entrar lá de novo. Não queria comer frango, beber cerveja e fingir que era alguém que não era. Queria escapulir como o rato que era, pelos esgotos e subterrâneos, sob as correntes escuras do rio, até chegar à segurança da casa de sua mãe, onde podia simplesmente continuar nesse estado de inutilidade para sempre.

Abrigou-se nas sombras mais próximas e tirou o telefone do bolso da jaqueta. Escreveu uma mensagem para Lydia. Dizia: *Desculpe. Tive que ir. Cuide-se. Dean.* Enviou-a, virou o colarinho da jaqueta para cima, devido ao friozinho da noite que rapidamente caía, e o mais rápido que pôde tomou o caminho de volta à estação St John's Wood.

Maggie

Maggie sentou-se no banco, observando a filha empurrar sua neta no balanço. Matilda agarrava as barras do balanço com as duas mãos gorduchas e inclinava-se bem para baixo até ver a superfície de borracha preta embaixo dela, encantada como ela entrava e saía de seu foco, sorrindo sempre que erguia os olhos e via a mãe diante de si.

Maggie sorriu. Quantas horas de sua vida tinha passado ao lado de balanços infantis? Quantos empurrões, quantos "só mais dez vezes", quantas tardes frias de inverno e manhãs ensolaradas de primavera passadas nessa dança ritmada e balançante? Já sabia mesmo enquanto ela acontecia que iria acabar cedo demais. Sabia que seus filhos primeiro iriam aprender a se balançar sozinhos, e depois não pediriam mais para fazer isso. Tinha desfrutado de cada empurrãozinho.

Libby teve Matilda aos 22. Mais nova ainda do que Maggie quando teve Tom. Libby ficara arrasada. Um ano longe da universidade. Cinco meses em um novo relacionamento e apenas quatro anos de vida adulta. Intimamente, Maggie tinha ficado encantada. Assim, ela havia pensado, eu talvez até consiga ser bisavó. E isso vai mantê-la aqui em Bury, tinha pensado. Não que quisesse a filha amarrada tão jovem, mas seria bom tê-la por perto. E Maggie gostava realmente de crianças pequenas. Uma vez lera que tinham perguntado a David Attenborough qual era o animal mais incrível que ele tinha visto, e ele respondera: uma criança de dois anos. Concordava com ele. Gostava de bebês, e crianças mais velhas eram fascinantes, mas a criança pequena, essa criatura que passava um ano aprendendo a andar, que começava a falar, que não conseguia mentir nem saber que lhe contavam mentiras, completamente sem astúcia ou malícia, era algo raro. Algo precioso. Algo fugaz demais.

Libby tirou Matilda do balanço e a colocou no chão. Ela viu adiante um pombo e foi atrás dele, com os bracinhos gorduchos estendidos. Libby virou-se para Maggie e sorriu.

— No que está pensando? — perguntou ela, juntando-se à mãe no banco.

— Oh, nada de mais. Só em crianças. Na vida. O ciclo disso tudo. Sabe como é.

— Você anda ficando toda filosófica na velhice.

— Menos de "velhice", por favor — brincou Maggie. — E, sim, acho que ando mesmo. É esse negócio com o Daniel, sabe? Ele doente, esses filhos que teve. Todas essas crianças. Todos esses sonhos.

Libby olhou para ela com curiosidade.

— O que está acontecendo com Daniel e o Registro?

— Bom, nada ainda. Enviei toda a papelada. Ainda não tive resposta nenhuma. Vou até o apartamento dele de vez em quando, vejo se chegou alguma coisa. Mas nada ainda.

— E quanto tempo mais...?

— Não sei. Semanas, dizem. Mas, sei lá, pode ser quinze dias, pode ser três meses. É o cérebro, entende? Está no cérebro dele. E depende de quão rápido ele cresça lá dentro e de quanto estrago faça. Não ficou muito maior até agora. Mas, quem sabe? O câncer é danado.

— Ele ainda está, sabe, mentalmente bem?

— Bem, sim, diria que sim. No geral. Os remédios às vezes provocam nele umas coisas engraçadas. E ele está um pouco mais... ahn... qual é a palavra? Um pouco mais acessível, acho. Está mais aberto, ele me diz o que está sentindo, brinca um pouco. Está mais humano. E eu não sei se são os remédios, se é o tumor, ou se é isso o que acontece quando alguém sabe que está, bem, se preparando para ir embora. Mas ele anda tão gentil. Ele me disse... — Ela fez uma pausa. Nunca quis ser uma dessas mães que embaçava a fronteira entre amizade e maternidade. Nunca quis que os filhos enxergassem muito fundo a sua realidade. — Ele me disse que desejava que as coisas tivessem sido diferentes. Que nós estivéssemos... juntos.

— Uau! Que bom.

— Sim — disse Maggie, sonhadora. — É bom. É muito bom mesmo.

— Mas, melhor assim, não? Melhor que não tenham sido muito íntimos?

Maggie sorriu, com tristeza.

— Ah, bem, na verdade não acho que faça diferença nenhuma. Acho até que o que está acontecendo agora... eu dividindo esses dias com ele, acho que estamos mais próximos do que estaríamos com um monte de beijos e abraços. E agora, que eu estou tentando rastrear esses filhos para ele... não é uma experiência que muitos casais costumam partilhar. Com o que estamos fazendo agora, bem, vai ser muito difícil para mim quando ele se for. Muito difícil mesmo.

Uma lagrimazinha escorreu dos olhos de Maggie, e Libby a encarou, consternada.

— Ah, mamãe, eu não queria... Desculpe. Achei que...

— Está tudo bem, querida. De verdade. Tudo bem. Estou propensa a me sentir assim de vez em quando. É desgastante.

Libby passou o braço pelo ombro de Maggie, apertando-a um pouquinho. Não era uma moça carinhosa. Tampouco havia sido uma criança muito carinhosa, então Maggie gostou do gesto.

— Que mundo esquisito, não é? — disse Libby. — Ali, cuidando da sua vida e, de repente, doze meses depois, você está passando todos os dias numa casa de repouso, ajudando alguém a rastrear os filhos perdidos faz tempo.

— Não é brincadeira — completou Maggie, aproveitando a estranha proximidade de sua filha mais nova, não querendo que ela acabasse. — Se alguém tivesse me contado um ano atrás... — Ela deixou a frase sumir. Um ano antes, ela pensou com tristeza, ela estava se apaixonando.

Matilda se aproximou saltitando, com as mãos marrons de poeira. No entusiasmo de agarrar os joelhos da mãe, ela tropeçou nos próprios pés e caiu de cara na grama. Maggie nunca chegou a contar a Libby o que ela teria dito se alguém lhe tivesse falado um ano antes que sua vida estaria muito mudada agora, porque Libby estava ocupada persuadindo sua filha de que ela estava bem e distribuindo beijos mágicos. Em vez disso, elas lentamente juntaram suas bugigangas e saíram do parquinho na direção do pequeno apartamento de Libby, num terraço convertido perto do centro da cidade.

Maggie ficou tempo o bastante para ver a delicadeza de Libby dando um macarrãozinho na boca de sua filha e para que ela reclamasse um pouco da babá de Matilda. (Maggie achava que essas reclamações eram, na verdade, uma tentativa sutil de persuadi-la a se oferecer para cuidar da criança durante a semana. Maggie adorava fazer parte da vida deles, mas não tinha vontade nenhuma de passar dias inteiros sozinha com a neta. Não era esse tipo moderno de avó.) O companheiro de Libby chegou por volta das três horas. Ele estava um pouco rabugento, e Maggie não sabia se era porque achava a presença dela desagradável ou se esse era seu comportamento corriqueiro. De qualquer modo, ela estava pronta para ir embora, o apartamento era pequeno demais para quatro, então pegou a bolsa e foi no seu carrinho vermelho até o apartamento de Daniel.

Não ficava muito no apartamento dele. Só ia lá para coisas objetivas. Entrava, verificava o capacho da entrada, conferia as pias e saía de novo. Naquele dia havia no chão uma pilha de correspondência maior do que o normal, inclusive — ela ficou bem perturbada ao notar — alguma coisa com selo francês e um envelope manuscrito. Ela cuidou da pilha com eficiência, jogando fora folhetos de pizzaria e de limpeza de janelas (embora as janelas dele precisassem de limpeza, ela não pôde deixar de notar isso). Enfiou a correspondência na bolsa e foi direto para a casa de repouso, onde, ficou assustada de ver, a cama de Daniel estava vazia.

— Ele está na sala de música — disse uma moça chamada Pippa, que passava pelo corredor indo na direção oposta. Maggie deixou o coração em pânico voltar a uma pulsação de repouso e lhe sorriu, agradecida.

— Obrigada.

Daniel estava em uma poltrona arranhando as cordas de um violão. Usava um suéter em cima do pijama, então, à primeira vista, era como se estivesse arrumado. O cabelo estava bem penteado, e, exceto pela pavorosa palidez e pelo suporte da bolsa de sua urina, ele mal parecia estar doente.

— Olá. — Ela sorriu, beijando-o no rosto e acariciando-lhe o braço.

— *Bonjour.* — Ele também sorriu, raspando gentilmente as cordas do violão e enviando ao espaço um acorde musical diáfano. — Como vai?

— Muitíssimo bem — disse Maggie, ocupando um assento diante dele. — Mas, de verdade, como está? Não esperava vê-lo de pé.

— Sim, estou na vertical! Mas não se engane. Não vou estar sempre na vertical a partir de agora. E me trazerem aqui não foi um espetáculo edificante, garanto a você.

— Então, por que decidiu vir até aqui? — perguntou ela, dando uma olhada na sala, onde nunca estivera antes.

Daniel deu de ombros e bateu as mãos nas cordas, levando o violão a emitir outro melancólico som difuso.

— Ouvi uma enfermeira falando desta sala. Não a tinha visto. Nem sabia que existia. Então pedi para me trazerem aqui. Esforçaram-se muito para que eu mudasse de ideia.

— Não sabia que tocava violão — disse ela.

— Eu não toco violão. — Ele riu.

— Ah — Maggie estava um pouco perplexa.

— Não toco nenhum instrumento musical. Outro arrependimento, outra falha na minha vida lamentável.

— Ah, por favor — começou Maggie —, isso não é...

— Você tem que parar de interpretar tão literalmente tudo o que eu falo, Maggie May! É claro que não acredito que minha vida foi lamentável e fracassada! Mas gostaria mesmo de ir embora deste lugar sabendo pelo menos dedilhar "Jailhouse Rock" num violão barato... — Acariciou as cordas e sorriu. — Então! — prosseguiu ele. — Me fale do outro lugar. — Com as sobrancelhas espessas, indicou o mundo exterior. — O que está acontecendo além dessas paredes?

— Ah, não muita coisa — disse ela. — Estive com Libby a manhã toda. Com o bebê. Foi ótimo. E fui até o seu apartamento. Tinha alguma correspondência. A bobagem de sempre. E isto. — Ela vasculhou a bolsa em busca do envelope manuscrito. — Veja — disse, entregando-o a ele. — É da França. — Ela tentou conservar a voz animada, mas já sabia que a carta talvez não tivesse um efeito positivo.

Ela observou o rosto dele com atenção, e o viu tremer e depois murchar. Ele suspirou.

— Ah — acabou dizendo, balançando a cabeça para baixo e para cima, bem devagar e conscientemente. — Aqui está.

Ela olhou para ele com esperança.

— É o meu irmão. Ou a minha mãe morreu ou está prestes a morrer, ou meu irmão está morrendo, ou talvez eu esteja errado e alguma coisa bem *maravilhosa* esteja acontecendo... — Ele suspirou de novo e rasgou o papel do envelope com um dedo nodoso. Ela o observou lendo, com os olhos baços deslizando rapidamente pelas linhas, depois lentamente, depois rapidamente de novo. Ele chegou ao fim da carta, colocou-a no colo e olhou para ela, pesaroso.

Maggie segurou o fôlego, seus dedos tocando ligeiramente a pele do pescoço.

— Bem — disse Daniel por fim —, ele está vindo. O meu irmão está vindo.

— É mesmo? — perguntou Maggie, que tinha esperado coisa pior.

— Na semana que vem. Vai chegar na semana que vem. E imagina me encontrar em meu bonito e aconchegante apartamento, esperando por ele com uma garrafa de Sancerre e uma recepção alegre.

— Não sabe que você está doente?

— Não. Não sabe. É a primeira vez que tenho notícias dele em quase cinco anos. Da última vez que nos vimos, eu estava em plena forma.

— Ah, coitado do seu irmão, ele vai levar um choque tão desagradável.

— Ah, não! Sou eu quem vai levar o choque desagradável, não ele. Fui eu quem resolveu morar em outro lugar. Fui eu quem resolveu sair de lá. E agora ele está vindo. Para o meu espaço. Em trinta anos, meu irmão nunca veio a este país. É coisa demais. Ele nunca saiu da França; apenas uma vez, para pegar um cachorro na Bélgica. Uma coisinha assim, sei lá, com um pelo assim... — ele fez um topete com os dedos. — Enfim. Não. Sou eu quem deveria estar preocupado. Sou eu o *invadido*.

— Você não pode... não responder? — sugeriu Maggie, embora isso não fosse de seu feitio. — Ele nunca saberá onde você está.

— Não. — Daniel fechou os olhos brevemente e abriu-os de novo. Maggie teve receio de o estar impacientando, e se conteve. — Não — continuou ele. — É meu irmão. Eu estou morrendo. O fato de ter escolhido vir justamente agora para me ver... deve significar alguma coisa. Sou fraco. Vou vê-lo. Mas, Maggie May, por favor, posso incomodá-la de novo? Desculpe, mas poderia enviar uma mensagem a ele do seu computador? Vou escrevê-la para você, em francês. Por favor. Só isso e mais nada. Não vou pedir mais nada a você. Você já fez demais.

— Não! — disse Maggie, com uma ênfase inesperada. — Não, eu não fiz demais. Não fiz nada, Daniel.

— Como pode dizer isso? Você tem sido um anjo enviado por Deus, senhora Smith. De verdade. Agora, por favor, pode pedir àquela simpática mocinha chamada Pippa para vir me ajudar a voltar pra cadeira de rodas? O meu tempo na vertical está oficialmente terminado. É hora de voltar à horizontal. Embora, infelizmente, não com você...

O francês de escola de Maggie foi suficiente para que traduzisse pelo menos 80% dos garranchos desajeitados da mensagem de Daniel ao irmão.

Meu querido irmão,

Obrigado pela sua (típica?) carta. Eu a recebi em circunstâncias (horríveis?). Eu moro numa casa de repouso (?), e não devo viver muito mais tempo. São os meus poumons (pulmões, talvez). Você tem um motivo. É um hábito horrível. Quando chegar, comunique-se com minha amiga Maggie, ela vai levá-lo ao apartamento e trazê-lo para me ver aqui. Cinco anos, é muito tempo sem contato. Se puder esperar au pire (pelo pior??).

Seu irmão,
Daniel

Foi trabalhoso tentar inserir todos os pequenos caracteres com seus acentos e cedilhas, mas Maggie quis que ficasse perfeito. Leu e releu três vezes antes de enviar a mensagem. O irmão dele se chamava Marc. Marc Blanchard. Ela quis acrescentar um bilhetinho no final, algo simpático e hospitaleiro, mas ele não falava inglês, e ela só tinha um francês rudimentar, e não confiava que com esses tradutores computadorizados ela não soaria como uma idiota total. Então, simplesmente digitou: *Je suis Maggie! A bientôt!*

Enviou a mensagem e depois foi para a sua cozinha arrumada e vermelha (outro agrado pós-divórcio que fez a si mesma), e preparou camarões fritos com brócolis, que comeu sozinha diante da reprise de *Ten Years Younger.*

Lydia

Lydia mal percebeu a primeira vez que emprestou 50 libras a Bendiks. Gostava de andar com dinheiro. Toda vez que passava por um caixa eletrônico, tirava cem libras. Sentia-se segura com um maço de notas na carteira, assim como com o celular carregado. Se a quantia baixava de 30 libras, ela se sentia inquieta, como se estivesse dirigindo um carro com pouca gasolina.

Portanto, emprestar duas notas de 20 e uma de 10 para Bendiks na semana anterior mal tinha arranhado sua consciência. Ele disse: "Você pode descontar do dinheiro da semana que vem, se quiser", mas ela tinha dito, "Não, não, que bobagem. É um empréstimo, pague quando puder".

Agora, ali estava ela, pela terceira vez em dez dias, procurando apressada a carteira no fundo da bolsa, e uma vez mais fazendo pouco das desculpas dele:

— Não, não, tudo bem. É claro que compreendo.

— Realmente, Lydia, sinto-me mal. Ainda não lhe paguei o que me emprestou na semana passada.

— Tudo bem, de verdade. Por favor... — Ela lhe estendeu as notas, e ele olhou para ela se desculpando: — Tem certeza?

— Sim. Claro. Pegue.

Ele pegou o dinheiro e curvou-se bem de leve. Depois, ergueu a mão direita dela e pôs ali um beijinho delicado.

— Ah — disse Lydia.

— Obrigado — respondeu Bendiks.

Passando por ela, ele recolheu a bolsa de ginástica antes de dar uma olhada em seu reflexo no espelho da entrada, enfiou o dinheiro no bolso de trás e saiu. Lydia virou-se rumo à cozinha, para onde estava indo se reabastecer com uma bebida artificialmente adoçada. Juliette estava junto da entrada, parada de maneira pouco convincente com uma toalha e um desinfetante nas mãos. Lançou um olhar para Lydia. Lydia tentou traduzi-lo. Parecia sugerir tanto pena quanto preocupação. Lydia se arrepiou um pouco, e foi até a geladeira, passando por Juliette. Conseguia sentir Juliette atrás dela, sem se mover, vibrando de palavras não ditas. Pegou na geladeira a garrafa de Sprite, e também duas fatias de Cheddar e um punhado de uvas verdes. Fechou a porta da geladeira, sorriu debilmente para Juliette e tomou o rumo do escritório.

Não sabia o que pensar. Cinquenta libras não eram nada para ela. De fato, 150 não eram nada. Podia muito bem debitar 150 por conta de sua experiência. Mas não sabia bem que tipo de experiência estava tendo. Fazia um mês que Bendiks morava ali. Ele vinha sendo charmoso, preocupado, quieto e amistoso. E tinha deixado claro que queria mais que apenas um teto. Obviamente, achava-a atraente, interessante e merecedora de atenções. Fazia tudo isso de modo franco e autêntico. Quanto mais ele ficava em sua casa, mais ela gostava dele. Quanto mais o conhecia, mais sentia que tinha feito a coisa certa ao convidá-lo para morar ali. Ele era muito mais do que uma carinha bonita e um corpo em forma. Tinha uma personalidade gentil e uma profundidade não aparente. Era real. Porém, era pobre, e ela era rica. Poderia ser uma armação para arrancar dinheiro dela. Todo o maravilhoso conceito de "Bendiks" podia muito bem ser uma ilusão. E ela, facilmente, uma tonta patética.

Contudo, ela não se preocuparia muito com Bendiks e suas dívidas. Agora não. Agora, Lydia tinha preocupações mais urgentes. Três preocupações; a primeira era Dean. Ele tinha sumido. Tinha respondido a uma mensagem dela superficialmente, sem se comprometer. Não se comprometeu com mais um encontro, usando palavras como "ocupado", "talvez" e "entro em contato". Lydia sabia do que se tratava. Ela o tinha pressionado demais com a casa imensa, a empregada e o restaurante nos fundos da St John's Wood. Também tinha estragado tudo ao forçar demais em relação ao fato de achar que ele tinha que enfrentar as responsabilidades com a filha. Muita coisa, cedo demais. Sabia como ajeitar isso, mas não tinha muita certeza de estar pronta para dar esse passo ela mesma. A segunda preocupação era a outra moça. O nome dela era Robyn, e ela tinha finalmente respondido ao pedido de Lydia e queria entrar em contato. Só que Lydia estava tão polarizada entre a questão número um e a número três que não conseguia colocar a cabeça nessa ideia. Pois a questão número três era a mais complicada de todas.

O pai dela tinha se registrado.

O pai dela queria entrar em contato.

Por alguma razão, ela não tinha contabilizado essa possibilidade em sua visão do que poderia acontecer depois de se incluir no registro. Tinha imaginado de alguma forma que o "pai" não ia querer parte nenhuma dessa reunião, que o "pai" estaria sentado embaixo de uma palmeira em algum lugar, não dando a mínima para a dispersão aleatória de seu DNA. Porém, lá estava ele. Um homem chamado Daniel. Cinquenta e três anos e morando em Bury St Edmunds.

De repente, Lydia ficou atrapalhada com a ordem das prioridades. Como iria administrar isso? Em que sequência deveria viver os próximos poucos capítulos de sua vida? Realinhar-se com Dean, encontrar Robyn, e aí todos se juntariam com o papai Daniel como uma grande turma feliz? Ou encontrar individualmente cada participante desse cenário esquisito? Ela deveria conhecer cada um devagar ou marcar reuniões uma atrás da outra? Será que os outros estavam interessados em conhecer o "pai"? Ou só ela estaria? E, se esse fosse o caso, será que ele não ia querer perguntar dos "outros"? E como ela se defenderia? E a quarta cria? Deveriam esperá-lo se registrar?

Ela suspirou e desejou uma família para si mesma. Desejou um irmão ou irmã ou melhor amiga, alguém com quem pudesse partilhar isso tudo. Mas sua única amiga estava no momento colocando todos os bens em caixas de papelão e prestes a se mudar, com a filha de cinco meses e o companheiro barbado, para uma casinha no meio do Snowdonia National Park. Como Lydia previra, assim que tinham plantado a semente de voltar, o processo foi bem rápido, ajudado pelo fato de o apartamento deles ser alugado. Não houve nem tempo para uma festa de despedida, o que Lydia agradeceu intimamente.

Deu uma olhada para o relógio do computador. Eram quase três horas. Olhou para a garrafa de Sprite e para a hora de novo. Então, abriu o armário e tirou de lá uma garrafa de Bombay Sapphire, considerado o melhor gim do mundo. Encheu a garrafa plástica verde até a borda — uma dose dupla generosa, estimou. Ajudaria a se concentrar. A pensar.

Por volta das 4h30, Lydia já tinha tomado mais quatro doses duplas generosas (ela ainda supunha que fossem doses duplas generosas), e estava dançando diante de vídeos no YouTube enquanto Queenie a observava da poltrona, desanimada, como se estivesse pensando: *O que aconteceu, Lydia? Você costumava ser como eu, você costumava ser fria e elegante, e agora está dançando muito mal. Estou muitíssimo desapontada.*

Lydia ignorou a gata e sentiu o desamarrar das próprias cordas de retenção, o colapso de sua lona interna. Nunca tinha bebido socialmente. Nem dançado socialmente, aliás. Guardava para si mesma esse tipo de abandono pessoal. Não achava necessário ninguém mais ver como ela se despia com álcool.

Ficou uma hora no YouTube, escolhendo os preferidos, tudo de Bowie a Morrissey a Snow Patrol, girando em volta da sala, parando de vez em quando para encher a garrafa de Bombay Sapphire, até não restar mais Sprite. Então, perambulou na direção do quarto de hóspedes e escancarou as portas que davam para uma pequena sacada e apreciou a vista por um tempo. Eram 5h30. Ainda levaria um tempo para escurecer, a luz do final de tarde parecia dourada nas folhas das árvores do seu quintal, e, apesar de um aglomerado agourento de nuvens escuras agigantando-se ameaçadoramente no horizonte, estava uma tarde gloriosa. Lydia deixou-se enredar pelo atordoamento da bebida por algum tempo. Se deixasse os detalhes se embaçarem, ela poderia estar no apartamento em Camden com Dixie; poderia estar sentada no grande sofá com os pés descalços, o laptop ao lado, observando Dixie temperar um frango. Poderia estar ouvindo os sons da confusão de Camdem vindo da rua abaixo, e poderia se sentir como uma jovem normal em vez de se sentir como uma assustadora mulher rica com um gato azulado e uma casa grande demais.

E foi nesse instante que soube o que queria fazer. Não poderia encarar o desconhecido dessa recém-encontrada irmã e pai sem antes conhecer a si mesma. E não poderia se conhecer sem antes saber o que tinha acontecido naquele dia horrível numa sacada não muito diferente daquela, em um conjunto de apartamentos perto de Tonypandy.

Andara brincando com a ideia nos últimos dias, desde que Dean tinha saído daquele restaurante naquela noite e esfriado com ela. Porém agora, por fim, tinha clareza sobre isso. Voltou ao escritório e pegou o celular na escrivaninha. Ela então escreveu uma nova mensagem para Dean:

Oi, Dean, preciso da sua ajuda. Preciso voltar ao País de Gales. Quero me encontrar com Rodney e saber o que aconteceu. E quero que venha comigo. Talvez amanhã, se não estiver ocupado. Por favor, diga sim. L.

Ela esperou até se tranquilizar de que essa era mesmo a coisa certa a fazer e enviou a mensagem.

Lydia despencou na cama às 8h30 e dormiu até as oito da manhã seguinte. Doze horas de sono, pensou ao acordar, como um bebê.

A cabeça estava um pouco tonta, mas não tão ruim quanto poderia, provavelmente porque a última bebida tinha sido muito cedo. Estava usando um pijama limpo, e as roupas do dia anterior estavam penduradas direitinho no closet ao lado. Ela desenrolou as persianas do quarto e apreciou o dia. Estava claro, e o céu tinha um azul aquarelado, com pinceladas de branco. O homem no rádio disse que a temperatura ficaria em torno dos 18 graus. Ela se enfiou no roupão e desceu correndo as escadas para tomar o café da manhã antes que Juliette chegasse, às 8h30, e que Bendiks surgisse e começasse a bater coisas numa máquina barulhenta. Ela encheu uma tigela com cereal, pegou uma caixa de leite, uma banana e sumiu no escritório. Tinha lá uma máquina de café, então fez um expresso duplo e foi checar o telefone que estava carregando na escrivaninha (não se lembrava de tê-lo colocado para carregar à noite, assim como não se lembrava de ter pendurado as roupas). Não havia nenhuma mensagem de Dean. Ficou em parte aliviada. Ontem à noite parecera uma boa ideia, mas agora, sóbria e à luz do dia, provavelmente não fosse algo tão bom com que se comprometer. Para começar, ela só tinha uma vaga ideia de onde encontrar o tio; também, o que esperava achar na verdade?

Ela devorou o cereal e a banana e engoliu o expresso açucarado. Estava prestes a ligar o computador e começar o dia com uma leitura cuidadosa dos mercados, do clima e do estado do mundo quando a campainha emitiu seu som computadorizado. Ela parou. Deve ser Juliette, pensou, esqueceu as chaves. Foi até o monitor do lado de fora do escritório e ligou a tela, e ali no degrau da entrada, usando um boné de beisebol e com uma mochila esportiva pendurada no ombro, estava alguém que se parecia muito com Dean.

— Olá! — ela disse.

— Sou eu, Dean — respondeu ele. — Recebi sua mensagem ontem à noite.

— Ah, certo.

— É. Depois o meu celular foi roubado no bar. Não tinha o seu número em lugar nenhum, então achei melhor chegar cedo, para não me desencontrar de você.

— Ah — disse ela de novo. — Claro.

Ele deu um olhar sugestivo para o olho da câmera e se remexeu nos pés.

— Tudo bem? — acabou dizendo.

— Sim, claro. Claro. Entre. — Ela liberou a entrada e o encontrou no começo da escada. Ele olhou para ela surpreso, notando o pijama e o cabelo despenteado. Depois olhou além dela e piscou.

— Ah, desculpe.

— Desculpe o quê?

— Não me dei conta...

— O quê? — Ela olhou para trás e viu que Bendiks estava na plataforma, de peito nu e calça de algodão amarrada na cintura.

— Bom dia — disse ele, exibindo os dentes brancos.

— Ah, oi, Bendiks. Este é meu amigo — começou ela, depois se corrigiu —, meu irmão. Este é Dean. Dean, este é Bendiks. Meu inquilino. Meu treinador.

— *Amigo* dela — completou Bendiks, descendo as escadas com a mão estendida.

Lydia olhou de Dean para Bendiks e de novo para o primeiro. Ainda que desejasse que Bendiks fosse mais que um simples amigo, sentiu-se constrangida diante da ideia de seu irmãozinho ter uma impressão equivocada.

— Sim, mas não...

— Não — garantiu Bendiks, num tom animado demais —, não esse tipo de amigo. Prazer em conhecer você.

Dean deu um sorriso hesitante para Bendiks, obviamente ofuscado por sua pele amorenada, a brancura de seus dentes e o tamanho de seus peitorais superdesenvolvidos. Por isso Lydia sempre se certificava de não estar na cozinha depois das 8h30. Uma vez cruzara com Bendiks usando, sob o roupão de algodão sem cinto, uma calça justa que parecia ter uma espécie de bolsa costurada por dentro, que denunciava em grandes detalhes o volume de seus genitais. Tensa como andava de urgente desejo carnal, Lydia a considerava um anúncio um pouco informativo demais sobre coisas que ela não podia bancar.

— Entre — ela disse a Dean. — Já tomou café?

— Sim, comi um enroladinho de bacon no caminho. Tá tudo bem.

— Um chá?

— Não. — Ele sorriu, meio que se desculpando. — Estou bem.

— Então — disse ela —, o que aconteceu com seu celular?

— Ah, nada de mais. Deixei-o no bolso da jaqueta pendurada nas costas da cadeira. Alguém o furtou. — Ele encolheu os ombros. — Culpa minha.

— Tem seguro?

— Não, claro que não.

— Eu arrumo um novo para você — disse Lydia, as palavras transbordando de sua boca antes que pudesse se reprimir.

— Não seja boba — pediu ele. — Está tudo bem. Minha mãe disse que vai me dar um novo.

— Ah, certo, claro. — Tinha esquecido que ele não era órfão, como ela. Ela o deixou no terraço com Bendiks enquanto subia correndo para se arrumar. Enfiou um jeans, uma camiseta, um cardigã folgado e tênis. Não fez nada no rosto nem no cabelo, pois tinha pressa demais para descer e separar a esquisita dupla Dean e Bendiks. Sendo uma compartimentalista clássica, Lydia não conseguia imaginar esses dois personagens disparatados juntos sem ela.

— Então — disse, dirigindo-se a Dean —, vamos?

— Certo — respondeu ele, pondo as mãos nos joelhos. — Claro, vamos.

— Aonde vão? — perguntou Bendiks.

— Ah, lugar nenhum. Só vamos ver familiares.

— Ah, certo — Bendiks relanceou os olhos para ele —, achei que toda a sua família tinha morrido.

Lydia foi pega de surpresa. Esperava que ele não comentasse nada.

— Bem, não, não toda. Tenho um tio. Tenho tias e primos...

— Você me disse que tinha perdido o contato com todo mundo.

Lydia não compreendia por que Bendiks a estava confrontando tanto.

— Sim, eu disse. Mas agora...

A fisionomia de Bendiks se suavizou, como se tivesse tomado consciência de que tinha exagerado.

— Ótimo. — Ele sorriu. — Fico tão feliz que tenha encontrado o seu irmão. Você tem muita, muita sorte. — Ele sorriu, tristonho, e Lydia sentiu um enjoo no estômago.

Claro, pensou ela, claro. Ela tinha encontrado o irmão, Bendiks jamais encontraria o dele. Ignorou o impulso de tocá-lo — ele ainda estava despido demais para ser tocado. Em vez disso, sorriu e disse:

— Obrigada.

— Você contou pra sua mãe onde está indo hoje? — perguntou ela a Dean, olhando para ele do outro lado da mesinha de fórmica que os separava no vagão de primeira classe.

— Sim.

— O que ela disse?

— Não muito. Na verdade, minha mãe não fala muito sobre nada.

Lydia assentiu.

— Você acha que é loucura? Fazer isso? — perguntou, depois de um tempo.

— Não — respondeu ele. — Acho que seria loucura não fazer.

Ela concordou e se virou para olhar pela janela. Via a vista dos fundos de Londres, quintais apequenados, janelas, paredes de tijolinhos e sujeira. Tinham três horas pela frente. Três horas para conversar. E havia muito para conversar.

— Então — começou ela —, recebeu a carta?

Os olhos de Dean se arregalaram.

— Sim. Um pouco chocante, não é?

Ela assentiu.

— O que você acha?

— Acho... — Ele soprou o ar das bochechas. — Não sei o que pensar. Sabe, eu ainda estava lidando com o encontro com você. — Ele expirou. — Não sei. Estou pirando um pouco, acho. E você?

— Também me sinto assim. Por isso... bem, por isso quero fazer isto. Sabe, preciso limpar a antiga confusão antes de ficar presa em outra nova.

— Você acha que vai ser uma confusão?

Ela sorriu.

— Provavelmente. Olhe para nós. Apenas três encontros e você já quis sumir. Obviamente não sou muito boa nessa história de reunião.

Dean pareceu genuinamente chateado diante do comentário dela.

— Não, não foi você. Não foi você de jeito nenhum. Fui eu. É que...

— Sei o que foi, Dean. Tudo bem. Exagerei. Não devia tê-lo pressionado tanto em relação ao bebê.

— Não foi o bebê. Sinceramente. Não foi isso. É que... Eu me senti como se você... — ele a encarou com os grandes olhos castanhos — ... como se você fosse boa demais para mim.

Lydia sorriu e balançou a cabeça.

— É, foi o que pensei. E esta é outra razão pela qual queria que viesse comigo hoje. Queria que você visse de onde eu venho. Queria que me entendesse e não apenas ficasse desconcertado por todas as bugigangas que o dinheiro comprou para mim. Não sou diferente de você, Dean.

Ele olhou para ela parecendo não acreditar muito naquelas palavras.

— Sinceramente. Não sou. Você vai ver. Você vai ver mesmo.

Ele desviou o olhar para a janela.

— Eu gosto de você de verdade, sabe? — disse, depois de uns instantes. — Não foi nada pessoal eu ter me desligado. Acho você surpreendente.

Ela sorriu.

— Bom, sei que vai achar que só estou dizendo isso porque você é tão inseguro, mas eu gostei de você assim que o vi, e gostei cada vez mais desde então. Você só precisa resolver suas questões de autoestima.

— Olha quem fala! — provocou ele.

— O quê?

— Bom, você é toda rica e bem-sucedida, é realmente bonita e anda por aí como se fosse uma... bolha.

— Não ando, não! — contrapôs ela.

— Anda sim, cara. Você é toda assim... — Ele curvou os ombros numa corcunda e olhou para ela, nervoso. — Você é toda *"não olhe para mim, desvie seu olhar"*. Sabia?

Ela se sentiu, de repente, sob ataque. E suspirou.

— Como eu disse, somos parecidos, você e eu. Somos bem parecidos. Criaturas patéticas. De dar dó mesmo. — Ela fez uma pausa e o encarou. Então ambos riram.

Depois de um tempo, Lydia disse:

— Como acha que a outra vai ser? A garota. Robyn. Acha que vai ser uma criatura de dar dó também?

Dean parou de rir e considerou a pergunta.

— Cacete, quem sabe? — Fez uma pausa e sorriu: — Espero que sim.

Lydia riu de novo, e ambos silenciaram e ficaram olhando pela janela o cenário da cidade.

Depois de algum tempo, a fisionomia de Dean ficou mais tensa, e era óbvio que estava prestes a dizer alguma coisa.

— Mas você estava certa — disse ele. — Estava certa em relação ao bebê. Sou um fracasso. Odeio a mim mesmo. Toda manhã acordo e me olho no espelho e vejo os olhos dela me olhando, sabe? Os mesmos olhos. Toda manhã ela me olha no espelho e começa: seu *fracassado*. E tem razão.

Lydia o encarou enquanto ele falava. Pensou nela mesma na idade dele. Pensou na vida na universidade, servindo cerveja, lidando com tubos de ensaio e sempre fora do mundo. Será que poderia ter cuidado de um bebê? Será que poderia ter cuidado de um bebê adoentado? Sozinha? E, mais objetivamente, será que ia querer isso?

Ele não era um fracasso, mas ela não conseguiria lhe dizer isso. Teria que lhe mostrar. Então não disse nada, deixando que ambos voltassem a um estado de silêncio contemplativo e repousante enquanto o trem os levava com rapidez e urgência ao País de Gales.

Estava quente quando desembarcaram. Lydia não esperava por isso. Tirou o cardigã e o amarrou na cintura. Dean voltou a colocar o boné de beisebol, e eles foram até o ponto de táxi.

Lydia sentiu um calafrio no corpo. Pensou nas inúmeras horas de sua vida passadas no ponto de táxi de Cardiff. Viu imagens de si mesma aos 17, aos 18, aos 19 anos. Viu-se com uma jaqueta de couro surrada, e Arnie ao lado, com uma bandana azul e uma coleira desgastada. Viu-se mais nova, de mãos dadas com o pai, voltando para casa depois de uma viagem estressante até Bangor para visitar a avó, que estava morrendo numa cama no próprio quarto. Percebeu-se andando lado a lado com uma porção de versões antigas de si mesma e sentiu cada vírgula da angústia que sentira todas as vezes que estivera ali. Com exceção da última vez. Viu-se nessa época, recém-formada, liberta da família e do passado, com suas coisas num baú, o cabelo num novíssimo corte, Dixie ao lado, saindo do País de Gales rumo a Londres.

Tinha jurado a si mesma, e a Dixie, que jamais voltaria. Lembrou-se de estar no trem, fumando, olhando pela janela e dizendo a Dixie: "Este é o melhor momento da minha vida".

Por um instante, Lydia se detestou por quebrar o próprio juramento e por macular a perfeição daquele instante de oito anos atrás. Mas olhou para o irmão, magro e curvado, acompanhando-a até os táxis, e se lembrou do motivo de estar ali.

— Pode nos levar a Tonypandy, por favor? — perguntou ela ao homem que dobrava um exemplar do *Penarth Times*.

Ele lhe deu uma olhadela gentil e ligou o taxímetro.

— O que a leva àquele lugar? — perguntou ele, mais adiante, olhando pelo retrovisor.

— Ah, nada. Família.

— Certo — compreendeu ele.

— Vamos precisar do senhor o dia todo, se concordar. O senhor tem uma taxa diária?

— Oitenta libras — disse ele, sucintamente, e depois desligou o taxímetro.

Lydia ficou contente com a presença de Dean no táxi com ela. Assim não precisava puxar conversa com o motorista. Em vez disso, ela foi mostrando pontos de referência ao irmão enquanto se deslocavam. Era ali que eu trabalhava num bar quando era estudante. Foi ali que fomos buscar o meu cachorrinho quando eu tinha oito anos. Esse é o comércio onde o meu pai trabalhava. Esse é o lugar que faz o melhor peixe com batatas fritas de Glamorgan. Essa é a colina onde eu fiquei chapada pela primeira vez.

— Você ficou chapada? — perguntou ele, virando-se para olhar para ela.

— Claro que sim.

Ele sorriu, hesitante.

— Nunca me disse isso.

— Ah, bom, como é que esperava que eu dissesse? "Oi, sou Lydia, e quando era estudante eu costumava fumar maconha"?

Viu as cenas de seu passado voando pela janela do táxi, e se sentiu enrijecer quando começaram a surgir os arredores do vilarejo. Olhou com um medo nauseante para o 7Eleven com a rampa para cadeiras de rodas do lado de fora onde ela costumava comprar guloseimas, refrigerantes, e depois, quando o pai ficou doente, onde fazia todas as compras da casa. Deu uma olhada no salão de cabeleireiro, um dia chamado Hair Today, agora pintado de verde-abacate e com o nome de The Village Spa. Viu as lojas darem lugar às propriedades maiores, e depois, lá estava ele: o seu conjunto de apartamentos. Feio como sempre, quatro andares de rebocada mediocridade, dispostos atrás de um canteirinho de grama e uma área de lazer.

A área de lazer tinha sido reformada, forrada de um flexível plástico azul com cavalinhos de balanço em cores vivas e balanços infantis emborrachados. Uma jovem estava sentada num banco lendo uma revista enquanto um garotinho, aos seus pés, girava as rodas de um patinete. Uma lata de lixo junto do banco transbordava de caixas de pizza amassadas, latinhas vazias e fraldas emboladas. Além do gramado e da área de lazer, havia um caminho pavimentado que circundava todo o edifício e levava até a entrada lateral.

A jovem mãe do banco ergueu os olhos ao ver Dean e Lydia indo na direção dos apartamentos. Sorriu debilmente, como se achasse que deveria conhecê-los, e voltou-se de novo para a revista.

— Qual deles era o seu? — perguntou Dean, olhando para cima.

Lydia apontou a sacada do terceiro andar.

— Aquele ali.

— E esta é a sacada...?

— É. — Olhou para o chão, e sentiu as entranhas se contorcerem. Arrepiou-se de pavor. Ali estava. Ainda ali, depois de todos aqueles anos: a mancha de tinta. Agachou-se, olhando para o inofensivo anel rosado. Estendeu a mão e tocou-o com os dedos. A mão de sua mãe. Lembrou-se de novo dos cisnes prateados, do pássaro e das marcas circulares nas revistas. Procurou na cabeça se lembrava de mais alguma coisa, mais alguma coisa que tivesse deixado para trás, mas não encontrou nada.

— Vamos. — Ergueu-se. — Vamos entrar.

As escadas estavam vazias e pareciam menos interditadas do que eram na sua infância. Parou no terceiro andar. Diante dela estava o lugar que chamara de casa durante dezoito anos de sua vida. Respirou fundo, ajeitou as roupas e então, hesitante, bateu à porta.

A porta foi aberta por um velho ligeiramente ofegante de sebosos cabelos brancos e com um gato amarelado nos braços.

— Quem é? — perguntou ele, examinando-os às cegas.

— Meu nome é Lydia Pike — disse ela. — Eu morei aqui.

A fisionomia do homem relaxou, e ele colocou o gato inquieto no chão, que tentou escapulir pela porta, mas o homem o agarrou pela coleira.

— Rápido, rápido, entrem, antes que este aqui escape. — Eles se enfiaram para dentro do apartamento, que cheirava a roupa mofada e ovos fritos, e o homem fechou a porta.

— Então — começou ele, avaliando-os —, você é a filha de Trevor?

Ela olhou para ele, surpresa.

— Imaginei que voltaria. — Ele deu um risinho.

Ela começou a segui-lo pelo que um dia tinha sido a sua sala, mas era agora obviamente a sala de um velho.

— O senhor conheceu o meu pai?

— Sim, conheci. Eu morava do outro lado do prédio, ali, dando para os campos. Aí, fiquei viúvo, meu filho se casou e fiquei só eu, então quis um lugar menor. Ofereceram-me este, e eu sabia que ninguém ia querer, por causa do que aconteceu. — Ele suspirou com tristeza e olhou para Lydia com olhos molhados. — Não sou de acreditar nessas coisas de carma, sabe? Não acredito em energia negativa ou seja lá como chamam isso. E gostava de poder ver gente. Gosto de sentar e olhar as crianças no balanço, ver o mundo indo e vindo. Estava cansado da vista do outro lado, e este me servia direitinho. Então, eu o peguei. Vivo aqui sozinho desde então.

Lydia piscou. Esperava encontrar uma família jovem. Não esperava que restasse nada do passado. No entanto, ali estava ele. Bem diante dela.

— Então, o senhor se lembra de mim? — perguntou ela, hesitante.

— Lembro sim. — Ele assentiu, acomodando-se no horrível sofá de napa. — Você tinha um cachorro. Era um pouco *difícil*, se me lembro bem. — Ele sorriu.

— Desculpe, qual é o seu nome?

— Sou Pat... Pat Lloyd. Talvez se lembre do meu filho. Tony. Tony Lloyd?

Ela arfou. Lembrava, sim. Tony Lloyd tinha síndrome de Down e sempre parava e abraçava Arnie quando passava por eles nas escadas ou no jardim.

— Lembro-me de Tony. E ele se casou, o senhor falou?

— É, casou. Pegou todo mundo de surpresa. Mas já faz dez anos que estão juntos, ainda felizes como no dia em que se conheceram.

— Nossa — disse Lydia —, que ótimo isso.

— Então — ele passou os olhos de um para outro —, o que traz vocês aqui de volta?

Ele queria uma apresentação, então Lydia lhe ofereceu uma:

— Este é meu irmão. Acabamos de nos reencontrar. Queria mostrar a ele de onde vim.

— Ah, certo. — Ele parou e olhou para Dean. — Dá pra ver as semelhanças entre vocês dois. Dá pra ver que são parentes. — Dean e Lydia sorriram um para o outro. — Mas eu achava — ficou de boca aberta, no meio da frase. Piscou. — Não, não, tudo bem. Bom, posso lhes oferecer um chá?

— O senhor achava o quê? — perguntou Lydia.

— Nada. Nada. Acho que estou me confundindo. — Ele se levantou. — Poderia oferecer café, mas acabou. Acho que tenho cevada em algum lugar.

— Não, não se preocupe. Um táxi está nos esperando, não vamos ficar.

Ele sorriu com tristeza e voltou ao sofá.

— Então, como está a sua vida? — perguntou ele.

Lydia balançou a cabeça.

— Eu tenho uma vida boa.

— Casada? Algum filho?

— Não, só um gato.

— Gatos não substituem crianças. E você? — Ele se dirigiu a Dean.

Lydia olhou para Dean, vendo a cor sumir do rosto dele.

— Hã, sim, eu tenho um bebê. Uma menininha.

O velho sorriu, parecendo satisfeito com o fato de que pelo menos um dos estranhos em sua sala tinha contribuído com a população.

— Ah! — disse ele, de repente, erguendo-se de novo. — Já que estão aqui, andei guardando uma coisa esses anos todos, sem saber o que fazer com ela... — Ele se dirigiu até a porta do que um dia tinha sido o quarto de seu pai. — Esperem aí — disse. Voltou um instante depois, segurando uma sacola meio antiga. — Encontrei isto — começou ele, colocando a sacola no colo e a abrindo um pouco — quando estava substituindo os armários embutidos. Estava escondido num cantinho fechado. Nunca soube o que fazer com isso e não dava para perguntar a ninguém. Mas agora, bem — ele se virou para Dean e sorriu —, suponho que sejam mesmo seus. Tome.

Dean o fitou, surpreso, imaginando que papel teria nessa história.

— Tem certeza, senhor? — perguntou.

O homem assentiu e entregou-lhe a sacola. Dean abriu-a, cauteloso, e Lydia observou-o olhando dentro dela.

— O que é isso? — disse ele, olhando de novo para o velho. — Não compreendo.

— Bom, devem ser seus — respondeu Pat —, sendo azuis e tal.

Dean enfiou a mão na sacola e tirou dela uma calça de algodão azul minúscula, um casaquinho listado de azul e branco e um par de meias em miniatura.

— Para a minha filha, o senhor quer dizer? — perguntou Dean, com o olhar confuso.

— Bem, não, *seus*. Devem ser seus. De quando você era um bebê, sabe.

— Mas eu nunca estive aqui antes em minha vida — disse Dean, com um risinho.

— Suponho que não se lembre disso, sendo tão pequeno, mas deve ter estado.

Lydia interrompeu.

— Não compreendo. Quer dizer que havia um bebê aqui? Um menino?

— Sim, por quê? — perguntou Pat, arregalando os olhos de surpresa. — Não se lembra? Pouco antes de morrer sua mãe teve um bebê. Um menino.

Assim que Pat pronunciou essas palavras, Lydia olhou para a pilha de roupinhas no colo de Dean e viu num relance chocante uma mancha seca de tinta rosa bebê nas mangas do casaquinho listado.

Robyn

Daniel Blanchard. Cinquenta e três anos. Bury St Edmunds. *Daniel Blanchard. Cinquenta e três anos. Bury St Edmunds.*

Robyn ficou olhando para o papel que segurava. Não tinha imaginado isso. Registro de Parentes de Doadores era o nome. Achava que era para irmãos e irmãs. Não esperava que fosse também para *pais*. Não tinha pensado em seu *pai*. Mas ele, ao que parece, andou pensando nela. E nos outros. Queria entrar em contato. Daniel Blanchard. O seu pai.

Jack lhe trouxe uma xícara de chá, colocando-a na mesinha diante dela.

— Merda — disse ele, sentando-se e descansando a mão na perna dela.

Robyn agarrou a mão dele nas suas e assentiu.

— Sabia que não devia ter feito isso. Sabia que era bobagem.

— Você não precisa vê-lo.

— Não. Eu sei. Mas daí vou passar o resto da vida sabendo que ele quis me ver. E que eu o rejeitei. Vou passar o resto da vida me sentindo culpada.

— Você não tem nada do que se culpar — replicou Jack. — Foi uma escolha dele! Dele e dos seus pais...

— Eles não tiveram escolha nenhuma — ela cortou, na defensiva.

— Não. Mas sabe o que quero dizer; nada disso é culpa sua. Você não pediu para estar nesta situação, e, francamente, se este homem quisesse filhos com quem pudesse conversar, ele deveria tê-los tido da maneira convencional.

— Mas ele mora em Bury St Edmunds! — ela choramingou.

Jack olhou para ela com curiosidade.

— Eu já estive em Bury St Edmunds! Talvez tenha cruzado com ele na rua! Achei que morasse na França! Não era para ele morar aqui! E agora nunca mais vou poder ir a Bury St Edmunds de novo!

Jack riu.

— Não tem graça! — gritou ela.

— Não, eu sei, claro que não tem graça. É que provavelmente dá pra você viver sem ir a Bury St Edmunds, não dá?

— A questão não é essa! É que eu preferia quando ele estava na França. Gostava de tê-lo lá. E agora está aqui. E eu não gosto disso.

— Juro pela minha vida — disse Jack — que nunca vou deixá-la ir a Bury St Edmunds conscientemente. — Ela o deixou esfregar o nariz no cabelo dela. Ele tinha razão. Estava sendo boba. Mas até agora tudo tinha saído do planejado. Ela tinha feito contato com os dois. A mulher e o menino. E nenhum tinha respondido. Isso era surpreendente para Robyn. Tinha ficado doente de nervosa desde que concordara em partilhar seus dados com eles. Toda manhã observava o carteiro parar do lado de fora da casa com seu carrinho vermelho e separar o monte de correspondência. Toda manhã disparava até o saguão comum, remexendo a pilha de correspondência, e toda manhã suspirava aliviada quando não havia nada do Registro. Ao mesmo tempo, porém, ficava nervosa. Supusera que eles se atirariam à oportunidade de conhecê-la. Supusera que seriam usuários hábeis do Registro, de primeira qualidade e prontos para seguir adiante. Não tinha lhe ocorrido que pudessem ser tão inseguros quanto ela. Não tinha lhe ocorrido que fossem *humanos*.

Então, esta manhã, tinha chegado uma carta do Registro. O coração dela tinha cambaleado. Qual deles, pensava, qual deles? Seria o menino, mais da idade dela, ou seria a mulher, o terrível fac-símile envelhecido de si mesma? Ou seria, na verdade, o homem perdido, o que tinha a mesma idade de seu Jack?

Robyn e Jack saíram uns minutos depois. Pegaram uma garrafa de vinho rosê da geladeira, um saquinho de batatas, algumas azeitonas, pão e foram até o parque. O verão tinha tomado conta deles, e fazia um calor e um sol torturantes naquele final de maio. Iam se encontrar com os amigos de Jack, Jonathan e Leo, no Whittington Park, para almoçar e jogar frisbee. Consciente de ser a única mulher, Robyn tinha chamado Nush. Havia semanas que não via seus amigos. Sentia falta de Nush. Nush era um apoio na sua vida antiga, a vida que tivera antes de conhecer Jack, quando era muito segura de si, a rainha da cena, o centro de seu pequeno universo. Talvez, pensou, ver Nush a ajudasse a se lembrar de como ser aquela pessoa de novo.

Nush já estava lá quando chegaram, estendida numa toalha de praia sob a luz do sol, uma taça de vinho à mão no gramado e, o que parecia a distância, Leo tentando freneticamente ficar em cima dela.

— Meu Deus do céu — disse ela, sentando-se abruptamente ao vê-los se aproximar. — Quem é esse cara? Já falei pra ele bilhões de vezes que tenho namorado, mas ele fica tentando me agarrar.

— Não estou tentando agarrá-la— defendeu-se Leo, magoado de brincadeira. — Só estou tentando abraçá-la.

Nush olhou para ele com horror divertido.

— Mas eu nem conheço você! — protestou ela. — Sério — dirigiu-se a Jack —, quem *é* este cara?

— Larga dela — riu Jack, puxando o amigo pelo braço.

— Só queria um abraço — disse ele, projetando o lábio inferior.

— Desculpe — respondeu Jack —, ele é um pouco como um cachorro, sabe, não tem nada de mais. Basta dar um tapinha na cabeça dele de vez em quando e ele vai sossegar.

Leo sorriu como bobo e abriu uma lata de cerveja.

— A culpa é sua por se atrasar — disse a Jack.

— Atrasamos dez minutos! Não posso ser responsabilizado pela sua sexualidade extravagante.

Jonathan chegou uns minutos depois, e Robyn e Nush sentaram-se juntas, com copos plásticos de vinho e óculos de sol, como duas garotas de 20 e poucos anos vendo três homens mais velhos se comportarem como adolescentes.

— E aí, como é a vida de casada? — perguntou Nush, enroscando o braço no de Robyn e descansando a cabeça no ombro dela.

Robyn deu um beijo no negro cabelo brilhante de Nush e sorriu.

— É uma delícia.

— Mal posso acreditar nisso até agora — continuou Nush. — Não dá para acreditar que está *morando com alguém*. Parece que foi ontem que um certo Christian estava encoxando você na parede no dia do seu aniversário.

— Nossa, é, eu sei! Não precisa me lembrar!

— Estive com ele na semana passada, aliás. — Ela cutucou o quadril de Robyn. — Ele perguntou de você.

— Ui! — Robyn deu de ombros. — Não sei onde estava com a cabeça. Parece outra vida...

— É, bom, acho que era mesmo, de alguma maneira. Mas vou lhe dizer: sentimos sua falta. Ficou tudo morto sem você.

— Ah, que é isso? Tenho certeza de que você segura a onda.

— Nada. — Nush deu uma olhada nos pés descalços e puxou uma folha de grama. — As coisas não são mais as mesmas. Sabe, você foi embora, eu estou de namoro, é o fim de uma era, na verdade. Crescemos. — Ela sorriu com tristeza.

Robyn sorriu também, e puxou Nush num abraço.

— É, acho que sim.

— Então, o que você faz? — perguntou a amiga. — Como é essa supervida de adulto? Você *passa roupa*, essas coisas?

Robyn riu e voltou a dobrar as pernas.

— Nããão, mas lavo louça. E vou à lavanderia...

— Como assim... você lava as roupas de Jack? Dobra as *cuecas* dele?

— Não! Eu levo as coisas para um serviço que lava!

— Como é isso?

Robyn riu. Ela também não conhecia esse tipo de serviço até dois meses atrás.

— Você leva a roupa suja e paga uma pessoa na lavanderia para lavar para você.

Nush franziu o nariz.

— E aí, ela, tipo, pega na sujeira da sua roupa íntima e tal?

— É, e lava e dobra pra você.

— Eca! — disse Nush. — Que nojento!

Robyn riu. Fazia tempo que não tinha uma conversa de mulherzinhas de Essex e estava adorando.

— Outro dia eu esvaziei a lata de lixo.

— Você esvaziou a lata de lixo? — repetiu Nush, confusa.

— É, uma bem nojenta, cheia de cereais velhos e tal.

— Minha nossa — Nush levou a mão ao peito —, agora você é uma *deusa* pra mim.

Os homens estavam se exibindo freneticamente, um para o outro e para as duas lindas jovens que os observavam. Robyn e Nush sorriram uma para a outra.

— Saúde — Nush ergueu o copo de plástico — a você, à sua supervida de adulta.

— E a você, por não ter que esvaziar latas de lixo.

— Aleluia, minha amiga... E como vai a faculdade?

— Nem me fale.

— É mesmo?

— É mesmo. Estou me ferrando legal.

— Como assim? Não é possível!

— É, sim. Acho que devem estar quase pra me chutar de lá.

— Que merda! Por quê?

— Não sei. O meu coração não está lá, de verdade. E é dureza. A gente precisa realmente, realmente, realmente *mesmo* do coração em tudo se quer se sair bem. E um lado meu acha, sei lá, talvez eu tenha me enganado sobre essa coisa de ser médica. Talvez eu estivesse... — Ela fez uma pausa, os pensamentos ainda meio confusos. — É que tem muita coisa acontecendo na minha vida agora, e quando eu comecei essa faculdade de medicina eu era uma pessoa, e agora, sei lá, sou outra pessoa, estou um pouco no meio do caminho. Sabe?

— Como assim? Quer dizer, entre garota e mulher?

— Não. Bom, um pouco. Tem umas coisas... É complicado... — Robyn inspirou fundo, deixando a margaridinha que retorcia nos dedos cair no chão. — É o meu pai. O meu pai verdadeiro. Quero dizer, o doador. Ele entrou em contato. Quer me conhecer.

As sobrancelhas profissionalmente tratadas de Nush arquearam-se dramaticamente.

— De verdade?

— Sim. De verdade. Recebi uma carta esta manhã.

— Uau! — Ela encarou Robyn de olhos arregalados. — Mas como sabia onde você morava?

— Ah, bem, é uma longa história. Tem mais coisas. Tem... — Ela suspirou de novo e então contou a Nush sobre o irmão e a irmã e o Registro de Parentes de Doadores.

— Ah, meu Deus! Que coisa incrível! — Nush agarrou a mão de Robyn.

— Você acha?

— Deus, sim! Imagine! O seu irmão e irmã verdadeiros! E ambos moram em Londres! Qual era a chance disso?

— Bom, a clínica é em Londres, então, suponho...

— E o seu pai! Seu pai de verdade. Deve ser legal, aposto. Porque você é tão legal. Não que seu outro pai não seja legal. Eu adoro seu pai. Mas, sei lá, você sempre foi meio... especial...

Robyn pestanejou diante dessas palavras. Era assim que costumava se sentir. Quando só existia ela. Agora, só se sentia especial quando Jack lhe sorria.

— É, sei o que quer dizer; é que... — Ia dizer: e se eu o encontrar e o detestar, e isso acabar com a minha vida? Porém, lembrou-se de que sua vida perfeita estava no momento despencando morro abaixo como uma casa de madeira num deslizamento de encosta. Talvez o que de fato precisasse agora era de algo que chegasse e parasse com isso. Já tinha se registrado para encontrar o irmão e a irmã supondo que eles lhe mostrariam aonde deveria ir. Agora, ocorria-lhe que o lugar aonde a levavam naquele sonho vívido, o lugar por trás daquelas portas duplas, era de fato o pai deles. A vida dela estava se emaranhando, e ela estava deixando. Precisava puxar o fio de novo, e Nush tinha razão: ela era especial. A sua família a achava especial. O namorado a achava especial. Ela mesma já se achara especial um dia. Talvez seu pai fosse a pessoa a ajudá-la a acreditar nisso de novo.

— Você faria isso? — perguntou, voltando-se para a amiga.

— Nossa, claro! Ele nem é muito velho, né? Cinquenta e três? Mais novo que sua mãe e seu pai. Pode ser divertido. Talvez possa ajudar você com esses problemas que está tendo na faculdade. Não se esqueça: o cara é médico.

— Bem, sim, talvez seja médico. Mas pode ser um completo fracassado também. Com certeza, se a vida dele estivesse tão boa, ele não ia ficar se ocupando muito da gente, de alguma coisa que fez uns vinte, trinta anos atrás, ia?

— Claro que ia! Talvez tenha acabado de ter filhos ou netos? Talvez estivesse esperando até vocês ficarem adultos? Ou talvez tenha acordado um dia, no meio de sua vida perfeita, dado um sorriso para sua mulher perfeita, feito o café da manhã para seus filhos perfeitos, entrado na sua Lamborghini e pensado: *Hoje*? Sabe, hoje é o dia. Talvez tenha entrado em contato porque a vida dele é assim "tão boa".

Robyn olhou para Nush, surpresa. Não esperava uma resposta tão atenciosa de sua amiga. Engoliu em seco, tentando sufocar a sensação de drama iminente. E então sorriu:

— É, ou talvez esteja morrendo e só lhe restem seis meses de vida.

Nush lhe deu um olhar de exasperação.

— Bom, sei lá. Você me perguntou o que fazer... Se eu fosse você, é o que faria.

Robyn fez uma pausa. Passou os dedos pela sedosa lâmina prateada da grama.

— E se ele for um masturbador, Nush? E se eu o detestar?

Nush deu de ombros e pegou a garrafa de vinho pela metade.

— Bom, aí, pelo menos você vai saber. E isso deve ser melhor do que não saber, certo?

Robyn lhe estendeu o copo e concordou em silêncio.

Talvez ela tivesse razão.

Jack e Robyn voltaram para o apartamento às oito naquela noite. Jack tinha dado um jeito de se livrar de Jonathan e Leo, que tinham insinuado com insistência que, num mundo ideal, se juntariam a Jack e Robyn na volta para a casa deles, e beberiam até cair.

O apartamento parecia triste quando voltaram. Ficou intocado desde que o deixaram, oito horas antes. O sol tinha feito a volta toda do terraço pelas janelas da frente, pelas janelas dos fundos, e esquentado a poeira, a mobília, o chão assoalhado. Agora os cômodos estavam frescos e sombrios, esperando em silêncio pela volta deles.

Jack tirou os chinelos e pegou duas cervejas geladas na geladeira. Tirou a tampa delas na beirada do balcão da cozinha como um cara qualquer de um seriado americano, e as levou para Robyn, que estava no sofá, quieta e pensativa.

Ela sentia os braços dessa vida atual a envolverem, apertando-a num abraço forte. Estudava os mínimos detalhes de sua casa; as partes gastas do kilim terracota, as tulipas no vaso de vidro da mesa de jantar, o quebradinho no gesso atrás da tevê que parecia um raio de luz, os ornamentos do rodapé, o bonito desenho a lápis da cabeça de uma mulher pendurado na porta da frente e uma resenha emoldurada do *Guardian* sobre o primeiro romance de Jack, intitulada "Palavra perfeita".

Todos os detalhes eram novidade, mas também já bastante familiares. No entanto, ainda havia um toque melancólico nesse ambiente. Sua vida deveria parecer perfeita, mas não parecia. Seu amor por Jack deveria bastar, mas não bastava. Ela deveria estar navegando pelo primeiro ano na faculdade de medicina, porém tinha se arrastado por ele dolorosamente e estava prestes a sucumbir.

Ela se virou para Jack quando ele veio para o sofá. A voz dela soou suave e inexpressiva.

— Quero encontrar meu pai doador — disse ela.

Jack franziu as sobrancelhas.

— Uau, você deu um giro de cento e oitenta graus desde esta manhã.

Ela concordou.

— O que fez você mudar de ideia? — perguntou ele.

Ela não respondeu de imediato; ficou cutucando a bainha desfiada de seu short.

— Na verdade, nada — começou ela —, só... — Suspirou. — Desde que entrei no Registro, parece que me falta alguma coisa. Não, mais que isso... parece que deveria estar em algum lugar... como se existissem coisas mal resolvidas na minha vida, sabe? Eu estava tão determinada a passar a vida sem conhecer esse homem, tão determinada que só meu pai e minha mãe fossem suficientes, que eu fosse suficiente, e agora... Não sou mais suficiente. Entende? Não *sou suficiente*. — Ela começou a chorar, e Jack a tomou nos braços. Ela encostou o rosto no algodão da camiseta dele, que cheirava a sol e suor recente.

— Ótimo — disse ele entre os cabelos dela. — Ótimo.

Ela se afastou e olhou para eles, curiosa.

— Como assim "ótimo"?

Ele suspirou.

— Quero dizer, "ótimo" porque eu pensei que fosse eu.

— Pensou que fosse você? — perguntou ela.

Ele suspirou de novo.

— Você. Como tem estado desde que se mudou. Bom, desde antes de se mudar. Achei que você... — Ele fez uma pausa. — Sei lá o que aconteceu... depois que lhe dei a chave. Durante um tempo foi como se você sentisse repulsa. E depois ficou completamente fria. Achei que tinha estragado tudo, entende? Fiquei furioso comigo mesmo, com o que tinha feito, de pedir a uma garota de dezoito anos para vir morar comigo. Mas depois você voltou, e eu fiquei completamente desarmado. Achava que tinha perdido você. Mesmo assim, você não era a mesma. Não tem estado igual. Aquele brilho que tinha na primeira vez em que a vi, o seu olhar, tão segura e satisfeita consigo mesma, isso sumiu. Achei que fosse eu. Achei que tivesse feito isso com você. Que deixar a sua casa, os seus amigos, morar comigo... tinha causado isso.

Robyn enxugou as lágrimas.

— Não! — gritou. — Não. Nunca foi você. Era sempre eu. Você tem sido o sentido de tudo. Tem sido sempre perfeito, Jack. Sou eu quem está desanimada. Sou eu quem precisa de conserto. Quando superar isso, para o bem ou para o mal, vai ser tudo eu e você. O mundo, o universo e tudo. Eu amo tanto você, Jack.

Ele sorriu com alívio. Encostou a testa na dela e segurou-lhe o rosto molhado entre as mãos.

— Então vamos lá — disse ele —, vamos escrever para esse seu pai. Vamos consertar você.

Dean

— Costumava vir aqui com meu cachorro — disse Lydia, com as mãos enfiadas nos bolsos do jeans, conferindo a inclinação da rampa que dava para o trilho da ferrovia demasiado crescida.

— Você tinha um cachorro? — perguntou Dean.

— Tinha, um pastor-alemão. O nome dele era Arnie. Costumava vir aqui com ele e me embebedar.

— Legal — disse Dean, tentando imaginar aquela mulher equilibrada diante dele se esquivando por ferrovias desativadas com um cachorro imenso, bebendo direto do gargalo.

— Bom, na verdade, não era legal. Era bem dramático mesmo.

Ele a acompanhou na descida até o pé da colina, onde ela se sentou na grama. Sentou-se junto dela e deu uma olhada nos arredores com os braços em volta dos joelhos.

— Sossegado aqui, hein? — ele comentou.

— Sim. Bom lugar para pensar. — Ela apoiou o queixo nas mãos em concha e ficou olhando para longe.

— Temos muito em que pensar, não? — ele falou, dando uma olhada na sacola na dobra de seu braço, e pensando no seu chocante conteúdo.

— Acho que temos que procurar a polícia — respondeu ela.

— O quê? Sério?

— Eu acho, sim. Essa merda é séria. Isto é... — A voz de Lydia sumiu, e Dean engoliu em seco. Ele ainda estava atordoado com os acontecimentos da última meia hora. Tirou um saquinho do bolso da jaqueta e enrolou um baseado. Lydia olhou para ele pelo canto dos olhos. Não disse nada, mas voltou a olhar para o mato emaranhado, o lixo e as amoreiras do outro lado do trilho. — Acho que ele o matou. Meu pai. Acho que matou o bebê e depois matou a minha mãe.

— Não — começou Dean, porque não conseguia processar uma possibilidade tão sombria e deturpada. — Não, deve haver outro motivo, deve haver...

— Tudo se encaixa — disse ela, friamente. — Tudo se encaixa no molde. O meu pai, ele era estranho. Era muito estranho. Não era como um pai devia ser, e eu sempre atribuí a isso o fato de minha mãe ter morrido e ele ter ficado sozinho comigo, eu sempre atribuí a isso ele me odiar pelo fato de não ser minha mãe. Mas agora penso nisso, e *vejo*, entende o que quero dizer? Fecho os olhos e consigo vê-lo fazendo isso. Consigo mesmo.

— Mas o que não entendo é por que não me lembro disso. Eu devia estar lá, não? Ou, com certeza, sabia que minha mãe estava grávida, que ia ter um bebê. Devo ter *conhecido* o bebê, não é? E ter então percebido que ele estava ali um dia e tinha sumido no outro. Não entendo como posso ter me esquecido disso. Com certeza tinha que estar aqui — ela indicou a própria cabeça —, em algum lugar. Com certeza eu devia saber disso. Eu devia saber! — Ela deixou a cabeça pender entre as mãos e grunhiu. — Essa minha família doente de merda.

Dean olhou para ela, preocupado. Queria acalmá-la, e não piorar as coisas.

— Escute. — ele colocou a mão no braço dela. — Não quero que pense que não acredito em você, mas talvez não seja tão ruim como está pensando. Talvez exista uma explicação melhor.

— Como o quê?

— Talvez alguém tenha levado o bebê? Talvez tenha sido adotado? Talvez, depois que sua mãe morreu, seu pai não deu conta de um bebê novinho e o entregou? — Ele parou de repente. A consciência do que dizia o atingiu como um peso de metal contra o peito: poderia estar falando de si mesmo. Prendeu o fôlego por uns segundos e depois inspirou. O coração tremeu. Lambeu a seda, selou o baseado e o acendeu. O primeiro fluxo de fumo em seu sangue acalmou-lhe os nervos. Imaginou o pai de Lydia. Imaginou-o grande, como um Rottweiler sem pelo. Imaginou-o de olhos remelentos, dedos grossos e uma boca rabugenta. Imaginou-o feio, cuspindo e enlouquecido. O tipo de homem que poderia levar um bebê à morte; o tipo de homem que poderia matar a mulher e depois se sentar numa poltrona e continuar levando a vida. Em outras palavras, imaginou o homem de que Lydia se lembrava. O homem esquisito. O homem estranho. O homem feio.

E então ficou pensando o que sua filha imaginaria quando pensasse nele anos depois. O homem que não conseguiu criá-la porque ela era pequena demais, inteligente demais e perfeita pra cacete. O homem que não conseguiu criá-la porque era pequeno demais, burro demais e patético pra cacete. Ela veria um homem feio? Um homem maldoso? Será que ela o odiaria tanto que conseguiria imaginá-lo jogando um bebê da sacada?

Ele empalideceu diante desses pensamentos, e tragou duas, três, quatro vezes sofregamente antes de passar o baseado para Lydia.

Ela o pegou sem comentários, e ele a observou com interesse enquanto a via levá-lo aos lábios e tragá-lo. E, ao observá-la, de repente conseguiu vê-la como ela disse que tinha sido um dia: solitária, bêbada, um fracasso. Ele olhou para ela, vendo-a desvanecer e depois voltar, diante de seus olhos, à forma curvada, com o cachorro fiel, sentada no barranco de uma ferrovia abandonada, bebendo para passar a dor da própria decepção amarga. Sentiu-se de repente mais próximo dela do que jamais se sentira de outra pessoa. Queria puxá-la e abraçá-la, mas pôde ver que ela agora estava perdida com os próprios pensamentos horríveis. Depois de umas tragadas no baseado, ela o devolveu a ele com um leve sorriso, deitando-se então de costas na grama e cruzando os braços no peito.

Ele se deitou com ela, e por um bom tempo ficaram juntos em silêncio, estudando o austero céu azul, passando e devolvendo o baseado até ele não passar de uma pontinha marrom.

O silêncio era absoluto, só quebrado às vezes pelo pipilar de um passarinho longe da vista. Dean não experimentava um silêncio assim desde criança, em um lugar parecido com aquele em Devon, deitado com Tommy, suado e exausto depois de duas horas brincando de soldado. Lembrava-se daquele momento com clareza: os dois marchando com força e barulho, para lá e para cá, a grama cutucando o pescoço, as bochechas lustrosas de vermelho, observando o sol pulsar suavemente acima deles. Lembrava-se de devorar essa sensação, entranhando-a profundamente, sabendo que era rara, sabendo que era especial. E ei-la de novo, um lindo céu sem nuvens, o sol generoso, grama alta e uma alma irmã. Fechou os olhos e inspirou de novo, imaginando quanto tempo levaria até se sentir tão completo de novo.

Deixou os pensamentos vaguearem sob suas pálpebras fechadas. Pensou em coisas que havia muito tempo não pensava. Pensou nos momentos fora daquele quarto de hospital onde Sky silenciosamente morria. Pensou na fisionomia de Rose quando o médico explicou o que tinha acontecido, o modo como os músculos que lhe sustentavam o rosto tinham decaído de uma vez, e de repente ela ficara com cem anos. E pensou em sua filha naquele berço de plástico, tão desumana, como algo que ninguém estava geneticamente programado para ver, como um homem de duas cabeças ou uma vaca com seis pernas. Errada e improvável, ainda assim radiante de bonita, o breve lampejo de um anjo celeste. Fazia muito tempo que não pensava nessas coisas, porque elas o tinham nauseado, mas conseguia encará-las ali, agora.

Uma brisa repentina revolveu o ar; soava como água correndo sobre pedras. Abriu os olhos e viu que Lydia não estava. Sentou-se rápido demais. O sangue subiu-lhe à cabeça, sacudindo-lhe o cérebro. Então a viu de pé, a alguns passos, com as mãos nos bolsos.

— Você tem razão — disse ela quando ele se ergueu. — Estou sendo dramática demais. Pode haver inúmeras explicações. Preciso me encontrar com Rod. Preciso encontrar o meu tio.

Ele concordou.

— Sabe onde ele mora?

— Mais ou menos; sei o nome do vilarejo. Uma vez lá, é questão de perguntar. Mas está ficando tarde. Até fazermos isso, será tarde demais para pegar o trem de volta a Londres. Precisaremos arrumar uma pousada ou algo do tipo. Você escolhe. Chamo o táxi para deixá-lo na estação se preferir, ou continua por aqui comigo.

Dean se levantou e se espreguiçou. Considerou as opções. Queria saber o que tinha acontecido com o irmãozinho de Lydia. Mas tinha a sensação de que Lydia queria fazer isso sozinha. Também achava que tinha coisas a fazer, gente com quem conversar. Tinha aprendido mais sobre si mesmo nos últimos dez minutos naquele canto esquecido cheio de ar espesso e puro do que nos últimos 20 anos de vida. Podia ser um homem melhor do que o pai de Lydia. E podia ser uma pessoa melhor do que jamais pensara.

Tinha visto de onde Lydia viera, tinha visto o tipo de apartamento, o vilarejo deselegante, o lugar de onde escapara. E tinha visto aonde ela chegara, a mansão, a empregada, o treinador corpulento de bronzeado falso. Ele não queria a mansão, nem a empregada, nem um treinador corpulento de bronzeado falso. Só queria mais do que tinha. Pela primeira vez na vida, realmente acreditava não só que podia mais, mas que merecia mais.

— Tudo bem, acho que vou voltar, se estiver tudo bem pra você.

— Tudo bem pra mim. — Lydia sorriu.

— E ele é legal, esse seu tio, não é?

Ela sorriu de novo.

— Até onde me lembro. Não me lembro muito dele, mas tenho certeza de que era um doce.

— Ótimo — assentiu Dean. — E você vai ficar bem aqui?

— Sim. — Ela riu. — Já sou grandinha.

— É, sei que é. Você é brilhante. Eu só... — Ele ficou olhando para o tênis de modo expressivo, pensando se deveria dizer o que lhe passava na cabeça. Ergueu os olhos e corou. — Acabei de encontrá-la. Não quero perdê-la de novo. É só isso.

A fisionomia de Lydia ficou estranha, como se tivesse mudado de posição, como se estivesse se preparando para personificar alguém famoso, e, de repente, ela estava chorando.

— Venha aqui.

Ele deixou que ela o abraçasse. Ainda estava ali, a rigidez, a reserva, mas menos do que antes. Parecia mais familiar.

— Não vou a lugar nenhum — disse, com os lábios contra a orelha dele. — Pode contar sempre comigo, sempre. Ok?

— Ok — sussurrou ele ao ouvido dela.

Então, deixaram o silêncio suave e a solidão desse cantinho do universo e voltaram ao táxi que esperava.

Lydia

A primeira pessoa a quem Lydia perguntou sabia exatamente quem era Rodney e onde ele morava.

— Ali — disse a mulher um tanto indistinta num cachecol azul — ali, do outro lado da entrada, o chalé que parece meio caído. Tem um salgueiro do lado de fora.

Lydia sorriu, agradecida, e também divertida. Tinha razão em pensar que nada havia mudado. Tinha certeza de que os nativos diriam que sim, que a região não era como costumava ser, que tudo estava diferente, mas, aos olhos renovados de Lydia, este lugar onde tinha sido criada, este lugar que a tinha formado, estava igualzinho, até em pormenores como senhoras de idade indefinida em cachecóis azuis.

Estava agora diante do chalé, que era exatamente como a mulher o descrevera — caindo aos pedaços, mas com algum encanto. E o menor deles não era o extravagante salgueiro que pendia como uma cabeleira sobre o jardinzinho da frente, enfeitando tudo em sua sombra com uma intrincada padronagem mourisca.

A porta da frente era feita de pranchas largas de madeira, pintadas de cinza. Lydia segurou um pesado anel de ferro e bateu-o contra sua correspondente placa de ferro. Virou-se para o motorista de táxi, estacionado na rua, e lhe deu um sorriso nervoso.

Em um instante a porta se abriu, e ali estava ele. O tio Rod. Era um homem pequeno e rijo, fisicamente jovem, mas de feições macilentas e marcadas. O cabelo parecia estar pintado de preto, e ainda tinha uma argolinha de prata na orelha esquerda. Vestia uma camiseta de banda, alguma coisa heavy metal com cobras e cruzes, e jeans escuro desbotado. Ele a perscrutou, curioso, através dos óculos redondos. Parecia assustado.

— Olá — disse ela, no tom mais calmo que conseguiu. — Sou Lydia.

— É claro que é! — A fisionomia dele se abriu num sorriso. — Nossa! Você não mudou nada. Por favor, entre. — Ele escancarou a porta, revelando uma cozinha de lajotas e um cachorrinho ensebado, sentado atrás dele e arfando.

— Tudo bem? — perguntou ela. — Não estou atrapalhando?

— De jeito nenhum. — Ele sorriu de novo. — Estava preparando o jantar. Você pode me acompanhar, se quiser.

Lydia olhou para aquele duende gentil e enxergou o caloroso acolhimento de uma vida por trás dele. Sentiu-se de estômago completamente vazio e viu na cozinha uma tábua com ervas frescas picadas, e um franguinho ainda cru numa assadeira. Foi até o motorista de táxi e entregou cinco notas de 20 libras que tirou de um maço grande de sua carteira, e viu-o partir na direção da cidade.

— Devo dizer: você parece muito bem — disse Rod, guiando-a até a cozinha e acomodando-a perto de uma judiada mesa de madeira cheia de papelada e jornais velhos. — A última vez que a vi, bem, você devia estar com uns...

— Dezoito. Foi no enterro do meu pai.

— Sim, isso mesmo. Eu a vi a distância. Não quis ser invasivo.

Lydia assentiu com a cabeça, de modo compreensivo, como se entendesse perfeitamente por que o tio Rod se manteve a distância no enterro. Mas não entendia, não tinha a mínima ideia.

— Você estava entrando na universidade, não é? Com todo o seu currículo, sua tia Jean me contou. Aposto que seu pai devia estar orgulhoso.

— Ele não sabia. — Lydia alisou as mãos nas pernas. — Ele estava no hospital quando recebi os resultados. Bom, eu contei a ele, mas não acho que tenha conseguido ouvir. Entende?

Rod assentiu, apoiando-se de costas no balcão da cozinha e cruzando as pernas na altura dos tornozelos.

— Bem, suponho que sei por que está aqui.

Ela sorriu.

— Você recebeu o recorte?

— Sim, recebi o recorte.

— Desculpe-me. Não foi bem o plano ideal. Mas é que, sei lá, vinha carregando esse segredo abençoado por quase trinta anos, entende?

Trinta anos sabendo coisas demais sobre você. — A voz dele fraquejou, e ele se virou para o balcão e começou ritmicamente a destrinchar o frango, cortar as ervas, rechear o frango, passar manteiga nele, cortar cenouras, descascar batatas e esquentar água. Lydia observava-o com fome, ouvindo as palavras que vinham dele num vigoroso sotaque galês. — Sei lá — continuou ele —, sabe quando parece que chegou a hora de uma coisa? A gente adia, adia, sabendo que devia tomar alguma atitude, mas continua adiando, e então acontece alguma coisa e a gente pensa: ah, agora sei por que esperei, agora sei por que adiei, porque *agora* é a hora certa. Bom, foi assim que me senti quando vi aquele artigo de jornal. Poderia viver sem que você soubesse de seu pai verdadeiro, como uma homenagem ao meu irmão, mas sem que você soubesse de irmãos e irmãs, acreditando que era sozinha no mundo... Bem, eu talvez tenha cometido um engano horrível, ou não, talvez você me odeie o resto da vida por isso, mas bem no fundo do meu coração eu senti que estava fazendo a coisa certa.

Ele não estava olhando para ela agora, e Lydia via a ponta de suas omoplatas esticando a camiseta preta. Sentiu uma pena inexplicável dele, e se colocou ao seu lado.

— Tudo bem — disse ela, tocando-o no braço. — Tudo bem. Você fez a coisa certa.

— Fiz? — perguntou ele, virando-se para encará-la.

— Sim. Foi um alívio descobrir que o meu pai não era o meu pai e, Deus... — Sentiu as palavras seguintes brotarem rapidamente na ponta de sua língua, de tão plenas de alegria e contentamento. — Eu encontrei o meu irmão! Eu entrei no Registro e encontrei o meu irmãozinho! Ele se chama Dean. Tem vinte e um anos. É adorável. E existe uma irmã também, mas ainda não entrei em contato com ela. Acho que vou fazer isso quando voltar. Acho que estou pronta agora. E aí, na semana passada, o pai se registrou. O pai. O doador! Ele quer nos conhecer. Tem sido tudo bem esquisito. Não vou dizer que fiquei superfeliz quando recebi a sua carta, não posso dizer que não tenha ficado zangada, pois fiquei. Mas está tudo se encaixando agora. E eu lhe garanto, não importa o que aconteça, você fez a coisa certa, sim.

— Oh, graças a Deus. Graças a Deus. Venho lutando com isso desde então, sabe? Atormentando-me sem saber se destruí ou não a sua vida. Mas eu tive essa sensação. Graças a Deus essa sensação estava certa.

— Mas por que fez isso anonimamente? — perguntou Lydia, acariciando o cachorrinho seboso e um tanto pungente sentado a seus pés, que olhava para ela, esperançoso.

— Não sei direito, na verdade — ele disse. — Acho que queria que você pudesse ponderar sobre isso sozinha, entende? Sem pensar em mais ninguém. Só no seu pai e em como você nasceu. Sem se preocupar com o coitado do tio Rod e como ele estaria. E isso não é porque não tenha pensado em você muitas vezes nesses anos. Pensei mesmo muitas vezes. Você era uma garotinha tão engraçada, tão rígida e séria, e eu sempre gostei muito de você. Eu a levava ao parquinho... até a levei a uma loja uma vez para comprar sapatos novos, mas imagino que não se lembre. — Ele sorriu, com os olhos enevoados de saudade.

Lydia balançou a cabeça. Não se lembrava. Mas havia lembranças maiores e mais urgentes a confrontar. Foi até a mesa pegar a sacola velha com as roupinhas de bebê.

— Escute, passei o dia todo aqui, com o meu irmão, querendo... Não sei direito, querendo enfrentar os meus medos do passado, acho. Queria mostrar ao meu irmão de onde eu tinha vindo, mostrar a ele o apartamento, onde minha mãe morreu, os lugares aonde eu costumava ir quando novinha. Quando era como ele. E queria compreender o que aconteceu naquele dia, no dia em que minha mãe caiu da sacada. Achei que, indo lá e vendo o lugar de novo, isso provocasse alguma coisa. Que eu de repente me lembrasse. Mas, em vez de me lembrar, acabei achando mais coisas das quais havia me esquecido.

Ela lhe deu a sacola em silêncio e o observou olhando dentro dela.

— Deus do céu! — Ele largou uma colher de madeira e tirou as roupinhas da sacola. Segurou-as na mão e ficou olhando para elas, piscando por trás dos óculos. — Deus do céu! — repetiu. Olhou para Lydia e disse: — Onde encontrou isso?

— O homem que mora no apartamento agora, ele as encontrou no armário do meu pai. Guardou-as esse tempo todo — Lydia sentiu o coração acelerar enquanto se preparava mentalmente para a verdade, fosse qual fosse.

— Céus! — Ele perdeu a cor. Segurou as roupinhas e despencou em uma de suas cadeiras. Então tirou os óculos e beliscou o cavalete do nariz. — Não acredito que seu pai guardou isso. Não acredito que tenha conservado isso.

— Mas de quem são? — perguntou ela, ansiosa para que ele chegasse ao ponto crucial.

Ele se levantou e abriu o forno com uma luva acolchoada. Enfiou o frango no forno e voltou à mesa. Sentou-se diante de Lydia, sorrindo com tristeza.

— Foram de seu irmãozinho — disse ele. — O nome dele era Thomas.

Lydia sentiu uma tristeza horrível percorrer-lhe o corpo.

— Thomas?

— Sim. Era uma gracinha.

O coração de Lydia acelerou.

— O que aconteceu com ele? — perguntou ela, bruscamente.

Rod suspirou e colocou os óculos de novo.

— Ah, Deus... Não sei por onde começar, Lydia, sinceramente. É insuportável. Mesmo. E eu tinha jurado... ah, eu tinha jurado que jamais diria. Mas o pequeno Thomas, bem, ele morreu.

Lydia pestanejou, engolindo em seco. Ali estava. Como tinha imaginado.

— Foi ele? Foi o meu pai? Ele... ele matou o meu irmão?

Rod a olhou, surpreso.

— O quê? Trevor? Matar o bebê? Deus do céu, não! Não! Por que... Não entendo, por que pergunta isso?

Lydia sentiu uma onda de tensão se dispersar.

— Sei lá, só pensei... — Não terminou a frase. — O que aconteceu então?

— Bom, o bebezinho só tinha cinco dias quando sua mãe morreu. Era muito pequenininho. E o seu pai, bem, imagino que tenha tido um tipo de colapso. Não suportou. A nossa mãe levou o bebê, mas ela não era jovem, já tinha mais de sessenta e não se sentia muito bem. Havia uma senhora no vilarejo que disse que poderia cuidar do bebê...

— Ah, meu Deus, quer dizer que o meu pai deu a criança?

— Não, não deu. Nada disso, nada disso. Não foi assim. Ele só deixou a senhora tomar conta do bebê. Era para ser temporário. Entende, até seu pai voltar a ser ele mesmo. Mas seu pai nunca voltou a ser ele mesmo, entende, porque ele adorava demais a sua mãe. Sabia disso? Adorava-a. E não conseguia ser feliz sem ela. Então essa senhora foi ficando cada vez mais apegada à criança, começou até a chamá-lo por outro nome. Uma noite, quando Thomas deveria estar com uns seis meses... foi uma noite horrível, horrível... essa mulher, Isabel era o nome dela... ainda mora por aqui, do outro lado do vilarejo... ela começou a gritar, a gritar como um animal ferido. Achei que fossem raposas. Tentei voltar a dormir, mas a gritaria foi ficando mais alta e se aproximando, e depois foram batidas à minha porta... E ali estava essa mulher, Isabel, com uma coisa nos braços, parecia um montinho de roupa suja, mas não era, não era roupa suja, era ele. Era Thomas. Tinha morrido dormindo. Como um velhinho. Fechou os olhos e não os abriu de novo, e ela tinha ido ver por que ele não acordara como costumava fazer para tomar mamadeira ou algo assim, e o encontrou daquele jeito. Adormecido. Então o pequeno Thomas não veio para casa. E você não pôde conhecê-lo.

— E é por isso, Lydia, que, quando vi aquele artigo, vi aquelas irmãs tão parecidas, todas contentes, quis que você pudesse ter isso. Porque já tinha sido ruim demais a sua mãe morrer. Achei que isso tinha arrancado o coração de tudo. Achei que isso fosse o pior que poderia acontecer. Mas quando me trouxeram aquele tiquinho de criança daquele jeito, ali — ele apontou a porta da frente —, na minha entrada, o meu sobrinho, da minha família, bom, acho que não existe coisa pior, acho que não existe dor pior. E o seu pai... — Ele levou as mãos ao rosto. — Ter que contar ao seu pai. Ir até o apartamento de vocês cedinho e contar que o homenzinho dele tinha morrido... Ele nunca se recuperou. Nunca.

— Mas, e isso aqui? — Ela apontou as manchas cor-de-rosa na roupinha de bebê. — Como isso veio parar aqui? A mesma tinta do meu quarto, a mesma tinta do concreto?

Rod passou os dedos no algodão azul.

— Era o que ele estava usando quando sua mãe morreu.

Lydia encarou Rod, esperando que ele desse mais detalhes.

Rod suspirou.

— Ele estava chorando no bercinho. Sua mãe estava pintando seu quarto. Ela foi até ele com tinta nas mãos. Sua mãe, ela não conseguia deixar um bebê chorando, nunca. Era mole. Eu estava lá, e seu pai também. Estávamos tendo uma briga, eu e seu pai. Bem pesada. Tínhamos mandado você ao parquinho com a vizinha.

— O que estavam discutindo?

— Estávamos discutindo... — Ele suspirou de novo. — Estávamos discutindo porque... bem, era eu. Tinha acabado de me separar de uma namorada. Um namoro sério. Eu a tinha pedido em casamento, e ela havia rido. Tinha dito: "Você não é provedor, Rod". Imagine! — Balançou a cabeça para si mesmo. — Enfim, eu estava bêbado. Tinha ido visitar vocês, esperando consolo. Sua mãe estava lá, pintando seu quarto. Fiquei lá com ela um pouco, observando-a com aquela tinta rosa. Eu sempre fui, acho, um pouco apaixonado por sua mãe, Lydia, não tenho vergonha de admitir isso. E acho que seu pai sabia disso. Ele me provocava, mas nada muito sério. Mas acho que, depois que você nasceu, ele começou a se preocupar com algumas coisas...

— Que coisas?

— Bom, o fato de que você não se parecia com ele. Acho que nunca conseguiu se sentir ligado a você. Espero que não fique triste por ouvir isso.

— Não. — Ela riu, meio rouco. — Não, isso não me entristece nem um pouco. Não tem como me sentir mais triste com isso do que já me senti.

Rod olhou para ela com carinho e continuou.

— Enfim — disse —, eu estava ali no seu quarto com sua mãe. Estava quente. Sua mãe usava um short de algodão e uma camiseta que eu tinha dado a ela... Aerosmith, acho. Estava sentada perto de mim, bem perto, porque, como eu disse, eu precisava de consolo. Mas ela não me tocou, porque as mãos dela estavam cheias de tinta rosa. Mesmo assim. Seu pai entrou com você e nos viu assim, e ele talvez tenha compreendido mal. Na verdade, isso provavelmente aconteceu porque, bem, eu e sua mãe tínhamos um segredo. Nós tínhamos dois segredos, na verdade. Você e seu irmão. Porque eu era a única pessoa que sabia de onde vocês dois realmente tinham vindo. — Ele fez uma pausa e tamborilou os dedos na mesa. — Eu estive lá com ela nas duas vezes, quando fez o tratamento em Londres.

Lydia apertou os olhos, fazendo um grunhido estranho.

— Thomas era filho de doador também? — perguntou ela, baixinho.

— Sim. Claro que sim. Bom, não dava pra ser do seu pai, dava? Entende, o seu pai não fazia bebês, essa era a razão da clínica de doadores. A questão toda era essa. E ninguém jamais poderia lhe dizer isso. Ele preferiria não ter filhos a admitir que não podia gerar os próprios filhos. E sua mãe queria filhos mais do que tudo. Filhos era o que ela queria. Então, havia duas opções: sair com outro homem, mas sua mãe jamais faria isso, ela amava muito seu pai, ela amava a essência mesmo dele, entende? Ou ela procurava um estranho. E foi o que fez, e me pediu para ir com ela. Eu a ajudei a escolher seu pai. Ajudei-a a escolher para você e para seu irmão. Vocês dois vieram do mesmo homem.

Lydia fechou os olhos à medida que começava a compreender tudo aquilo.

— Então, sim, tínhamos segredos... grandes, terríveis segredos. Mas aí esse menino nasceu, entende, e por mais estranho que seja, ele se parecia com seu pai, o que devia ser uma coisa boa, mas não foi. Porque, claro, se se parecia com seu pai, ele também se parecia um pouco comigo. E seu pai entrou no quarto e nos viu lá, e ele deve ter resolvido, de repente deve ter acreditado, que os piores medos dele eram verdadeiros, que eu e sua mãe tínhamos um caso, que ambas as crianças eram minhas. O resultado foi uma briga, e foi aí que sua mãe a levou ao vizinho e pediu que a tirassem do prédio.

— Eu sabia? — perguntou Lydia, sentindo o estranhamento de perguntar sobre algo que vivenciara. — Eu sabia o que estava acontecendo?

— Não, de jeito nenhum. Você só tinha três anos. Tudo o que sabia é que tinha um irmãozinho, e que sua mãe estava pintando seu quarto de rosa. Enfim, seu pai começou a acusar a mim e a sua mãe de tudo, começou a dizer que ela sempre preferira a mim porque eu era mais inteligente. É irônico mesmo, porque todo mundo sempre *preferia* o meu irmão por ser o mais bonito, mas... Ele dizia: "Vocês dois! Sempre rindo pelas minhas costas, sempre juntinhos um do outro, devem achar que sou idiota. Sei que essa menina não é minha. Sempre soube que essa menina não é minha. E agora vejam esse menino". E ele apontou o cômodo ao lado. "Ele é você, Rod. É a sua cara."

— Ele tinha isso na cabeça porque não havia feito um filho em cinco anos de tentativas, então devia ser estéril, e a única explicação para esses bebês era que fossem meus. E eu tinha que morder a língua e não dizer a verdade. Mas, quanto mais Glenys tentava convencê-lo de que as crianças eram dele, mais bravo ele ficava. E aí o bebê começou a chorar. Sua mãe o pegou. Enquanto isso seu pai... — Ele fez uma pausa e suspirou, tremendo. — Seu pai pegou uma faca na gaveta da cozinha. Ah, Deus. — Ele levou a mão ao coração como se tentasse acalmá-lo. Engoliu em seco. — Só de pensar nisso, ainda me sinto como se fosse vomitar. Ele pegou uma faca e foi pra cima da sua mãe. Sua mãe me entregou o bebê. Antes não tivesse feito isso. Se não tivesse me dado o bebê, eu poderia ter feito alguma coisa. Mas, sabe, Lydia, sinceramente, até hoje não acredito que ele quisesse machucá-la, realmente não acredito. Acho que só queria assustá-la. Acho que, se tivesse chegado perto dela com a faca, teria paralisado, porque ele a amava muito. Mas foi atrás dela com a faca, e eu fiquei ali com o bebê... e tudo aconteceu muito rápido. Eu fiquei ali, segurando o bebê.

— Primeiro sua mãe correu até a sacada, e depois seu pai foi pra lá, brandindo a faca. E sua mãe... — Ele suspirou. — Eu estava vendo tudo, mas aconteceu rápido demais, não havia nada que eu pudesse fazer para impedir. Ela subiu na mureta da sacada, tentando se afastar dele. Depois, acho que ela estava tentando passar para a outra sacada, a sacada junto da deles, e em um minuto estava lá, no outro não estava. — Ele parou e inspirou. — Fez-se um silêncio. Tudo que eu ouvia era a minha respiração, a minha respiração alta. Depois começou a gritaria. *Chamem uma ambulância. Chamem uma ambulância...*

— E... e... eu estava lá? — perguntou Lydia. — Eu vi? Do parquinho?

— Não. Não viu. A vizinha a tinha levado pra fazer xixi.

— Eu estava fazendo xixi quando a minha mãe morreu?

— Bem, sim, provavelmente — disse Rod, em tom de desculpa. — E, quando a vizinha viu o que aconteceu, ela a levou embora, rapidinho, pelos fundos. Levou-a para o apartamento de uma amiga.

— E o que foi que me disseram? O que me disseram sobre a minha mãe?

— Não sei. O de sempre, imagino. "Mamãe foi morar com os anjos", esse tipo de coisa. E depois você veio ficar comigo por algumas noites.

— É?

— Sim, o bebê foi para a casa da minha mãe, e você veio pra cá. Só por duas noites. Seu pai nunca mais me deixou vê-la depois disso. Nunca mais nos falamos depois daquele dia. Mas você ficou comigo enquanto seguravam seu pai na investigação. Iam enquadrá-lo por homicídio involuntário, mas não havia provas suficientes, especialmente com meu testemunho. Porque, apesar do acontecido, uma coisa eu sei: seu pai não matou sua mãe. Sua mãe, sei lá. Não sei o que estava pensando. Só o que sei é que ela segurava seu bebê e menos de trinta segundos depois estava no chão, morta.

— Morreu imediatamente?

— Oh, sim, instantaneamente.

Lydia baixou os olhos e ficou olhando umas migalhas velhas incrustadas numa estria da mesa.

— Não me lembro de nada — cochichou ela.

— Não, ainda bem, não é? Uma bênção, não? Pelo menos eu achava que sim quando você era criança. Nós não falamos disso. Não falamos de sua mãe. Não falamos de seu irmão. A família de sua mãe nunca perdoou seu pai. E nunca me perdoaram pelo que consideraram "deixar que ele saísse dessa". A nossa família se fechou completamente. Nunca mais ninguém foi o mesmo. Muito menos seu pai.

Lydia olhou para ele e fez uma careta.

— Nem eu.

Ele a fitou com tristeza e sorriu.

— Sim, eu sei, era isso o que eu temia. Todo mundo achou que você não seria afetada, pois não tinha visto, porque não podia se lembrar. Mas viver todos aqueles anos com um homem que não acreditava que você fosse filha dele, afastada da família, sem a mãe... Não deve ter sido fácil.

— Não foi fácil — disse ela, com pesar.

Ele de novo sorriu com tristeza, suspirando.

— Escute, você e eu temos muito que conversar. Tenho certeza de que tem milhões de coisas pra perguntar. Por que não fica esta noite? Tenho um quarto de hóspedes, está todo arrumado. Posso abrir uma garrafa de vinho. Seria ótimo ter uma oportunidade de conhecê-la direito. Nós realmente fomos muito próximos um dia, eu e você, por mais estranho que pareça.

Ela olhou as feições gentis e boas dele e pensou, sim, ela acreditava que tinham sido próximos. Era o tipo de pessoa que uma garotinha adoraria ter como tio. Conseguia imaginá-lo empurrando-a em balanços e levando-a às compras. Podia imaginá-lo como um amigo.

— Seria ótimo. Gostaria muito. Tem muita coisa que eu quero saber. Sobre a minha mãe. E o bebê. Você tem fotos?

— Sim, tenho. A minha mãe me deu os álbuns dela quando morreu uns anos atrás. Todas as fotos de família. Fotos de você criança, fotos de sua mãe...

— Já tenho essas. — Lydia o interrompeu. — Meu pai me deu os álbuns dele. Mas eu estava me referindo ao bebê. Tem fotos do bebê? De Thomas?

— Tenho, sim — disse ele. — Acho que sim. E, se quiser, amanhã de manhã, depois de um belo café da manhã, posso levá-la ao cemitério de Penrhys. Posso levá-la para ver onde ele está enterrado, o pequenino Thomas. Se quiser...

— Eu quero — Lydia se sentiu sem fôlego diante daquele misto de encanto, tristeza e pasmo —, sim, por favor. Gostaria, sim. Mesmo. Porque ele não é *só* o meu irmão, não é?

Rod a olhou, curioso.

— Não, ele é irmão deles também. É irmão de Dean e de Robyn, e é filho de Daniel Blanchard. Quero visitar por eles. Por todos eles.

— Ótimo — disse Rod. — Combinado, então. Agora, acho que... — ele deu uma olhada por cima do ombro para o relógio na parede da cozinha. — O sol definitivamente já se pôs, e está na hora de uma taça de vinho. Vou lhe dizer: esta vai ser a mais deliciosa taça de vinho da minha vida toda.

Maggie

Através de um sistema um pouco complicado, que envolvia imprimir e-mails e levá-los à casa de repouso, fazer Daniel lê-los e depois respondê-los em um trêmulo francês escrito difícil de decifrar, e depois digitá-los em casa e enviá-los para Marc, ficou claro que ele iria chegar na quinta-feira, hora do almoço, com a intenção de ficar indefinidamente — ou seja, até Daniel morrer —, e Maggie ficou feliz por isso não ter sido explicitado.

Ela comprou umas lições de francês em aúdio e as escutava no carro enquanto dirigia entre sua casa, a de Libby, o trabalho e a casa de repouso. Estava ouvindo isso agora: *J'ai lassé ma porte déverrouillée*, disse a mulher com um tom de voz meio condescendente. *J'ai lassé ma porte déverrouillée*, repetiu Maggie com o máximo de verve que pôde reunir, imaginando se algum dia teria ocasião de dizer a alguém, em francês, que tinha deixado a porta destrancada.

Sacudiu o indicador para a esquerda e saiu da rua principal, entrando na rua da casa de Daniel. Marc chegaria em uma hora, e ela queria trocar os lençóis da cama. Também tinha trazido umas sacolas de compras no banco de trás, algumas coisas básicas: pão, leite, queijo. (Só cheddar. Tinha se demorado na gôndola de queijos com nome francês, mas perdeu a paciência; como um queijo francês comprado em Bury St Edmunds se compararia ao original?) Também trouxera maçãs, bananas e potes de sopa congelada. E sabonete. (Era sempre agradável começar um sabonete novo, mesmo que o existente pertencesse ao irmão.)

Ela desligou o motor, e a senhora condescendente parou no meio de dizer alguma coisa sobre lojas de calçados. Enquanto tirava as compras do banco de trás e entrava no prédio, Maggie falava francês baixinho. *"Je vais a la maison de Daniel. J'ai quelques achats. Je m'appelle Maggie. Comment s'est passé votre vol?"*

Maggie estava usando um novo vestido de verão — era bom, na sua idade, ainda ter braços firmes e que o seu colo ainda não se parecesse com um crepe; era bom poder se descobrir em dias quentes. O vestido era branco. O dia que tinha diante de si parecia tão carregado de sombras e incertezas que ela inconscientemente tinha sido atraída por uma cor que sinalizava novidade e inocência. Calçava sandálias e o cabelo com reflexos estava preso, deixando o rosto livre.

Ao entrar pela porta da frente do apartamento, ouviu a chegada de uma mensagem em seu celular. Era de Marc: *Chère Maggie, je suis dans un taxi. Je serai là en une heure.* Exatamente uma hora depois, ao ouvir o barulho de pneus nos cascalhos, ela foi até a janela e viu um carro se aproximando devagar do prédio. Maggie colocou os óculos escuros. Era um táxi e havia um homem no banco de trás. Apoiou os óculos escuros na cabeça, mas depois, num fugaz instante de vaidade, colocou-os de novo no rosto. A luminosidade estava forte, e ela queria causar uma boa primeira impressão, quem sabe jovial até.

Ela se endireitaria e desceria correndo as escadas para cumprimentá-lo, com um grande sorriso de boas-vindas.

Tinha planejado a primeira frase em francês e a ensaiou na cabeça: *"Bonjour, Marc, ravis de vous rencontrer"*. Quando o táxi entrou na rua, ela se dirigiu à porta do passageiro e o viu inclinando-se para abri-la. *Bonjour, Marc*, pensou ela consigo mesma, *bonjour, Marc*. Porém, quando ele saiu do banco de trás do táxi, todas as palavras desapareceram de sua cabeça. Ao contrário, ela ficou olhando para ele, com a boca ligeiramente entreaberta e a mão agarrada ao peito. Porque o homem que descia do banco de trás do táxi diante do apartamento de Daniel era, de fato, Daniel.

Ele lhe sorriu.

— Você deve ser Maggie — disse. — Prazer em conhecê-la. Sou Marc.

Maggie ainda não disse nada. Ainda olhava para o homem que se denominara Marc, mas que era, obviamente, Daniel.

— Eu... — ela começou, mas as palavras não a acompanharam.

— Você está bem? — perguntou ele, deixando cair a mão que tinha lhe estendido.

— Sim. *Oui*. Desculpe, eu... hã... — O cérebro dela começou lentamente a funcionar de novo, e todos os pensamentos que tinham ficado encavalados começaram a fluir. Este homem não era Daniel. Este homem era saudável demais para ser Daniel. Este homem era Marc. Este homem, então, não só era irmão de Daniel, como também seu gêmeo.

— Desculpe, Daniel não me disse, ele não disse... Desculpe, não sei a palavra em francês para "gêmeo".

O homem chamado Marc sorriu-lhe e disse: *jumeau*.

— *Jumeau*? — repetiu Maggie.

— *Oui*. Sim. *Jumeau*. *Jumelle* se for menina.

— Ah! — Ela tentou processar outro fato inesperado. Marc falava inglês. — O seu irmão me disse que você... que você só falava francês. — O homem sorriu e riu, e, ao ouvir essa risada, Maggie soube que este homem podia ter o mesmo rosto de Daniel, mas era completamente diferente dele.

— Meu irmão — tirou a carteira do bolso de trás para pagar pela corrida — não me vê há trinta anos. — Ele encolheu os ombros, como a sugerir que não era necessária nenhuma outra explicação. Pagou o motorista e se despediu dele em um inglês seguro e fluente, e depois se virou e deu um sorriso largo para Maggie. — Você também não é como eu esperava — disse.

— Ah! — disse Maggie. — O que você estava esperando? Ou não devo perguntar?

— Não, não deve perguntar. — Ele sorriu de novo, um sorriso largo, com covinhas, que o irmão dele raramente se permitia. Depois pegou sua maleta e deu uma olhada na casa diante dele. — Então foi aqui que meu irmão se escondeu esses anos todos?

Maggie sorriu também.

— Sim, é onde ele mora. Venha. Vamos acomodá-lo.

Ele a seguiu pelo saguão comum e pelas escadas até o apartamento.

— Ainda não acredito que Daniel não tenha me contado que vocês eram gêmeos — disse ela, virando a chave na fechadura.

— Bem — respondeu Marc —, faz muito tempo. Talvez ele tenha se esquecido?

Maggie sorriu.

— Talvez. — Abriu a porta e deixou Marc entrar primeiro.

— Bem, que belo apartamento Daniel tem. Não sabia. Sempre fiquei um pouco preocupado que ele não tivesse conforto, que talvez estivesse um pouco pobre. Mas parece que não. — Andou lentamente pelos dois cômodos do primeiro nível, indo até a janela da sala e vendo o arborizado jardim, comum aos demais apartamentos, que se via do terraço de Daniel. — Que bonito, muito bonito. E você, mora aqui perto? — perguntou ele, virando-se para encará-la e uma vez mais confundindo-a com a semelhança do irmão.

Maggie desviou o rosto de modo que não visse a expressão dele.

— Não, moro na cidade, perto da estação, naquela direção. — Indicou vagamente o leste. — Devo lhe mostrar a parte de cima?

Ele sorriu, exultante.

— Claro.

Ele a acompanhou pelos degraus de carpete macio, e ela lhe mostrou o pequeno quarto e o banheiro. Marc colocou a mala em cima da cama de Daniel, depois se voltou para Maggie, sorrindo de novo.

— Obrigado pela ajuda, Maggie. Será que eu poderia tomar uma ducha rápida antes de irmos para o hospital?

Ela se sobressaltou.

— Ah, sim, claro. Desculpe. Devia ter pensado nisso. Tem tudo de que precisa? Eu mudei as toalhas e tem um sabonete novo, mas precisa de mais alguma coisa?

— Não, obrigada, Maggie. Isso basta, com certeza.

Ela saiu do quarto e desceu as escadas na ponta dos pés. Sentou-se no terraço, enquanto esperava Marc ficar pronto, e ficou olhando para a paisagem a distância. De novo, a reserva de Daniel em partilhar qualquer coisa sobre si mesmo com ela tinha lhe passado uma rasteira. Um gêmeo idêntico. Um gêmeo idêntico que falava inglês. Um gêmeo que parecia não ter sofrido nenhuma das mágoas existenciais que o irmão deve ter aguentado para se tornar uma pessoa tão fechada.

Ficou cutucando a pele seca das unhas recém-feitas e esperou. Sentiu-se de repente tomada de perguntas que queria fazer. Hoje, porém, não era dia de perguntar. Era dia de reunir. As perguntas podiam esperar.

Marc surgiu alguns minutos depois, com o cabelo molhado e usando uma bela camisa xadrez em tons de azul e calça jeans escura. Cheirava a sabonete e colônia, e estava, como um dia seu irmão também estivera, terrivelmente bonito.

— Pronto — disse ele, dando tapinhas no rosto —, agora estou limpo. E, acho, pronto para a próxima etapa.

Maggie sorriu e se levantou.

— Quantos anos vocês tinham — começou ela — da última vez em que se viram?

— Vinte e quatro — respondeu. E, com as palavras, certo tom de arrependimento. — Sim — disse, baixando os olhos. — É maluco. Gêmeos. Separados. A minha mãe... — ele tinha os olhos úmidos — ... ficou de coração partido. Mas — sorriu de novo e juntou as mãos, batendo palmas — temos tempo pra conversar, sem dúvida, enquanto saímos. E agora, depois de trinta anos, estou mais pronto do que nunca para revê-lo. Então, vamos.

— Sim, vamos.

No carro, Marc ficou olhando pela janela por algum tempo. Acabou se virando para Maggie e dizendo:

— Como ele está, de verdade?

Ela suspirou, olhando pelo espelhinho enquanto entrava na próxima rua.

— Não sei, Marc. Sinceramente, é muito estranho. É tão difícil dizer. Bom, eu diria que ele está bem mal. Eu diria que... vamos colocar nesses termos... diria que você chegou bem na hora. — Lançou-lhe um olhar, forçando-se um sorriso apertado.

Ele voltou a olhar pela janela.

Ela permitiu mais uns momentos de silêncio antes de falar de novo:

— Escute, Marc — começou, tateando —, há outra coisa que preciso contar a você. E isso provavelmente vai surpreendê-lo, mas algumas semanas atrás Daniel me contou algo bastante notável. Ele me contou que ao chegar a este país estava tão sem dinheiro que, bem, se tornou um doador. Você sabe o que isso significa, um doador?

— Não, não sei se...

— Sabe, mulheres que não podem ter filhos, ou que os maridos não podem ter filhos, elas podem ir a uma clínica e artificialmente, bem...

— Ah. — Marc balançou a cabeça em sinal de compreensão. — Sim. Um *donneur*. Sei o que isso significa.

— Ótimo. Bom, o seu irmão fez isso. E lhe disseram na clínica onde fez a doação que... ele... existem quatro filhos. Filhos dele.

As grossas sobrancelhas de Marc ergueram-se bem alto.

— Mesmo? — perguntou ele em tom de surpresa.

— Sim — disse Maggie. — E ele me pediu, e ainda não sei direito quanto disso tinha a ver com os remédios ou com a doença se espalhando pelo cérebro dele, mas me pediu que tentasse encontrá-los. Ainda não encontrei ninguém. Mas tenho esperança de encontrar. E, se isso acontecer, vou pedir que venham... ver Daniel.

Ela deu uma olhada em Marc para ver como ele tinha recebido essa revelação. Ele sacudia a cabeça lentamente e passava a mão pelo queixo.

— Uau — acabou dizendo. E depois riu, um riso suave inicialmente, mas depois desatou a rir. O sorriso dele se alargou, e ele virou-se para Maggie, exultante. — Uau! — repetiu. — Isso é surpreendente! Quer dizer que eu tenho sobrinhas e sobrinhos?

— Sim, acho que sim.

— Oh, que novidade incrível! Achei... achei mesmo que nunca haveria nada disso. Não tenho filhos, e até onde eu sabia meu irmão não tinha filhos. E agora, de repente, existem crianças! Isto é maravilhoso! Maravilhoso! Obrigado, Maggie. Compreendo que é amiga de verdade do meu irmão. Que sorte ele ter encontrado você. — Ele lhe sorriu, agradecido, e Maggie sentiu algo especial. Ignorou a sensação, sorriu e disse:

— Ah, sinceramente, não é nada. Nada que outra pessoa não fizesse.

Na casa de repouso, andaram lado a lado pelos corredores. Parecia algo do outro mundo andar com uma versão anterior do namorado naquele lugar, e Maggie segurou o fôlego, preparando-se para o que viria.

Daniel estava como no dia anterior: largado, semiconsciente, cinzento. Marc perdeu o fôlego ao vê-lo e, por um instante, pareceu que ia dar meia-volta e ir embora. Maggie percebeu a respiração presa dele e tocou-lhe no braço.

— Você está bem? — perguntou. Marc tinha uma mão na boca e a outra enfiada no bolso. Inspirou profundamente e deu um sorriso apertado.

— Sim — disse, baixinho —, acho que vou ficar. — Aproximou-se da cama, e Maggie o acompanhou.

— Daniel — disse ela num sussurro mais alto, tocando-lhe o ombro com gentileza. — Daniel. Sou eu, Maggie. Está me ouvindo?

Daniel agitou-se debilmente, entreabrindo a boca seca. Um som saiu de seus lábios, mas Maggie não conseguiu entender.

— Tem alguém aqui comigo, uma pessoa especial. — Daniel grunhiu de novo. — É o seu irmão, Daniel, é Marc. Está aqui. Consegue abrir os olhos? Está vendo?

Os olhos de Daniel estremeceram, e então seus lábios abriram um sorriso. Devagar, pronunciou:

— Marc.

Marc aproximou-se mais do irmão e apoiou a mão em seu ombro.

— *Oui, Daniel, c'est moi!*

— Marc — repetiu Daniel. Tirou as mãos de debaixo dos lençóis e deixou-as cair pesadamente sobre Marc. Então, de repente e inesperadamente, Marc tirou os sapatos e subiu na cama, deitando-se ao lado do pobre corpo judiado de seu irmão no pouco espaço que havia, envolvendo-o pela cintura e segurando firme sua mão e beijando-o na cabeça, logo acima da orelha, com força e paixão.

Maggie estava prestes a dizer: cuidado, ele tem um tubo no estômago e um cateter, não o aperte muito. Mas conteve as palavras na garganta, deixando-as ali mesmo. Virou-se e saiu do quarto.

Uma hora depois, sentaram-se junto do laguinho de carpas. O clima mais quente da manhã tinha se dissipado, trazendo uma tarde de decepcionantes tons acinzentados. Devido à brisa fria, Maggie tinha ido buscar um cardigã no carro. Marc estava sentado, olhando para o chão de cascalhos.

— Acho que eu sabia — disse ele. — É muito estranho. Mas acho que eu sabia. Para escrever aquela carta como fiz, depois de tantos anos sem contato. Devo ter sentido. Porque dizem, não é, que os gêmeos idênticos tem essa... sico... como vocês dizem?

— Psíquica?

— Sim, uma conexão psíquica. — Ele bateu na têmpora com o dedo. — Lembro que estava no trabalho, no escritório, e vi um passarinho pela janela. Ele estava voando alto e voava assim... — ele desenhou um círculo no ar... — girava, girava, girava. Em círculos. E eu me peguei pensando que gostaria que o passarinho parasse de voar em círculos e fosse direto, direto pelo Canal, até aqui, até a janela do meu irmão lhe dizer que eu estava sentindo a falta dele. Ao pensar isso, resolvi escrever uma carta. Vejo isso como um sinal, não? E aqui estou, e o meu irmão está nos deixando. — Ele deixou a cabeça pender entre os joelhos, depois a ergueu de novo, e Maggie viu que as lágrimas brilhavam no lindo rosto dele. — Cheguei em cima da hora. — Deu um sorriso de coragem, e, antes que ela pudesse se censurar, Maggie tomou-lhe ambas as mãos nas suas, apertando-as.

— Obrigado — disse ele, num sussurro rouco. — Obrigado.

Ficaram em silêncio por um tempo, as mãos ainda entrelaçadas. Um arrepio percorreu o corpo dela.

— Você está com frio? — disse Marc, enganando-se em relação a esse movimento involuntário. — Vamos entrar? Tomar um café?

Maggie concordou. Não tinha almoçado. Adoraria um sanduíche. Caminharam devagar até a cafeteria dentro do prédio.

— Por que você e Daniel se estranharam? — perguntou ela, numa tentativa.

— Estranhamos?

— Sim, brigaram, ficaram estremecidos?

— Ah, sim, entendo. Mas não, não tivemos uma briga.

— Ah, eu pensei...

— Não, não, não. Foi por causa do que aconteceu. Quando ele estava na universidade. Ele contou a você da criança?

Maggie olhou para ele, com ar de dúvida.

— Ele não contou? — Marc suspirou. — Minha nossa. Bem, não chega a ser surpresa. É difícil falar disso. E foi por isso que foi embora. Por isso não conseguia mais falar comigo. Por isso não conseguia ser o homem que costumava ser. Por causa dessa coisa terrível, terrível.

Viraram num corredor, e Marc segurou a porta para que Maggie passasse. Ao fazer isso, ela roçou o corpo no dele e teve um súbito sentimento de carência, tão forte que teve que frear um gemido baixo. Ignorou a sensação, interpretando-a como resultado de emoções conflitantes demais em sua cabeça.

— Que coisa terrível é essa? — perguntou ela, provavelmente pressionando mais do que tencionava.

— Ah, bem. É difícil para mim. Ele não contou a você, e agora está doente. Talvez não tenha contado por algum motivo. Talvez não quisesse que você soubesse.

— Não, não quis que eu soubesse. Sempre tentei fazê-lo falar sobre o passado, sobre como as coisas se passaram aqui, mas ele tinha... um jeito esperto de responder a uma pergunta sem na verdade falar nada. Devo dizer, porém, que revelou mais de si mesmo nas últimas semanas do que antes. Como se não visse mais sentido em guardar seus segredos, entende? Como se tivessem perdido o significado.

— Bem — disse Marc —, nesse caso, talvez tenhamos que conversar. Talvez deva lhe contar, pois fico triste em dizer isso, mas acho que meu irmão não vai mais contar segredos a ninguém. Acho que o tempo de ele contar segredos acabou.

Na cafeteria, compraram chá e sanduíches, levando-os para a área de convivência. Sentaram-se um diante do outro em uma mesa enfeitada com flores secas coloridas em um vaso preto. Maggie mordiscou a beirada do sanduíche, esperando que Marc falasse.

— Bem, o meu irmão — começou ele — estava no último ano da faculdade de medicina. Era residente, querendo ser pediatra. Foi alocado em uma unidade de crianças com câncer em um hospital logo depois de Dieppe, e uma noite lhe pediram que injetasse, como se diz... morfina?

Maggie assentiu.

— Ele se enganou na dosagem. Era tarde. Estava cansado. Ele matou uma criança de overdose.

Maggie arfou e levou a mão à boca.

Marc balançou a cabeça com tristeza e suspirou.

— Então, depois disso, houve um inquérito, ele foi acusado de homicídio sem intenção de matar, mas não conseguiu voltar à medicina. Não conseguiu mais nada. Ficou no seu quarto de estudante durante um mês todo, sem ver ninguém. Então, nossa mãe... ela é uma mulher bem doente, sabe? Sempre teve problemas em sua mente. — Ele cutucou a cabeça. — Não era estável. Encarou muito mal esse acidente e repudiou o meu irmão. Disse que não podia ter um assassino de crianças como filho. E acho que era muito difícil para ele me ver, a sua metade, tão íntimos que éramos, sabendo que eu não conseguia sentir o que ele estava sentindo. E sabendo que nossa mãe ainda me amava, mas não o amava mais. Então, um dia, ele sumiu. — Marc estalou os dedos. — Assim. Sumiu. Sem palavras nem explicações.

— Parecia que meu coração tinha se partido. Durante cinco anos ele não nos disse onde estava. Depois, disse que estava aqui na Inglaterra. Enviou para mim umas cartas com o endereço inglês impresso em cima, sabe? Então, eu soube onde está morando. Mas ele não me convidava. E eu não pedia para vir. E não sei por quê. Não sei por que ficou essa *ponte* que nenhum de nós conseguiu atravessar. É quase como se, sendo gêmeos, tivesse que ser tudo ou nada. Ou se está junto ou não se está. Não há meio caminho entre os dois. Então preferimos nada. Agora ele está indo, e eu nunca mais vou vê-lo. Não como era.

— Coitado, coitado do Daniel! — disse Maggie, com uma mão ainda na garganta. — E coitado de você. Que história terrível!

— Eu sei. É uma tragédia. Um homem inteligente, cuidadoso, bom, e um único errinho... puf! Tudo vira pó.

— Não é para menos que nunca tenha me contado. Imagine como se sentiu esses anos todos, imagine a culpa e a falta de confiança. Como confiar em si mesmo para fazer alguma coisa importante de novo?

— Sim, exatamente. E viu como fez essas crianças? Viu como deixou outras pessoas terem toda a responsabilidade?

— Sim, mas também deu crianças a pessoas que não podiam tê-las. Quase como se pagasse ao mundo por ter tirado uma.

— Sim, é verdade. Mas acho que é principalmente para evitar o risco, não? Toda a vida dele desde o acidente ele evitou correr risco.

— Sim... — disse Maggie, e então divagou, ao perceber que por isso seu relacionamento nunca tinha deslanchado como ambos queriam. Por isso ele nunca a tinha tomado nos braços e a beijado. Por isso ele nunca lhe dissera que a amava. Por isso eram ainda apenas amigos. Porque ele não queria se sentir responsável pelos sentimentos dela. Não queria magoá-la. — Sim, consigo perceber isso — continuou ela, tentando manter a voz calma. — Consigo mesmo. Que triste, que coisa mais triste!

Lydia

O irmão de Lydia não tinha nome do meio, mas ela também não tinha. Seus pais não quiseram nomes do meio, por alguma razão desconhecida. Ela se levantou e ficou diante da pequena lápide, entalhada em uma pedra cinzenta, olhando as palavras: Thomas Pike. Seu irmão. Faria 28 anos em agosto.

Já tinha estado ali antes. Lembrava-se bem agora. Sua mãe fora enterrada ali também, do outro lado da capela, ao lado de seu pai. Lydia tinha vindo aqui, quando criança, visitar o túmulo da mãe, e mais tarde, já adulta, para enterrar o pai.

Rodney ficou do lado dela, com as mãos nos bolsos da calça.

— Você está bem, querida? — perguntou.

Lydia virou-se um pouco para ele e sorriu, com tristeza.

— Acho que sim.

As cinzas de seu irmão estavam sob seus pés. Uma caixinha de pó. Ela não estava muito bem, na verdade. Estava desolada.

— Por que ele está enterrado aqui? Por que está sozinho?

Rodney se aproximou mais dela e balançou a cabeça.

— Não sei o que estava se passando com seu pai naquela época. Eu não estava lá. Imagino que não tenha conseguido lidar com isso. Esse túmulo de criança. E também não queria que você soubesse dele. Longe dos olhos, longe do coração, entende...

Lydia deu as costas para o túmulo, e uma sensação de horror invadiu seu corpo. O pai dela, de novo, fazendo algo errado. Sempre fazendo algo errado. Toda vez. Como ele pôde deixar Thomas aqui, um menininho, sozinho, longe da mãe? Alguém em sã consciência acharia que isso era certo?

— Quero mudar Thomas para perto da nossa mãe. — Ela se virou de novo para Rodney, com a fisionomia subitamente resoluta.

Rodney suspirou.

— Bem, não sei se pode fazer isso. São todos reservados com antecedência, entende, reservados há décadas pelo tipo de gente que não quer deixar nada ao acaso. Não há jazigos vazios ali com sua mãe. Nenhum.

— Bom, ele não pode ficar com ela, dividindo o lugar?

— Posso verificar — ele se ofereceu.

— Ótimo — concordou Lydia —, obrigada. É horrível ver ele aqui sozinho. — Ela estremeceu. O ar da manhã no cemitério estava frio e úmido, e sua cabeça, pesada de muito vinho e uma noite comprida. Ela e Rodney tinham ficado até as três da manhã recuperando os fios de sua história comum. Mesmo assim, ela tinha acordado cedo e decidida, pronta para ir àquele lugar e sentir o que precisava para seguir adiante.

Primeiro tinham visitado a mãe, cujo túmulo era cuidado e atendido por Rodney e pelo irmão dela. Depois, Lydia parou um pouco diante do túmulo do pai, tentando sentir algo além de raiva. Tentou buscar pena e compaixão dentro de si, mas não encontrou. A vida judiava de muitas pessoas, e nem todo mundo levava uma existência malograda como a de seu pai. Outras pessoas, como dizia o ditado, faziam limonada.

Ela se virou para Rodney e sorriu.

— Quero ir embora agora. Preciso ir para casa.

— Claro que sim, querida. Vá para casa e assimile tudo isso. Vá para casa e reflita.

Ela assentiu, agradecida pela percepção de Rodney sobre esse processo dela. Era exatamente isso o que queria fazer.

— Vou acompanhá-la até a estação agora. Deve haver um trem daqui a vinte minutos; vamos chegar em tempo.

Lydia deu mais uma olhada na pedra cinzenta sobre Thomas Pike, ajoelhou-se na grama úmida e correu os dedos pela placa. Ela voltaria, sabia disso. Além de lembranças ruins, agora aquele país pequeno e orgulhoso tinha mais coisas para ela. Diante de tudo o que tinha perdido, vinha ganhando cada vez mais a cada dia. Levou os dedos aos lábios, beijando-os e depois pousando-os no túmulo. *Vou resolver isso,* prometeu a Thomas em silêncio. Em seguida, ela e o tio voltaram ao carro dele sob a luz dourada do sol nascente.

— Ah! — disse Bendiks, de pé na plataforma do alto da escada quando ela chegou, quatro horas depois. — Você chegou! Já estava ligando para você.

Lydia olhou para ele com surpresa, e depois olhou para a bolsa onde o celular estava.

— Acabei de sair do metrô.

— Ah. — Ele começou a descer as escadas.

— Está tudo bem? — perguntou ela.

— Sim! Claro. Só estava ansioso para saber como foi tudo... com seu irmão, no País de Gales. E, verdade seja dita, senti sua falta. Esta casa fica grande quando se está sozinho.

Lydia sorriu. Sentiu-se cheia de carinho e afeição por ele. Ele a cumprimentou à porta com um beijo em cada lado do rosto, e gentilmente lhe tirou a bolsa que segurava.

— Pronto, deixe comigo. — Cheirava a xampu e sabonete. Porém ali, sob tudo, havia aquele outro cheiro, aquele cheiro que sempre a atraía, aquele ligeiramente almiscarado da essência dele.

— Sabia que temos uma sessão esta tarde? — Ele baixou a bolsa dela nas escadas e olhou para ela sorridente. — Três horas!

— Merda, sim, claro. Desculpe, tinha me esquecido completamente.

— Imaginei. Então, não vou prender você. Mas, se quiser, ainda podemos fazer.

Lydia tentou liberar algum espaço na cabeça para pensar nisso.

— Que horas são agora? — perguntou ela.

— Quase uma.

— Ok, então. Sim, acho que seria bom me exercitar.

— Excelente — disse Bendiks. — Legal. Vejo você às três, então, e podemos começar correndo. E, enquanto corremos, você me conta tudo.

Eles correram por quase uma hora. Não tinham essa intenção, mas Bendiks não tinha outro cliente, havia sol e uma brisa suave, e a pista parecia se desenrolar diante deles, metro a metro, como um tapete sem fim. Pegaram um ritmo leve, suave o suficiente para conversar sem perder o fôlego, e Lydia contou tudo a Bendiks. Contou tudo sobre o encontro com Rod, e o bebê que tinha morrido na casa de uma estranha; contou do pequeno túmulo a metros de onde deveria estar, e da sensação de se libertar do passado enquanto o abraçava. Bendiks a ouviu, dizendo todas as coisas certas em todos os momentos críticos, e havia muito tempo Lydia não chegava tão próximo de abrir o coração a outro ser humano, revelando a verdade sobre si mesma sem se vigiar nem censurar. Como seria compreendida ou o que ele talvez pensasse não foi uma preocupação, nem se estava sendo entediante, ou se estava suando e seu rímel tinha manchado todo. E isso foi completamente estimulante e libertador.

Entraram pela porta da frente às quatro e meia e foram direto para a academia. Enquanto andavam, Lydia reparou na silhueta de Bendiks em suas roupas encharcadas de suor, viu os anéis de cabelo molhado na nuca e considerou os seus desejos. Antes que pudesse ter um segundo para se censurar, flagrou-se dizendo:

— Vamos fazer uma sauna?

Perdeu o fôlego diante da concretização de que tinha falado alto. *Vamos fazer uma sauna?* Digno de um filmeco pornô da década de 1970. Não conseguia olhar para Bendiks. Um silêncio de menos de um segundo pareceu um verão inteiro. Ela fechou os olhos e esperou para ver o que tinha feito.

— Legal — disse Bendiks. — Achei que nunca diria isso.

Ela abriu os olhos e o encarou.

— Certo, ótimo. Vou... hã... pegar uns roupões pra nós.

Ela tirou os roupões da prateleira em que Cait e Tom, os antigos donos da casa, tinham um estoque completo de roupões e toalhas novos, e os levou para a sauna. O seu coração martelava sob as costelas, e sentia-se amedrontada, boba e estranhamente excitada.

— Só vou me trocar — ela explicou, dando um roupão a Bendiks. Ele sorriu, meio abobado. Obviamente, esse estado mental estava escrito na sua cara.

Lydia voou até o fundo da sauna, tentando se lembrar das instruções de Cait sobre como colocá-la em funcionamento. Havia um controle remoto preso à parede, e ela apertou os botões ao acaso até que alguma coisa soou como se tivesse sido ativada. Depois, tirou as roupas suadas e enfiou-se no roupão, ajustando a gola para que seu decote não ficasse à mostra. Olhando pesarosa para seus pés feios, sentiu que toda a energia sexual que a tinha levado a essa sugestão lunática começava a murchar e secar. Porém, entrou na sauna, e Bendiks estava ali sentado, de pernas relaxadas, o roupão frouxo, o peito brilhando na luz baixa, e, ao fechar a porta atrás de si, sentiu: sexo. Vivo e respirando naquele cômodo, e ela acabava de fechar a porta e prendê-lo. Agora com certeza iria descobrir de uma vez por todas se Bendiks era gay. Se fosse hétero, e não só fingisse ser hétero para abusar de suas múltiplas notas de 50 libras e um quarto barato, não haveria como sair daquele lugar sem que alguma coisa acontecesse entre eles.

Ele lhe sorriu, meio tímido. Então, lentamente, uma parede de vapor subiu entre eles, e Bendiks tornou-se uma estátua fantasmagórica no outro banco. Por algum tempo, não conversaram. Ela o viu tirar os braços das mangas do roupão, deixando-as cair sobre o banco, de modo que agora estava despido da cintura para cima. Ele pendeu a cabeça para trás, girando-a, depois se recostou na parede da sauna e relaxou as pernas separadas, de modo que, se houvesse menos vapor ali, Lydia estaria completamente favorecida pela aparência íntima dele. Pensou no jeito lento e cadenciado como ele se despiu. Tinha sido deliberado? Ou ele só estava com calor?

— *Adoro* sauna — disse. — Tinha me esquecido de como adorava isso.

— Nunca estive numa antes — afirmou Lydia.

Bendiks riu.

— Você é engraçada, Lydia. Compra uma casa com sauna e não a usa.

— Sou de Gales — respondeu. — Os galeses não são de sauna.

Ele riu de novo. Lydia às vezes suspeitava que ninguém dizia nada engraçado na Letônia.

— Venha cá — ele bateu no banco junto de si —, deixe-me fazer uma massagem no seu pescoço.

Ela lhe lançou um olhar, talvez com uma expressão de pavor no rosto, e ele riu de novo.

— Você tem tanto medo de mim assim? Por favor, não tenha.

— Não tenho medo de você. É que...

— Venha — repetiu ele, ainda dando tapinhas no banco. — Tenho vontade de tirar esses nós do seu pescoço desde a primeira vez que a vi.

Ela sorriu constrangida e se aproximou dele. Deu-lhe as costas e baixou o roupão nos ombros. Bendiks colocou as mãos nas omoplatas dela e delicadamente puxou um pouco mais o roupão, de modo que ela teve que segurá-lo com ambas as mãos. Ele pressionou a mão na parte de trás da cabeça dela, empurrando-a devagar para o peito.

— Aí — disse —, ótimo.

Então, suas mãos boas e macias apertaram e massagearam a pele úmida dela até que todos os seus músculos viraram areia, e Lydia pensou, *Agora, agora, seria perfeito*, e, assim que pensou isso, sentiu lábios macios na pele de suas costas, o calor adocicado da respiração dele em sua pele, as mãos nos ombros, e ele a puxando contra si. E em vez de se perguntar o que deveria fazer, ela ficou ali, submissa e embriagada, desfrutando da sensação de ser desejada e de ser tocada por um homem bonito. Nenhuma parte de seu corpo deixou de ser afetada pelo toque dele, e ela sentiu crescendo dentro de si um gemido animalesco de puro prazer.

À medida que os lábios dele subiam pelo seu pescoço, ela abriu a boca e gemeu, e ele, aceitando a deixa, lentamente virou a cabeça dela em sua direção, aproximando os lábios dos dela, e ali estava... finalmente. O primeiro beijo. E Lydia pensou, *Sim, sim, sim, eu sabia que você não era gay. Sabia que podíamos fazer isso. Sabia que podia ter você. Sabia que não era tão burra*. À medida que se beijavam, ela sentiu tudo se encaixar — a imensa casa vazia, o gato azulado, a falta de amigos, a família esquisita, a infância. Tudo se encaixou porque, de repente, deu-se conta de que não era esquisita. Um homem como Bendiks não beijaria uma mulher esquisita. Um homem como Bendiks só beijaria uma mulher atraente. Uma mulher com algum charme e beleza. Uma mulher cuja companhia lhe daria orgulho. Enquanto pensava tudo isso, ele afastou os lábios e a olhou nos olhos.

— Todas essas semanas e meses, andei sonhando em fazer isso.

— Eu também — confessou ela.

Ele olhou para ela, espantado.

— Mesmo? Você sonhou mesmo com isso?

Ela assentiu, e ele lhe tocou o queixo e riu.

— Uau! — exclamou. — Que surpresa. Achei... achei que você me achava um tremendo bocó. Pensei que você achava que era boa demais para mim. E eu...

Ele fez uma pausa.

— O quê? — disse Lydia, vasculhando os olhos negros dele.

— Eu achei, por algum tempo, e não digo isso com maldade, mas eu achei que talvez... você fosse gay?

— Você achou que eu...? — Lydia parou. E depois riu.

— O que foi? — Bendiks perguntou, passando a ponta dos dedos pelos ombros e braços dela.

— Achei que você fosse gay também.

— Eu? — Ele ficou surpreso, levando em seguida a mão ao peito.

— Sim, você!

— Mas... mas, por quê?

— Não sei. Talvez só estivesse tentando me proteger. Ou talvez seja a sobrancelha feita.

Ele imediatamente levou a mão à sobrancelha:

— Mas eu não faço a sobrancelha!

— Não faz?

— Não! Bom, só um pouquinho. Só no meio. E nuns bagunçados aqui. — Ele apontou o arco das sobrancelhas. — Nossa — continuou —, isso me faz parecer gay?

— Não! — Lydia riu. — Só, bom, *aparado*, sabe?

— E *aparado* é gay?

— Não! — exclamou ela de novo. — Você é lindo. É perfeito. Não parece gay. Bom, pelo menos, não mais. Não depois...

— Depois do quê? — Ele sorriu.

— Depois disso — disse ela, indicando o corpo deles, juntos.

Ele aproximou o nariz do dela e o deixou ali, olhando-a de perto, respirando no rosto dela, e sorrindo.

— A gente ainda nem começou — resumiu ele.

E eles começaram.

Dean

— Aqui — disse Rose, entregando a Dean uma garrafinha de plástico cheia de um líquido rosa.

Ele olhou para a garrafa, confuso.

— O que é isto? — perguntou.

— É para suas mãos. É um germicida.

Ele entreolhou o rótulo.

— É a mesma coisa que tinham no hospital, pros prematuros — explicou ela bruscamente.

Ele espalhou um pouquinho na palma da mão. Tinha cheiro de pera. Deu a garrafinha para sua mãe, e ela seguiu o exemplo. Já lhes tinham dito para tirar os sapatos na entrada. "Nada de sapatos nesta casa", explicara Rose, como se isso a tornasse um pouco superior.

Dean não ia à casa de Rose desde que começara a sair com Sky. Ficou arrepiado enquanto seguia Rose até a sala. Tinha achado que jamais voltaria ali. Nas paredes havia imensos retratos feitos em estúdio de Rose e suas filhas e netos. Havia um de todas elas sob a falsa lareira georgiana: Rose, as quatro mulheres, todas de branco, Sky com o barrigão, sua irmã Savannah, de braços tatuados, segurando no colo seu bebê com cara de cachorrinho. E havia um novo de Sky, maior que os demais, um simples retrato em preto e branco, na sala de jantar. Num aparador sob ele, um vaso com três margaridas e uma vela votiva em um vidro vermelho. Dean conteve a respiração diante do retrato, lembrando-se mais uma vez de como ela era bonita, e engolindo como sempre seus inconfessos sentimentos de perda e tristeza.

— Venha — disse Rose, indicando o sofá de couro —, sentem-se. Vou preparar um chá para nós.

Sienna, a filha mais nova, estava enrolada numa poltrona de couro junto da janela. Ela ergueu os olhos e sorriu para Dean e sua mãe.

— Oiê — cumprimentou-os.

Dean assentiu com a cabeça, e sua mãe disse "olá".

Estava quente na casa de Rose. Quente demais. Ocorreu a Dean que, com toda aquela paranoia de germes nas mãos e na sola dos sapatos, a casa devia ser mais fresca.

Ele sorriu para a mãe, que também sorriu.

— Tudo bem? — cochichou.

Ele balançou a cabeça.

— Sim, tudo bem.

— Acabei de ouvi-la se mexendo — Rose gritou da cozinha. — Subam para vê-la, se quiserem.

Dean se conteve. Um homem na televisão dizia a uma mulher *para calar a boca, você não sabe o que está falando*. Sienna se remexeu, mudando a posição das pernas. Ele deu uma olhada na mãe.

— Venha — convidou-o. — Sei onde ela fica. Vamos vê-la?

Dean pensou no pai de Lydia. Pensou em como ela o considerara esse tempo todo, nada mais que uma criatura. Então pensou em sua filhinha presa a um tanque plástico, não muito real, não muito pronta para a existência. Pensou naquele dia frio de março, em que ficou deitado com a cabeça pendente sobre o túmulo de sua namorada, tentando pegar a foto da filha. E pensou em Thomas, o seu irmão, que nunca teve uma chance. Sorriu, assustado.

— Vamos.

Subiram a escada devagar e silenciosamente, para não surpreender demais o bebê, ele supôs. Seguiu a mãe até um quarto que parecia ser o de Rose. Tinha uma cama king size cheia de almofadas peludas e colcha de veludo, e estava banhado de uma luz melancólica vinda de persianas listadas de púrpura e dourado. O quarto cheirava a desodorizadores de ambiente, como toda a casa de Rose.

Inicialmente, Dean sentiu-se inibido ao entrar no ambiente uterino do *boudoir* de Rose. Porém, depois a viu num berço de vime e madeira junto da cama. O berço, enfeitado com fitas cor-de-rosa claro, tinha pendurado sobre ele um móbile um tanto opressivo de ursinhos olhudos.

A criança estava acordada e olhando para o móbile, curiosa, com as mãos abrindo e fechando como um peixinho. Usava um macacãozinho de listas rosa e vermelhas enfeitado com as palavras Cheeky Monkey na frente. Dean a entreolhou, surpreso. Estava tão crescida. O corpo dela enchia o macacão de algodão, forçando os botões da barriguinha redonda.

— Olá! — disse sua mãe, rodeando a beirada da cama de Rose para se aproximar do berço. — Olá, pequena. — A criança desviou os olhos do móbile, procurando a voz, e, quando por fim localizou o rosto de sua avó, sua boca se curvou num sorriso enlevado. — Olhe só para você! — Isso foi dito num falsete açucarado. — Olhe só para você! Tão grande! Que menina grande! — A criança batia as pernas, contente, fazendo um barulhinho de gorjeio.

Dean flagrou-se sorrindo sem querer. Ainda que sua mãe lhe tivesse mostrado fotos da criança no celular, nunca tinha conseguido de fato substituí-las por aquela imagem da criaturinha azulada no berço de plástico. No entanto, ali estava ela: comprida, forte, sorrindo, quase gorducha.

— Venha cá, querida — cantarolou sua mãe —, venha com a vovó.

Vovó. Sua mãe era uma vovó. Dean empalideceu. Nunca tinha lhe ocorrido isso direito. Ele a observou erguendo carinhosamente do berço a criança sorridente e a colocando na dobra do braço. A menina tinha muito cabelo, cabelos pretos como os dele. E como os de Lydia. Sua mãe afagou-lhe os cabelos com os dedos e depois se virou para Dean, sorrindo.

— Veja! — disse ela para a criança. — Veja quem está aqui! Este é o seu papai! Sim, é o papai! — Os olhos e a boca da criança se abriram cada vez mais à medida que o tom de voz da avó crescia. — Quer pegá-la, querido? — perguntou a mãe a Dean, com a voz normal. Ele sorriu timidamente. Depois concordou.

Eles se sentaram na beirada da cama, e a mãe de Dean passou a criança para os braços dele com cuidado.

— Assim — ela ajeitou as mãos dele —, para que apoie a cabecinha. Isso, isso.

Dean olhou para Isadora e viu que ela olhava direto para o rosto dele. E ali estava de novo, a inteligência e a confiança cega que o tinham desmontado na maternidade. No entanto, dessa vez não ficou assustado; dessa vez conseguiu assimilá-la e absorvê-la como algum tipo de elogio. Olhou para ela e sentiu isso de novo, o mesmo choque de reconhecimento que tinha sentido quando viu Lydia pela primeira vez, o mesmo apego instantâneo.

— Sim — disse uma vozinha em sua cabeça —, sim. É você. E você sou eu. E eu sou você. E somos iguais. — Ele mapeou os contornos do rosto dela, a boca carnuda, os olhos separados, a suave linha de uma sobrancelha grossa, e admirou a força dos genes de seu pai doador, que tinham atravessado a temida posição avançada do clã dos Donnelly.

Isadora se contorceu um pouco nos seus braços, e Dean instintivamente a sentou no colo, onde ela logo vislumbrou o brilho do fecho do seu casaco, querendo agarrá-lo vorazmente. Dean lhe deu o fecho, baixando o nariz no topo da cabeça dela. Ela cheirava a cama, morangos e alguma outra coisa; alguma coisa que fazia sua consciência enovelar-se de volta à sua infância — o cheiro exótico e imperativo de uma vida nova.

— Ela é uma graça, não é? — derreteu-se sua mãe, observando-o com carinho.

Ele concordou e sorriu. Então, sem pensar, beijou o topo da cabeça da criança. As mãos dela estavam enroscadas no fecho de metal e nos dedos dele, tudo melado de baba. Ele a observou por um instante, e de repente se deu conta: ela podia acidentalmente arrancar o fecho! Ele podia acabar entalado na boquinha dela! Ela podia engoli-lo! E morrer! Com delicadeza, puxou o fecho da boca da criança, apertando-a contra o peito. A sua menininha preciosa.

Maggie

Marc cumprimentou Maggie à porta do apartamento de Daniel na sexta de manhã, e, por mais que ela tivesse se preparado para isso, a semelhança imensa dele com o irmão ainda lhe tirava o fôlego. Tentou sobrepor o choque que sentiu com um belo sorriso no rosto.

— Bom dia! — saudou-o.

— Bom dia, Maggie — disse Marc, espremendo-se contra a parede para lhe dar passagem.

— Dormiu bem? — perguntou ela.

— Dormi muito bem. À maneira dos gêmeos, o meu irmão parece ter o mesmo colchão que eu tenho, então foi quase como estar em casa. E acabei de tomar o café da manhã no terraço. Muito obrigado pelo abastecimento.

— Ah, não há de quê. — Ela sorriu. — Não sabia bem o que você ia querer, por isso providenciei um pouco de tudo.

— Então, estou pronto — concluiu Marc. — Mas, antes de sairmos, não quer tomar um café?

— Não, obrigada, estou bem. Tomei café antes de sair. Dois, na verdade. Não dormi muito bem a noite passada.

Marc olhou para ela com compaixão.

— Agora me senti mal. Acho que foi errado eu ter dormido bem.

— Claro que não foi errado! — exclamou ela. — É ótimo. Você tem que estar forte.

— Sim, tem razão — concordou ele. — Ah, antes de sairmos, chegaram algumas cartas esta manhã. O carteiro tocou. Tive que assinar por uma delas. Aqui. — Virou-se e pegou uma pilha de correspondência da mesa do vestíbulo, entregando a ela.

Enquanto repassava as cartas, seus olhos foram atraídos pelo logotipo do Registro de Parentes de Doadores, e ela ficou olhando o envelope uns minutos antes de abri-lo com cuidado. Prendeu o fôlego ao desdobrar a carta, e depois foi soltando o ar pelo meio sorriso à medida que as palavras lhe calavam no espírito.

Uma moça. Robin Inglis. Ela morava no norte de Londres e queria conhecer Daniel. Um riso atordoado escapou da boca de Maggie. Levou a mão ao coração e riu de novo, mais alto. Até que enfim! E bem na hora! Continuou lendo. A moça estava estudando medicina em uma universidade de Londres e morava com o namorado, um escritor, em Holloway. Dizia que gosta de roupas e trabalha meio período em uma loja de moda da Oxford Street, que sua mãe e seu pai são, respectivamente, secretária num órgão do Estado e administrador de serviços de construção, e que ela era de Essex. "Mas não sou o estereótipo da moça de Essex, sinceramente!" Tinha dado o número do celular e o e-mail, e parecia ter absoluta certeza da vontade de conhecer Daniel, mas a carta era bastante contida mesmo assim. Maggie a leu três vezes antes de dobrá-la com cuidado em três e enfiá-la no envelope.

— É uma boa notícia? — perguntou Marc, que a vinha observando, pensativo.

— Sim. — Ela sorriu. — Muito boa. Eu conto a você no caminho.

Foi difícil para Maggie parar de demonstrar em sua fisionomia essa maravilhosa surpresa enquanto ela e Marc, uma hora depois, passavam pelos corredores da casa de repouso na direção do quarto de Daniel. Sua boca se contraía, os olhos brilhavam. Daniel tinha lhe pedido que fizesse algo para ele, algo importante, algo que o deixaria feliz nesse final de vida. Ela tinha feito, nunca acreditando muito que ao final desse estranho e impessoal processo haveria gente de verdade, nunca acreditando mesmo que ela talvez fosse responsável por trazer uma dessas pessoas ao quarto ensolarado de Daniel em sua forma tridimensional. Supusera que escreveriam tarde demais ou que não escreveriam. Supusera que não poderia ser tão fácil. E só quando estavam na entrada do quarto de Daniel é que o medo tomou conta dela: e se já fosse tarde demais?

Os músculos de seu rosto pararam a sua estranha dança e enrijeceram. Tinha ficado tão atordoada de alívio *por ainda não ser tarde demais* que não tinha considerado a possibilidade de que talvez já fosse tarde demais. De que, ainda quando estava rasgando o envelope com o dedo indicador, Daniel poderia estar lutando para respirar pela última vez; de que, enquanto ela estacionava o carro, sacudindo-se e contorcendo--se, ele talvez estivesse fechando os olhos pela última vez. Ela parou diante da porta e inspirou fundo. Marc lhe deu um olhar encorajador.

— Você está bem? — perguntou ele.

— Sim, estou.

Então, ela recompôs o rosto, dando-lhe o costumeiro contorno inofensivo, e abriu a porta.

Sentiu o coração pesar. Daniel estava com péssima aparência. Não se voltou ao som da voz dela quando ela cochichou:

— Daniel, sou eu. — Ele estava deitado com a cabeça inclinada para a janela, olhos semicerrados, uma crosta seca na boca flácida. — Daniel — cochichou ela de novo. Tocou delicadamente o ombro dele, e ele virou a cabeça um ou dois milímetros, gemendo.

— Como está? — perguntou ela, ainda num sussurro suave.

— Muito cansado — respondeu ele. Deixou a cabeça cair no travesseiro e depois fechou os olhos.

— Não espero que diga nada, e, por favor, não tente, mas eu queria que soubesse que tenho um contato. É uma moça. A mais nova. O nome dela é Robyn. Como um nome de menino, mas com *y* no lugar de *i*. Ela parece bem simpática, aliás...

Maggie observou Daniel, esperando alguma reação, mas não houve nenhuma. Sentiu sua alegria começar a se esgotar. Não era assim que tinha imaginado esse momento.

— Vou tomar um café. Marc, você fica com ele?

Marc assentiu, compreendendo.

— Claro — o irmão se sentou ao lado da cama de Daniel e tomou a mão dele nas suas.

— Já volto — disse ela a Daniel. — A gente conversa depois. Sobre a moça. Está bem?

— Sim.

Maggie saiu do quarto devagar e foi imediatamente até a mesa das enfermeiras no final do corredor.

— Olá! — disse ela, animada, a uma moça negra miúda chamada Cressida.

Cressida ergueu os olhos da papelada e sorriu.

— Olá — respondeu. — Como vai você?

— Estou bem — disse Maggie, com vivacidade. — Está ocupada? Poderia conversar com você?

— Não, não estou nada ocupada — respondeu Cressida. — Venha, sente-se.

Maggie se sentou e puxou a cadeira junto da escrivaninha de Cressida.

— Então — começou ela —, sei que não pode me dar certeza de nada, compreendo isso, mas Daniel... parece bem mal hoje. Parece pior que nunca.

— É, ele está muito quieto. Está dormindo muito.

— Ele vem dormindo muito já há um tempo, mas ainda estava bem quando acordado. Agora, no entanto, ele parecia... — Ela procurou as palavras certas. — Como se as luzes tivessem sido apagadas.

Cressida sorriu, compreensiva.

— É verdade, vai ser meio assim. As coisas estão se fechando agora, entende? Pouco a pouco. É como fechar uma casa depois da temporada, digamos assim.

Maggie pestanejou. Lembrou-se de uma história que tinha lido para Matilda dormir, uns dias antes: *O ursinho se cansou. O ursinho precisa descansar*. Com as palavras, havia uma ilustração de um ursinho velho e muito usado, todo remendado, com a cabeça presa por um fio. Ela tinha engolido em seco com essas palavras. *O ursinho se cansou*. Pensara em Daniel, no seu corpo tomado pelo veneno da morte, em sua pele acinzentada, na boca ressecada. *O ursinho precisa descansar*.

— Acabei de encontrar a filha dele — disse ela, com a voz falhando um pouco. — Eles nunca se viram antes. Ela quer conhecê-lo. Você acha... você acha que ainda há tempo?

— Não sei — Cressida sorriu de novo.

— Mas, com sua experiência... quando um paciente fica como... quando começam a apagar... Quanto tempo normalmente leva...

— Com a minha experiência — a moça a interrompeu, gentilmente —, não existe "normalmente". Diria que já vi pessoas perto de morrer que se aguentam por horas ou até dias a fim de ver alguém querido. Ele sabe que a filha está vindo?

— Sim, acho que sim.

Cressida assentiu, obviamente não querendo dizer nada que soasse como prognóstico.

— Mas existem outros — Maggie flagrou-se dizendo. — Outras pessoas que talvez queiram vê-lo. Eu deveria... Ou melhor, acha que deveriam vir logo? Agora?

— É tão difícil dizer — suspirou Cressida. — Cada situação é única. Daniel pode ainda estar aqui na semana que vem. Mas também pode se apagar mais rápido do que imaginamos. Em atenção a esses poucos dias, provavelmente vale a pena garantir que ele veja quem deseja ver. Principalmente se essas pessoas vêm de longe.

Maggie concordou. Pensou nessa moça simpática, essa Robyn Inglis, no apartamento no norte de Londres, imaginando quanto tempo levaria para chegar ali. Será que ela colocaria um casaco e já viria? Ou teria obrigações, compromissos, arranjos a serem honrados? Ela levaria horas ou dias?

Maggie agradeceu Cressida pela atenção, pegou um café e uma banana no balcão da recepção e foi para o jardim. Ocupou um banco junto do laguinho de carpas, lembrando-se de como Daniel Blanchard a tinha girado e segurado apenas algumas semanas antes. Ficou olhando para o fundo escuro do lago, deixando-se levar pela caprichosa dança dourada sob a superfície da água. Como ela tinha vindo parar ali?, pensou. Como sua vida a tinha trazido até aquele desenlace teatral e trágico? Como ela, Maggie Smith, mãe, avó, recepcionista, tinha se tornado responsável por consequências na vida de tantas pessoas? Quando ela e Peter se divorciaram, muitos anos antes, ela teve a impressão de que essa seria a experiência mais dramática de sua vida. Achou que era maior do que conseguiria aguentar: o processo, as discussões duras, a conversa com os filhos, dar a notícia aos amigos e à família. Achou que nada daquilo era do seu feitio. Porém, tinha resistido, tinha atravessado tudo e saído do outro lado, sorridente e com muitas coisas novas para mostrar. Seu subsequente relacionamento com o ex-marido, a namorada dele e com os próprios filhos tinha sobrevivido incólume. O que se devia — ela no íntimo sempre achou — quase que inteiramente a ela.

Porém, agora, tratava-se de um drama humano bem diferente.

Ela descascou a banana e viu que não tinha apetite. A alegria e o aturdimento de meia hora atrás tinham passado. Em vez disso, ela bebeu o café, como se ele pudesse de algum modo ajudá-la a atravessar a tristeza sufocada em sua cabeça e a decidir o que fazer.

Na bolsa estava a carta de Robyn. Deu uma olhada furtiva na bolsa. Deu uma olhada na carpa. De novo, olhou para a bolsa, e então pegou a carta e o celular e começou a escrever uma mensagem. Levou meia hora para escrever. Parecia algo frio e desagradável de dizer a um desconhecido. Acabou se resolvendo por isto:

> *Cara Robyn,*
>
> *meu nome é Maggie Smith. Sou amiga de Daniel Blanchard. Ele recebeu sua carta, e adoraria se encontrar com você, mas infelizmente a saúde dele não está muito boa neste momento — por isso sou eu quem escreve. Se puder desculpar um certo tom dramático de urgência, eu acho que seria recomendável vê-lo logo e não mais adiante. Se ainda quer vê-lo, por favor, responda essa mensagem e eu lhe darei o nome do hospital em Bury onde ele está internado. Aguardo notícias suas.*

Assim, ela achava, transmitia a urgência do assunto sem nenhum detalhe que fosse desconcertante ou que talvez pudesse adiá-lo. E deliberadamente usou o termo "hospital" em vez de "casa de repouso", caso a ideia de correr para ver um pai que talvez estivesse, potencialmente, à morte momentos depois de vê-la fizesse Robyn desistir da ida. Maggie releu a mensagem pela terceira vez e então, com os olhos apertados diante da dimensão do que estava prestes a fazer, ela a enviou.

Lágrimas pesadas e ardentes desceram dos seus olhos fechados. Sentia o fim vindo na sua direção como um túnel de fogo, e ainda não estava preparada para ele, de jeito nenhum.

Lydia

Na manhã seguinte, Lydia saiu furtivamente da casa silenciosa antes de o sol nascer de todo. Não tinha dormido na noite anterior, tendo o corpo elétrico demais depois da experiência com Bendiks, e a cabeça transbordando de coisas em que pensar. Deitada na cama vazia — Bendiks tinha pedido para ficar, mas ela precisava de espaço —, tinha ficado olhando a lua cruzar o céu, chegando ao pico de sua luz azulada por volta das duas da madrugada, e depois ir desaparecendo à medida que o sol surgia numa faixa bem vermelha no horizonte. Ao atravessar sua casa na ponta dos pés para chegar à porta, ela lhe pareceu rasgada pela essência do que tinha acontecido entre ela e Bendiks. Essa essência penetrava nos tijolos e escorria pela escada. Estava no ar, pungente como um perfume. Ela e Bendiks tinham feito sexo naquela casa. Não apenas uma vez, mas três. E não apenas em um lugar, mas em vários lugares. Na sauna, na cama dela e na ducha. Tinham perfumado todos os cantos. Era adorável que sua casa guardasse isso. Pois isso a tinha transformado; o que aconteceu na noite anterior a tinha transformado de dentro para fora, e ela queria que essa mudança colorisse tudo o mais, inclusive sua imensa casa sem personalidade. Ter transado com Bendiks tinha dado alma à casa.

Dava passadas largas ao sair de casa e caminhar pela rua. Sentia os pequenos músculos da virilha aos joelhos gritando de agonia a cada passo que ela dava, e ela foi dando passos cada vez mais largos, pois queria essa sensação ainda mais. Esse sofrimento era bom. Significava que andara fazendo coisas que estava destinada a fazer, e com entusiasmo convicto.

Não sabia bem para onde ia, mas em meia hora esse passo largo a levou aos arredores de Camden Town. Reconheceu o cheiro esquisito do amanhecer de Camden: as latas de lixo transbordando à espera da coleta, o ranço da cerveja da noite anterior que emanava dos bares fechados. A última vez que tinha sido feliz fora ali, pensou. Bem ali, naquele lugar sujo, num apartamento também sujo com sua amiga, cuidando de um pequeno negócio próspero que estava prestes a transformá-la em milionária.

Seguiu a conhecida série de esquerdas e direitas até se encontrar na rua onde tinha morado, sob a janela do apartamento que dividira com Dixie. Olhou para cima e notou, surpresa, que havia uma placa de venda pendurada na parede. Seu coração acelerou, e ela foi tomada por uma onda de saudade. O proprietário não tinha alugado o apartamento de novo para algum preguiçoso do norte de Londres, mas o tinha colocado à venda. Poderia comprá-lo! Poderia ser dona dele! Poderia possuir seu passado! Porém, ao pensar nisso, já sabia que não precisava possuir o passado porque seu presente a cada dia se tornava mais o lugar onde queria estar.

Sorriu para a janela e silenciosamente se despediu.

Bendiks não estava em casa quando Lydia chegou da caminhada. Ela viu que o casaco dele não estava pendurado no cabide e que a sacola de ginástica também não estava ali, e deduziu que tinha ido trabalhar. Um tanto decepcionada, foi procurar Juliette para lhe perguntar se o tinha visto sair. Juliette não estava na cozinha, e Lydia acabou a encontrando na lavanderia, tirando lençóis da secadora.

— Oi, Juliette — começou ela, cheia de constrangimento por estar no mesmo lugar com alguém que estava fazendo o trabalho pesado por ela. — Por acaso você viu Bendiks esta manhã?

— Não — disse Juliette, um tanto bruscamente. — Não vi. — Deu as costas a Lydia e começou a dobrar os lençóis de acordo com algum método científico que deixou Lydia enfeitiçada por uns instantes.

— Ah, certo — respondeu, um pouco tomada de surpresa.

Olhando para as costas de Juliette, ela notou certa tensão em sua linguagem corporal. Resolveu sair dali, mas acabou reagindo contra os próprios instintos.

— Será que ele foi para o trabalho? Talvez tenha dito a você? — continuou.

— Eu disse a você — cortou Juliette, ainda sem olhar para ela —, eu não o vi. Não sei onde está.

Lydia se retraiu.

Juliette de repente a encarou.

— Eu quero dizer uma coisa, se não se importa.

Lydia assentiu.

— Eu quero dizer que esse homem, esse Bendiks... Eu não gosto dele.

A fisionomia normalmente suave de Juliette estava contorcida de constrangimento.

Lydia assentiu de novo e não disse nada.

— Eu limpo o quarto dele, entende. Eu vejo as coisas que compra. Dois relógios, desde que está aqui. Vejo bolsas da... Qual lugar mesmo? — Ela estalou os dedos rapidamente. — Daquele famoso Marc Jacob! Eu vejo essa bolsa no quarto dele. Vejo cremes e perfumes e esses óleos para o cabelo dele, e tudo é de marca, tudo! E depois eu vejo ele emprestando cinquenta libras de você! Desculpe por lhe dizer essas coisas. Desculpe, espero não zangá-la com isso. Mas, senhorita Pike... Lydia, eu gosto muito de você. Você é uma moça gentil. Fico feliz de trabalhar aqui. Gosto da sua casa. Gosto de tudo. Mas esse homem, eu acho que não gosto dele.

Lydia ficou olhando para Juliette, querendo que algumas palavras saíssem de sua boca aberta, levando essa conversa a um tom mais fácil, mas apenas ouviu o silêncio.

— Enfim — Juliette arrebanhou uns lençóis e sorriu —, enfim, acho que tudo bem. Só queria dizer essas coisas, tá bom? Você é sozinha. Sinto que quero ficar aqui, cuidar de você. Acho que esta é minha função. — O sorriso dela se alargou ao dizer isso, e Lydia sorriu também. Embora incomodada pela opinião ruim de Juliette a respeito de Bendiks, e, embora estivesse um pouco perturbada pela possibilidade de ele estar gastando seu dinheiro em gel de cabelo de marca, também ficou comovida e confortada pela declaração carinhosa de Juliette. Preenchia a desconfortável lacuna entre a necessidade de Lydia de que alguém cuidasse de sua casa e seu constrangimento diante dessa realidade. Ficou contente.

— Obrigada — disse ela, realmente satisfeita. — E também queria dizer que estou contente de você estar aqui, e, se houver qualquer coisa que eu possa fazer por você, para ajudar você ou sua família, só precisa...

Juliette franziu o cenho e ergueu a mão entre elas.

— Não, este é o meu trabalho. Você me dá este trabalho. Você me paga bem por este trabalho. Eu gosto do trabalho. A minha família está contente. Eu estou contente. Obrigada. — O sorriso voltou, e Lydia curvou a cabeça num gesto quase oriental.

— Não, obrigada a *você*.

Tentou resistir à tentação de abrir a porta do quarto de Bendiks e ver por si mesma as provas de seus desperdícios, mas não conseguiu. Queria que Juliette estivesse enganada. Queria encontrar um pote de creme baratinho e sacolas de lojas populares. Porém, ao enfiar a cabeça no quarto dele, ficou óbvio de imediato que Juliette não estava exagerando. O quarto estava imaculado, a cama toda arrumada e transbordando de almofadas em tons de cinza e verde — e ali, em quase todos os cantos, estava a evidência de compras desenfreadas. Junto de uma parede, uma fileira de sacolas com alças de corda. Uma jaqueta de couro ainda com a etiqueta de preço estava pendurada na porta do guarda-roupa. E, aos seus pés, como uma prova se ainda precisasse de mais provas, viu uma etiqueta de preço com o nome do famoso estilista britânico Paul Smith.

Lydia saiu dali com o rosto queimando e uma sensação pesada de desapontamento. Decepção, mas não surpresa. "Claro", dizia uma vozinha íntima. "É tudo uma questão de dinheiro. O que mais poderia ser?" Tinha sido uma boba de pensar que haveria alguma outra coisa por trás dessa sedução dele. Tinha sido uma boba.

Ficou um instante do lado de fora do quarto dele, com a mão no peito, segurando as lágrimas. Sentiu-se cheia de tristeza e constrangimento. Depois, puxou o cabelo para trás, inspirou fundo e foi trabalhar.

— Escute, podemos conversar? — Era Dean. Tinha alguma urgência.

— Sim — disse Lydia, virando a cadeira para se desviar da tela do computador. — Claro.

— Acabou de acontecer uma coisa louca. Você não vai acreditar.

— O quê? O que aconteceu?

— Acabei de receber uma mensagem. Dela. Da outra. De Robyn.

Lydia abriu a boca mas não conseguiu dizer nada.

— Ela acha que devemos nos encontrar. Ao que parece, ele está bem doente.

— Quem está doente?

— O homem. O doador. Nosso pai. Ele está bem doente, e uma mulher escreveu a ela dizendo que devia ir vê-lo agora.

— O quê?

— É. Eu falei, é doido.

— Mas onde ele está?

— Eu não sei — disse Dean —, ela não disse. Só que estava indo e que talvez a gente pudesse ir junto.

— Mas por que ela não me perguntou?

— Não sei. Como eu disse, foi só uma mensagem. Eu ainda não respondi. Então, o que eu digo?

— Eu não sei. Não consigo pensar... você quer ir?

Houve um breve silêncio do outro lado da linha.

— Não sei, é um pouco...

— É, eu sei. Tudo um pouco inesperado.

— Pois é. Só que... e se ele estiver realmente doente? E se estiver morrendo? Entende? E se essa for a nossa única chance?

— Bem, é isso mesmo — murmurou Lydia.

— É — disse Dean, mais decidido. — Eu acho que vou. Acho que vou. Só que... tudo isso parece tão óbvio de certa maneira. Tudo. Sky morrer, conhecer você, o bebê, agora isso. É como se tudo tivesse que acontecer, e tivesse que ser agora. Parece... sei lá, parece que se encaixa.

Lydia deixou o silêncio se abrir enquanto reunia os pensamentos.

— Você ainda está aí? — perguntou Dean.

— Estou aqui. Só... não tenho certeza. Já aconteceu tanta coisa pra eu assimilar nestes últimos dias. A minha cabeça não está dando conta, não sei se consigo...

— Por favor, Lydia — interrompeu ele. — Por favor, venha comigo. Por favor.

Lydia inspirou fundo. Diante das palavras dele e da doçura delas, sentiu um choque de eletricidade. *Por favor, Lydia*. O seu irmãozinho. É claro que iria com ele.

— Está bem. Desculpe, sim, claro. Diga a ela que sim. E me ligue assim que falar com ela. Ligue e me conte o que ela falar, tá?

Dean ligou de volta dois minutos depois.

— Ela vai amanhã, amanhã à tarde. Combinamos nos encontrar na estação da Liverpool Street, às quatro e quinze. Você vai?

— Sim, eu lhe disse que vou! Não se preocupe. — Ela riu. — E como vamos reconhecê-la?

— Disse que vai estar com um vestido vermelho e óculos escuros.

Lydia riu da descrição, imaginando algum tipo de agente secreto dos anos 1940.

— Tá bom. E como... como é o jeito dela?

— Ela parece simpática, parece tudo bem. Sotaque de Londres. Bem simpática. Como uma moça normal mesmo.

— Ótimo — concluiu Lydia —, ótimo. Mas você vem aqui primeiro? Chegue mais cedo. Vamos juntos?

— Claro. Óbvio. Chego lá pelas duas. Tá?

— Sim — disse Lydia, agradecida. — Sim. Duas. Até lá então.

Houve uma breve pausa, e então ele perguntou:

— Você está bem, Lydia? — numa voz cheia de preocupação.

— Estou — respondeu ela, com certa tensão.

— Parece um pouco *triste*.

— Não, de verdade, estou bem. Mesmo. Vejo você mais tarde.

Ela desligou o telefone e se recostou na cadeira.

Então, inesperadamente, começou a chorar.

Robyn

O dia em que Robyn ia conhecer seu irmão, sua irmã e seu pai tinha amanhecido claro, mas estava agora nublado e frio. O dia anterior fora sem nuvens e quente; ela tinha ido até a universidade usando um vestido sem alças, o tipo que em geral usaria em férias. Mas hoje estava diferente, e ela prometera a Dean que usaria um vestido vermelho. O vestido que tinha em mente era muito de verão, então procurou no guarda-roupa vestígios de vermelho. Aí deu com o vestido de baile vermelho-alaranjado, o vestido que Jack tinha comprado no aniversário dos dois. Passou a mão no tecido dele e pensou que, de certo modo, seria o vestido perfeito para aquele dia. Pois seria um dia de acordo com a definição de "auspicioso" do dicionário, e porque o vestido em si era auspicioso, e porque de certa forma gostava da ideia de usar algo completamente inadequado.

Colocou o vestido e cobriu os braços com um casaco vermelho de capuz. Nos pés, calçou sapatilhas vermelhas, e prendeu o cabelo para o lado numa espécie de coque bagunçado, deixando a tatuagem do pescoço bem visível. Olhou-se no espelho e pensou: *Pareço bem jovem*. Passou um delineador preto e um batom vermelho. Olhou-se de novo e pensou: *Pareço Lily Allen*. E essa ideia a fez rir, a despeito de seus nervos.

Jack sorriu quando ela entrou no escritório dele logo depois.

— Você está muito bonita! — elogiou-a.

Robyn sorriu.

— E esta é a última vez que vou perguntar isso: tem plena certeza de que não quer que eu vá junto com você?

— Absoluta. — Ela tirou um pelinho da camiseta dele, deixando-o cair no chão. Depois, ele afagou o queixo dela, sentindo-se animado e ardente. Segurou a mão dela na dele, beijando-a.

— Lembre-se — disse —, tome nota de tudo. Vou precisar de todos os detalhes quando escrever o romance sobre isso.

Ela riu.

— Ah, tá. E o que escreveria sobre este exato momento, então?

Ele inclinou-se para trás, avaliando-a com um sorrisinho.

— Eu diria: *Ela usou seu vestido favorito. Seu namorado maravilhoso lhe comprara esse vestido três meses antes. Ela amava seu namorado. Tinha muita sorte de estar com ele.*

Ela lhe deu um soco carinhoso no ombro, rindo.

— Certo, vou indo. O último trem de volta é à meia-noite. Vai me esperar?

— Sim, claro que sim. Mas... — Ele parou e baixou os olhos, como considerando as palavras que ia dizer.

— O quê?

— Nada.

— Não, por favor, não faça isso. O que foi?

Ele suspirou.

— Bem, o que vai fazer se ele estiver indo e... ou seja, se ele não for durar muito mais, mas você tiver que vir embora e pegar o trem?

Não tinha pensado nisso.

— Imagino que vou ter que chegar em casa e voltar no dia seguinte.

Jack assentiu. Robyn percebeu que ele tinha outras preocupações na cabeça, mas ela não tinha tempo. Beijou-o de novo e saiu. O mundo girava em torno dela como um bêbado ligeiramente assustador enquanto caminhava até a estação de metrô. Nada parecia como no dia anterior. Nada parecia como ela esperava. Em seu vestido laranja-queimado e óculos escuros, sentia-se como se tivesse assumindo outra persona ao descer a rua. Não sabia muito bem quem estava fazendo de conta que era. Subitamente, no entanto, percebeu que estava fingindo ser ela mesma.

Uma hora depois, Robyn continuava com a sensação esquisita e anormal de estar interpretando a si mesma enquanto subia as escadas rolantes da estação de Liverpool Street. Na verdade, quanto mais se aproximava do ponto de encontro combinado, com mais astúcia ela se sentia plena de si mesma. Andara muito sem essência e oca nas últimas semanas e não queria encontrar essas novas pessoas, esse irmão e essa irmã, sem ser nada menos do que a pessoa que costumava ser. Verificou o horário. Estava atrasada dois minutos. Ajeitou o cabelo, puxou a gola do vestido, arrumou a cintura. Sentiu a transpiração brotar na pele e sufocou a sensação de crescente nervosismo inspirando fundo e lembrando a si mesma de que era Robyn Inglis, *a* Robyn Inglis, e que isso era legal.

Diminuiu o passo, parando completamente ao vê-los. Soube logo que eram eles. Não foi preciso ninguém descrever roupas nem acessórios. Não havia nenhuma dúvida. Uma mulher alta e magra de cabelos pretos divididos na lateral, e um rapaz alto e magro de cabelos pretos, curtos. A mulher estava vestida com jeans caros e elegantes, uma camiseta azul e um cardigã de tricô, e o rapaz usava roupas baratas e informais. Se estivessem separados não haveria nada óbvio que ligasse aquelas duas pessoas, mas, como estavam lado a lado, só podiam ser irmão e irmã.

Deslumbrada, Robyn foi na direção deles, todas as suas preocupações e concepções prévias se dissipando, todo o esforço para apresentar certa fachada sendo esquecido. À medida que se aproximava, viu o nariz deles, o rosto encovado, os lábios cheios, o maxilar quadrado. Não eram idênticos, mas eram parecidos. Eram como ela. Apressou o passo à medida que a enormidade desse momento jorrava dentro dela. Queria chegar cada vez mais perto, queria ver cada vez mais daquelas pessoas. Queria ficar a milímetros do rosto delas, e encará-las fundo nos olhos.

A mulher então ergueu os olhos e viu Robyn se aproximando, e imediatamente seu rosto bonito e sério se abriu num sorriso. Ela disse alguma coisa ao rapaz, e ele se virou também, olhou e deu um sorriso tímido. Então, começaram a andar na direção uns dos outros, como partículas de metal atraídas por um ímã invisível.

Robyn se lembraria desse instante em todos os seus detalhes e sensações pelo resto da vida. Ela se lembraria do cheiro de óleo e carne vindo de um quiosque ao lado; da dispersão estrondosa de um anúncio de trem na outra ponta da plataforma; do raio de sol batendo do teto de vidro direto no mármore aos seus pés, e depois se lembraria de um breve abraço da mulher chamada Lydia, que cheirava a cabelo limpo, e de um rapaz chamado Dean, que pareceu uma criança nos seus braços, e se lembraria do rosto deles, dos olhos, do três procurando em cada um seja lá o que havia faltado na vida deles até então: a sensação vital de reconhecimento. Era como se ela estivesse observando a reunião de cima, como se estivesse tanto analisando o momento quanto participando dele. Parecia um sonho.

Não poderia lembrar direito do que fora dito; eram só palavras. Se aquele momento fosse a cena do filme do livro da sua vida, não haveria diálogos, apenas uma trilha sonora crescente tocando, quem sabe, algo épico como "Chasing cars". Porém, ela se lembraria da sensação estonteante de fazer parte de uma gangue, do sentimento ímpar de orgulho ao caminhar com sua linda irmã e seu bonito irmão na direção da plataforma 9 e tomar o trem com destino ao seu pai.

Lydia

Lydia olhou com medo para seu pai.

Ele olhou para ela também.

— Olá, sou Lydia.

Daniel a fitou intensamente e depois sorriu.

— Você é muito bonita — disse, com a voz áspera. Voltou o olhar para Robyn e disse: — E você também.

As duas moças riram, nervosas, contentes. Depois ele viu Dean e estendeu uma mão fina e ossuda.

— E você também é muito bonito.

Ele então fechou os olhos, como se o esforço de mantê-los abertos tivesse sido demasiado. Mas sua boca permaneceu curvada na forma de um sorriso, e a mão ainda segurava a de Dean. As três crianças ficaram ali olhando para ele.

O quarto se encheu de silêncio, um silêncio de choque e medo, de acerto de contas, um silêncio de assimilação e reflexão, de não se saber o que dizer. Era óbvio que ninguém estava sentindo o que esperava sentir, e que todos estavam um tanto perturbados pela horrível aparência de um homem à beira da morte prostrado na cama. Era óbvio que não seria um momento extraído do desenlace de um programa açucarado de tevê. A conversa não seria ardente e comovente, mas constrangida e rotineira. Conhecer esse estranho homem nas últimas horas de sua existência não iria mudar a vida de Lydia. Nem a de ninguém, aliás.

No entanto, entre todas as coisas notáveis que tinham acontecido a ela nas últimas semanas, aquela era provavelmente a mais notável. Ela estava diante do pai. Rodeada por seu irmão e sua irmã. Do outro lado do quarto, havia um homem que era seu tio, e não só isso, mas também gêmeo idêntico de seu pai. Quase todas as pessoas naquele quarto estavam ligadas a ela pelo sangue. Essa ideia a deixava atordoada de plenitude. Virou-se para Dean e sorriu, e ele sorriu também. Imaginou o que estaria pensando. Ao contrário de Lydia e Robyn, esta era a primeira vez que ele tinha considerado um homem que poderia se dizer seu pai.

— Como está se sentindo, Daniel? — perguntou a simpática mulher chamada Maggie, que lhes disse no carro a caminho do hospital que era "amiga" de Daniel.

Ele virou um pouco a cabeça para o lado, indicando uma resposta neutra.

— Estou feliz.

A mulher chamada Maggie se animou com essas palavras, e lágrimas encheram-lhe os olhos.

— Ótimo, isso é realmente muito bom.

E Lydia percebeu que isso era tudo o que essa mulher loira chamada Maggie sempre quisera. Talvez, a despeito de todo o seu cinismo, ali estava o *grand finale*, o final feliz. Essas três palavras simples: Eu estou feliz. E "ótimo". Um ciclo completo, uma história em sua conclusão singela.

Os olhos de Daniel abriram-se de repente, e seu estranho olhar passou pelos três de novo, um a um, antes de uma vez mais se tornar pesado e se fechar.

— Onde está o menino? — perguntou ele, rouco. — O outro menino.

Lydia arquejou. Sabia que isso viria à tona. Sorriu com tristeza e tocou o ombro de seu pai.

— Ele era meu irmão. E morreu — disse ela. — Ainda bebê. Foi no berço.

Viu as pálpebras do pai se contraírem com suas palavras.

— Eu sabia — ele cochichou. — Eu sabia. Pobrezinho. Quantos anos tinha?

— Seis meses — respondeu ela. — O nome dele era Thomas.

— Thomas. — Ele testou o nome nos lábios secos. — Pobrezinho. Que triste. Para você. E sua mãe. Para todos nós. Que triste, muito triste.

Desviou o rosto e se deixou afundar no travesseiro.

— Obrigado a todos vocês, muito obrigado por terem vindo. Eu estou feliz. — Fechou os olhos de novo, e Lydia olhou para Maggie buscando orientação.

Maggie sorriu e se aproximou de Daniel.

— Quer descansar agora? — perguntou ela, segurando a mão dele.

Ele assentiu, devagar e penosamente. Em um instante, ficou claro que já dormia. Lydia se sentiu cambalear. De repente, estava de volta àquele quarto abafado do hospital de Cardiff, esperando o pai morrer, pensando que cara teria a morte quando finalmente viesse.

— Vamos — disse Maggie, soltando a mão de Daniel. — Vamos tomar um chá. Vamos deixá-lo dormir.

Maggie levou todos eles de volta ao apartamento de Daniel à meia-noite, quando ficou óbvio que ele ainda estava vivo e que o último trem para Londres já tinha partido havia muito. Deixaram Marc na casa de repouso. Ia passar a noite numa cama de acompanhante, junto do irmão, incapaz de suportar a ideia de Daniel morrer no meio da noite sozinho. O quarto de Daniel até ficou aconchegante, com Marc enfiado embaixo de um cobertor, apenas a luminária de leitura acesa, tudo quieto, tudo parado. Difícil acreditar que no meio de toda aquela calma e conforto havia um homem à morte.

Ficaram quietos no carro de Maggie. O dia inteiro tinha sido de conversas, muitas conversas. Todos precisavam de alguns momentos para digerir o que havia acontecido. Lydia sentara-se no banco da frente, com o cabelo se enroscando em seu rosto devido ao vento quente que vinha da janela aberta, a cabeça voltada para o cenário em movimento. Ele passava por ela em faixas e brilhos; luzes da rua, postes e faróis. E, lá, acima de tudo, uma imensa lua cheia olhava para ela como se soubesse o que estava pensando. Olhou para a silhueta esbranquiçada da lua e refletiu sobre sua existência, o arco que se tinha iniciado num cubículo perto de Harley Street e que agora estava prestes a terminar em Bury St Edmunds. Pensou no homem magro e cinzento na cama, o homem que lhe tinha dito que ela era bonita, e tentou encontrar alguma emoção mínima, algo para segurar tudo isso, mas não encontrou nada. Ele parecia um homem simpático. Se a namorada e o irmão servissem de referência, ele provavelmente era um homem simpático. Mas não muito mais que isso. Um homem. Um francês simpático.

Ela voltou o olhar para o interior do carro. Viu seu lúgubre irmão, o rosto batido pelo multicolorido das luzes da rua, olhando confuso a distância; e viu sua linda irmãzinha, com o celular na mão, teclando furiosamente com os polegares, e soube então que era isso que importava para ela. Não o pai, mas esses dois. Seu irmão e sua irmã. Ficou contente de ter visto o pai, contente por causa de sua própria história pessoal que pudesse traçar uma linha por essa parte específica dela, mas não era de um pai que precisava, era de uma família.

— Talvez as meninas possam dividir a cama de casal do quarto de Daniel? — disse Maggie, segurando um bocejo enquanto puxava coisas de um armário comprido no alto da escada. — Vou mudar a roupa de cama, Marc andou dormindo lá. E você — dirigiu as palavras a Dean — poderia dormir aqui, no sofá, tudo bem? Há montes de cobertores ali. Pode ser?

Dean assentiu, confuso, e pegou um cobertor da mão estendida de Maggie.

— Tem tudo na cozinha: pão, leite, suco, frutas. E vocês têm meu número, se houver qualquer emergência. Se precisarem de qualquer coisa, liguem. Estou há dez minutos daqui. Chego num instante.

Ela lhes mostrou a cozinha, o terraço, as fechaduras da porta da frente — e depois, meio se desculpando, foi embora.

— Venho amanhã de manhã cedo. Se houver alguma novidade durante a noite, eu aviso.

Lydia fechou a porta atrás dela pouco depois, e em seguida ela, Robyn e Dean se entreolharam e ficou logo óbvio que estavam pensando a mesma coisa. Tinham sido horas compridas, sóbrias e intensas, e a figura maternal de Maggie tinha acabado de deixá-los sozinhos. Dada a idade deles, era esquisito, mas parecia que tinham sido deixados em casa sozinhos. Depois dos acontecimentos pesados do dia, era como se tivessem tido permissão para agir conforme a idade deles.

— Tinha uma garrafa de vinho naquela geladeira, não tinha? — disse Robyn, com um brilho travesso nos olhos.

— Duas — corrigiu Lydia.

— É, e uma caixa cheia ali — vejam. — Dean apontou um depósito retangular embutido na parede do vestíbulo acima delas.

— Nem estou cansada — disse Robyn.

— Também não.

Lydia sorriu.

— Bom — explicou —, eu estava cansada. Mas, Jesus Cristo, depois de um dia como hoje, eu preciso mesmo de uma bebida.

— Vamos abrir uma, então? — perguntou Robyn.

— Não parece que ele vai conseguir beber, não é? — disse Lydia.

Robyn olhou para ela com um espanto divertido:

— Lydia! — repreendeu-a. — Não pode falar desse jeito!

Dean riu, e Lydia olhou para ele.

— O que foi? — disse ela.

— Você, você não tem coração.

— Eu tenho coração, sim — respondeu ela, brincando. — Mas é verdade, não é? Vai azedar se a gente não beber.

— Mas e o irmão? Ele talvez queira quando voltar, entende, depois...

— Vejam! — disse Lydia, apontando o depósito de vinho atrás deles. — Tem um monte aqui. A gente repõe! Que é isso! Ele ia *querer* que a gente bebesse. Sei que sim. Ele é francês, pelo amor de Deus!

Em poucos minutos, tinham pegado taças, um abridor e a garrafa, que parecia um tanto cara, da geladeira, e estavam amontoados no chão da sala, vendo Lydia tirar a rolha. Alguém acendera as luzes das mesas, o terraço estava aberto, deixando entrar ondas do ar frio da noite, e Robyn acendeu uma vela, e tudo ficou muito aconchegante e muito natural. O relógio no console da lareira marcava quase 0h45.

Lydia ergueu o copo de vinho diante de seus irmãos:

— A nós. Sejamos lá quem formos. — Ao olhar para eles, ela de repente se deu conta de quem eram. Eles eram as crianças. Só isso, puras e simples. Não crianças como as que entram e saem correndo da mesma casa, pertencendo às mesmas pessoas. Não o tipo de criança a que os pais se referiam quando não estavam por perto. *Vocês viram as crianças?* Mas crianças, mesmo assim. — As crianças de Daniel — disse ela, com um sorriso. — Em toda a nossa linda glória.

Robyn deu um sorriso largo.

— E somos bem lindinhos, hein?

Dean troçou.

— Vocês duas são. Mas eu sou um patinho feio.

As meninas riram, carinhosamente. Então, os três bateram as taças e disseram: "Saúde!". Dean achou um CD player e colocou o único CD da coleção do pai que todos os três conseguiam pensar em ouvir: *Reload,* de Tom Jones. Funcionou como uma trilha sonora elegante e simples para a conversa cheia de risos, quase festiva. Lydia se sentiu plena de aconchego e afeição ao observar os rostos jovens, sorrindo animadamente à luz da vela. Então viu, quase como um fantasma, outro rosto à esquerda do deles, de outro jovem, sorrindo, um jovem que se parecia um pouco com Lydia, um pouco com Dean e um pouco com Robyn, um jovem com sotaque galês e uma irmã mais velha chamada Lydia. Um jovem rapaz chamado Thomas.

— Outro brinde — disse ela, interrompendo a conversa —, a Thomas. Nosso irmão falecido.

A fisionomia deles ficou séria diante dessas palavras, e por um instante se arrependeu de ter estragado o clima de alegria, mas depois eles sorriram e juntaram as taças à dela, dizendo:

— Sim, a Thomas. Que Deus o tenha.

Surpreendentemente, ninguém falou de Daniel. Era como se estivessem numa bolha feita por eles mesmos, um mundo impenetrável em que permitiam apenas as coisas que achavam divertidas, interessantes ou excitantes. No dia seguinte de manhã seriam levados à casa de repouso por Maggie Smith e iriam provavelmente, presumivelmente, se não chegassem tarde demais, ver a morte do pai. Porém, aquela noite era deles, em um clube secreto de maravilhamentos.

— Escute — disse Dean. Já estavam a meio caminho da segunda garrafa tirada da geladeira de Daniel, e ele estava fazendo um baseado na mesinha de café. — Qual é a do cara gay?

Lydia lhe deu um sorriso.

— Que cara gay?

— O cara que está morando com você. Aquele todo... — Ele fez um gesto com a mão no peito, indicando peitorais superdesenvolvidos.

— Bendiks?

— É. — Dean riu e olhou para Robyn, que também ria, e Lydia sentiu a diferença de idade escancarando-se entre eles. — Bendiks — repetiu, roncando de rir.

— Entende... Bend? Dicks? É muito engraçado.

— Não entendo.

— Porque ele é gay! — gracejou Robyn. — Então, ele tem que "dobrar" o "pau". Para entrar na bunda de outros homens!

Lydia ergueu a cabeça em sinal de compreensão e abriu um sorriso.

— Ah — disse. — Entendo. Não sei como não pensei nisso. Mas ele não é gay.

— Oh — debochou Dean, ainda rindo. — Vai descobrir que é. Completamente.

— Não. Mesmo. Não é.

— Que *porra* é esse Bend Dicks afinal? — perguntou Robyn, impaciente.

— Bendiks é meu inquilino. Mora comigo. E é também meu personal trainer.

— Ah — disse Robyn, fazendo um grande O com a boca. — Entendo.

— O quê? — riu Lydia.

— Sério, Lydia, ele é gay pra cacete — concluiu Dean. — É óbvio.

Ela fez que não e sorriu de novo, dizendo:

— Sério. Não é. Eu também pensei que fosse. Mas aí perguntei pra ele.

— Não diga! Mesmo? E o que ele disse?

— Ele não disse nada. Ele só... — Ela fez uma pausa. — Ele me beijou.

Os olhos deles se arregalaram, e Robyn tapou a boca com as mãos, e Lydia se sentiu como uma tia velha por um instante.

— Bom, então eu me enganei. Mas eu podia jurar...

— Ele tira a sobrancelha — disse Lydia, e Robyn e Dean riram de novo. — Mesmo. E homens que tiram a sobrancelha parecem gays, né?

— É — disse Dean. — Diga pra ele parar. Diga que está dando indicações erradas.

E naquele exato momento Tom Jones entrou com "Sex Bomb". Todos riram diante da adequação da trilha sonora. Dean tinha terminado de preparar o baseado, e sugeriu que se sentassem no terraço para fumar.

As meninas o acompanharam, Robyn com um cobertor nos ombros, Lydia com o cardigã. O ar do lado de fora estava cortante e frio, e as cadeiras estavam úmidas.

— Bela vista — disse Robyn, puxando mais o cobertor em volta dos ombros. — Não tinha percebido que a gente tinha saído tanto da cidade.

Dean acendeu o baseado com um fósforo. Lydia o observou, reprimindo um desejo maternal de lhe dizer que não deveria, que fazia mal a ele, que ele tinha dito que ia parar. Mas Dean tinha mãe. Isso era função dela.

— Como é onde você mora? — perguntou Robyn a ela.

Dean riu.

— O que foi? — Robyn quis saber.

— Nada — respondeu Dean —, é só uma boa pergunta, só isso.

Lydia suspirou e sorriu.

— Eu moro numa casa bastante grande — disse ela. — Dean acha engraçado.

— Você já esteve lá? — Robyn arregalou os olhos para ele.

— Sim. Um monte de vezes. E não é uma "casa bastante grande"... é uma casa majestosa! Ela tem um código postal próprio, cacete!

— Ah, não tem — censurou Lydia. — É só uma casa. Uma casa grande. Você vai ter que ir conhecer.

— Legal! — respondeu Robyn. — E aí vou conhecer o seu namorado gay também?

— Não é meu namorado! Já disse.

Robyn lhe deu um olhar matreiro e sorriu:

— Seja lá o que for.

Lydia segurou o fôlego enquanto ponderava a possibilidade de partilhar algo com Dean e Robyn. Sentiu de novo a diferença de idade entre ela e seus irmãos mais novos, e ficou pensando em como reagiriam ao ouvir os problemas dela. Mas depois se perguntou: qual era a razão disso tudo afinal? Não era esse o motivo de se relacionar?

— O que vocês acham disso? — começou ela. E aí lhes contou sobre a falência e as notas de 50 libras e as pilhas de roupas de marca e das suspeitas de Juliette. — Você gostou dele? — perguntou ela a Dean. — Você o conheceu. Qual foi sua impressão?

Dean deu de ombros, como ela sabia que ele faria.

— Só achei que fosse gay.

Robyn conteve uma gargalhada.

— Não, sério. Achei que ele parecia um cara legal. Um pouco intenso, entende, mas isso é do Leste Europeu. Não me pareceu um chupim.

Lydia suspirou.

— Tenho certeza de que deve haver uma explicação racional: — Robyn quis tranquilizá-la. — Quem sabe não foi alguém que lhe comprou essas coisas todas?

Lydia sabia que não era esse o caso. Sabia bem no fundo que estava passando por boba.

— Bom, não era para ser nada sério mesmo. Era só diversão, entende... — Ela deixou o assunto morrer, esperando que tivesse soado desinteressada e fria, mas, a julgar pelo olhar de pena de sua irmã, tinha falhado lamentavelmente. — E você? — perguntou ela, mudando logo de assunto. — Tem um namorado?

Robyn dobrou as pernas e estremeceu um pouco.

— Com certeza. E, se você acha que é ruim pensar que o namorado pode ser gay, ouça só isso.

Lydia e Dean se voltaram para ela com o olhar questionador.

— Achei que o meu fosse meu irmão.

Lydia olhou para ela de esguelha em uma nuvem de fumaça:

— Continue.

Ela sorriu.

— Não é na verdade muito engraçado. Quando comecei a sair com meu namorado, aconteceu uma vez de eu vê-lo no espelho e achar que era eu. E depois um monte de amigos meus o conheceram e ficavam dizendo como ele poderia ser meu irmão. Porque, bem, ele poderia mesmo, né? E eu nem sabia na época que eu tinha dois irmãos. Comecei a pirar. Depois descobri que meu segundo irmão, sabe — ela fez um gesto na direção de Lydia —, o pequeno Thomas, tinha nascido no mesmo ano do meu Jack, e *eu ainda transava com ele*. Não é foda? Hein? Eu estava dormindo com ele e ao mesmo tempo achando que ele talvez fosse meu irmão.

Dean olhou para ela e fez uma careta.

— Muito foda — disse ele.

— É, é — completou Robyn, erguendo as sobrancelhas. — Sei que era. Mas não conseguia parar. Era como se fosse uma força incontrolável. Mas depois de um tempo não consegui mais lidar com isso e dei o fora nele. Quero dizer, não dei o fora, meio que esfriei. Não fui vê-lo por um tempo. O que foi abominável. Mas, claro, acabou que deu tudo certo. Jack não é meu irmão, e eu não sou uma pervertida nojenta. A mãe dele apareceu pra me ver, e eu perguntei a ela, e ela disse que eu estava doida! Ficou tudo bem. E tal. Mas... é doente ou não?

Lydia riu muito, e então ficou claro para ela que era a primeira vez que conseguia rir de coisa tão importante. Ficou claro que aquela era a primeira vez que ela conseguia ver algum humor naquilo, e Lydia pensou consigo mesma: sim, era isso que significava ter irmãos e irmãs; essa leveza de espírito, essa caçoada e gargalhada, a sacudida no peso desnecessário dos assuntos sérios, o esclarecimento de assuntos nebulosos.

— Você chegou a contar pra ele? — perguntou Lydia. — Você contou o que pensava?

Robyn sacudiu a cabeça com ênfase.

— De jeito nenhum — disse ela.

— Por que não?

— Porque ele ia achar que eu era doida. Pensando que ele era meu irmão, mas transando com ele mesmo assim. E eu me odiaria por mentir para ele. Não?

Havia uma dúvida no final da pergunta, e Lydia refletiu um pouco.

— Acho que não — disse. — Por que odiaria você? Não é culpa sua. Nós *todos* temos esse passado esquisito, maluco, e precisamos nos dar desculpas bizarras o tempo todo. E, se ele a ama e se preocupa com você, vai compreender, com certeza, não?

Robyn concordou:

— Acho que sim. Sei que ele ainda tem medo de separação. Nunca consegui explicar isso tudo a ele. Talvez eu devesse. Talvez você tenha razão. Toda essa esquisitice faz parte de mim. Ele vai ter que aceitar isso. Sabe, tudo isso, conhecer vocês dois, ver o nosso doador hoje, tudo isso fez com que eu me desse conta do que andou errado com a minha vida neste último ano. E... — Ela parou de falar um pouco, inspirando. Depois sorriu. — E o que eu preciso fazer pra ajeitar tudo. Porque eu sempre achei que meu doador era um deus e que eu era algum tipo de entidade também. Mas, na verdade, ele é só um homem, e eu sou só uma menina, e o resto da minha vida não está esculpido em pedra, e de agora em diante eu vou *voar* um pouco. — Ela sorriu, satisfeita com suas palavras finais, e Lydia sentiu o coração se encher de orgulho, vendo alguém tão jovem resolver as coisas assim sozinha.

Lydia viu Dean apertar a ponta do baseado na parede, e depois enfiá-la no bolso da jaqueta.

— Engraçado — disse ele, empurrando as mãos nos bolsos e se estirando na cadeira —, porque comigo tudo isso fez exatamente o oposto. Ando voando há muito tempo. — Ele torceu o nariz. — Conhecer vocês duas, ambas tão inteligentes e tão... como se diz? Descoladas e tal... isso me fez pensar no que mais eu poderia fazer. Ninguém nunca me fez pensar no que eu deveria estar fazendo da vida, entende? Todo mundo sempre me fez pensar que eu podia ir levando a vida, tudo bem. A única pessoa que achava que eu deveria ser mais do que sou era Sky...

— Quem é Sky?

Dean estremeceu e remexeu-se na cadeira.

— Era minha namorada. Mãe do meu bebê. Ela morreu...

Robyn contraiu-se um pouco e disse:

— Oh, não, Dean. Sinto muito.

— É, bem, é a vida, não é? Antes não tivesse acontecido. A pior coisa que já me aconteceu na vida. Mas aconteceu, e agora é seguir em frente. Sabe como é. E ando pensando que talvez pudesse ser a pessoa que ela queria que eu fosse. Sabe, tirar a bunda da cadeira e fazer alguma coisa. Contribuir com alguma coisa. Pelo visto — ele sorriu —, devo prestar pra alguma coisa. Essa genética. Venho de uma família bem inteligente, afinal...

— E o seu bebê? Me fale dessa criança. — Robyn quis saber.

— Uma menininha — respondeu ele. — Isadora. Izzy, de apelido. Está com quase quatro meses.

— Uau! — Robyn arregalou os olhos, encantada. — Um bebê! Você tem um bebê. Isso significa... isso significa que eu sou tia!

— É. — Dean sorriu. — Isso mesmo, vocês duas.

— Meu Deus! — Ela riu, virando-se para Lydia. — Ouviu isso? Você e eu, nós temos uma sobrinha! Somos titias! Essa é a coisa *mais* legal do mundo! — Voltou-se de novo para Dean. — Você tem uma foto dela? Uma foto da Izzy?

— Por acaso — ele sorriu e tateou o casaco — eu trouxe uma. Minha mãe me deu antes de sair. Aqui está...

Ele acendeu o isqueiro, iluminando a foto com a chama. Lydia inclinou-se, quase tocando a cabeça de Robyn. Ainda não tinha visto uma foto do bebê. E ali estava ela, uma pessoinha quase formada, com olhos grandes, uma boca carnuda e cabelo grosso e preto.

— Ah, sim, com certeza ela é uma de nós — disse Robyn, tocando um canto da foto com o dedo. — *Sem dúvida* é uma de nós...

Os três se sentaram assim por um tempo, três cabeças negras juntas em torno de uma suave chama de isqueiro, olhando com espanto e afeição para a prova do poder dessa conexão. Este bebê, muito mais do que o homem que se apagava na casa de repouso, era o elo entre eles. Lydia encarou os olhos negros da criança e sentiu os seus se umedecerem. De repente, compreendeu para que serviam as crianças. Nunca tinha compreendido antes que papel um bebê poderia algum dia desempenhar em sua vida. Mas agora entendia.

Continuidade.

Essa tranquilizadora reafirmação de que tudo continuaria, minuto a minuto, dia a dia, ano a ano, século a século. A compreensão de que a vida era maior do que sua limitada experiência de vida; de que muito depois que tivesse ido embora haveria outros como ela; que talvez um dia, quando tudo o que restasse dela fosse um bloco de granito num cemitério do País de Gales, alguém em algum lugar talvez dissesse: *A tia-avó da minha mãe ganhou uma fortuna com tinta, sabia?* Ou talvez não. Talvez nunca mais falassem dela, e seu jazigo ficasse cheio de musgo e encardido. Mesmo assim, só de saber disso... só de saber que havia algo mais além dela, e de se lembrar que sem a reprodução e a continuidade só haveria idade e decadência. Um belo ponto-final. E ali, nas mãos de Dean, estava a prova de que a vida realmente seguiria adiante.

— Ela é linda — Robyn soltou a foto —, muito bonita mesmo.

— É mesmo — concordou Dean, baixinho, deixando a chama do isqueiro se apagar e guardando de novo a foto no bolso. — O que é um milagre, na verdade, já que é a minha cara.

O comentário dele aliviou o clima, e todos riram.

— Então — disse Dean, batendo a mão nas coxas. — Quem quer uma tigela de sucrilhos?

Comeram os sucrilhos, nos joelhos, em volta da mesinha de café. O relógio marcava duas e meia e ainda parecia cedo demais.

Eram uma família agora. Lydia soube disso e percebeu que os outros também sentiam a mesma coisa. Seria uma surpresa se não se juntassem de novo em trio nos anos por vir — mas o que estavam fazendo aquela noite, isso jamais se repetiria. A combinação de fatos que os reunira... o fato de estarem na casa do pai esperando que ele morresse, a noite avançada, a lua cheia... sobretudo a novidade dessa situação. Aquele foi o primeiro encontro deles, e Lydia não queria que terminasse.

Comeram em silêncio, apenas o som das colheres batendo na louça e o crocante do sucrilho nos dentes quebraram esse sossego. Quando terminaram, serviram-se de uma segunda tigela na cozinha, e depois, quando a terminaram, abriram outra garrafa de vinho, enrolaram outro baseado e foram para o terraço. O céu já não estava tão escuro, e a lua tinha saído de vista. Logo amanheceria.

Lydia tremeu um pouco, e Robyn tirou o cobertor dos ombros e enrolou-o nas pernas delas. Depois, aninhou-se junto de Lydia, descansando a cabeça no ombro dela. Lydia ficou meio tensa. Esse gesto tinha reminiscências de Dixie no início da amizade delas — "toque-sinta", Lydia o denominara, e Dixie gargalhava e a chamava de Homem de Lata. Lydia lembrou-se desses momentos agora tendo o peso da cabeça de Robyn no ombro, o cabelo dela fazendo cócegas em seu rosto, o joelho dela cutucando sua perna, e procurou no fundo de si mesma alguma coisa que sabia estar lá em algum lugar, algo básico, humano e natural. Sentiu então algo fluindo do coração aos pés, às mãos. Lydia passou o braço pelos ombros miúdos e elegantes de Robyn, puxando-a para mais perto. Depois, pousou a cabeça na cabeça dela, respirando o cheiro de Robyn, o cheiro de sua irmã.

— Cheguem pra lá — disse Dean, levantando-se de sua cadeira. Lydia e Robyn se mexeram, e ele se enfiou perto delas. Passou os braços em volta de ambas, aproximando a cabeça delas da sua. — Esta foi a melhor noite da minha vida — ele falou, baixinho.

Lydia e Robyn sorriram e o puxaram, e eles ficaram ali sentados — Dean, Lydia, Robyn, um triângulo humano, três crianças perdidas e unidas afinal.

— Vamos ficar acordados para sempre — sentenciou Robyn, bocejando forte.

— É, vamos ficar acordados — confirmou Lydia.

Acabaram caindo no sono. Pegaram cobertores no armário de Daniel e fizeram um acampamento na sala. Às quatro horas, finalmente apagaram as luzes e mesmo assim não dormiram imediatamente. Ainda havia muito o que conversar, mais do que rir (Escutem — Dean cochichou, quebrando o silêncio de modo dramático —, vocês se tocaram de que a tal Maggie vai se enroscar com o gêmeo depois que o outro morrer? Afinal, é como ter um substituto.), mais ainda a aprender. Mas, finalmente, à medida que o sol começava a ascender acima do horizonte de Suffolk, Robyn e Dean silenciaram, e a respiração deles ficou pesada, e Lydia soube que era só ela agora, só ela acordada na casa do pai. Observou os dois durante algum tempo, o rosto jovem e suave, tranquilo no sono, o lindo cabelo negro de Robyn espalhado em volta da cabeça, as mãos de Dean enfiadas sob o queixo como uma criança. Estavam seguros.

Ela então dormiu.

Daniel

Pelas pálpebras entreabertas, Daniel enxerga um verde oscilante, um redemoinho de amarelo, um tremor de movimento. Se vira a cabeça para a esquerda, vê brancura, linhas, ângulos, rostos. O rosto visto dali parece uma bolha de rosa com algumas partes mais escuras no meio que entram e saem de foco enquanto ele olha. Ele sabe que essa pessoa é Maggie porque consegue ouvir sua voz. Às vezes sabe o que ela está dizendo. Às vezes consegue guardar a substância dos sons que vêm da sua boca e usar sua nova e estranha mente para transformá-los em algum significado. Mais cedo (Hoje? Ontem? Ele não sabe.), ela andou falando de crianças. *As crianças*. Ele tinha respondido de alguma maneira a isso. Não sabe se a resposta foi decifrável. Queria ter exprimido um sentimento de alegria e animação. É possível que Maggie tenha interpretado isso como sinal de desconforto. Tinha chamado uma enfermeira, e ela tinha vindo, uma sensação de calor irradiou da sua mão direita quando ela se inclinou sobre o corpo dele, a solidez e a tranquilidade de um corpo humano. Ninguém mais o tocava. Nem mesmo Maggie. Apenas alguns apertos de mão. Às vezes isso dói. Às vezes a mão dele dói, como se houvesse feridas abertas. Mas agora não está doendo. Sente-se bem. Sente-se como um pote de mel.

Então, as crianças vieram. Ele se lembra disso muito bem. Três belos seres humanos. Tinham olhado para ele com pena e curiosidade, mas não com amor. Ele não tinha esperado amor. Embora tenha sentido, em algum momento, antes ou no meio disso, que tinha morrido. Tinha certeza de que tinha morrido, mas aí não tinha morrido nada e tinha acordado à chegada das crianças, e até tinha dito algumas palavras. Então, não, ele não tinha morrido. Embora, talvez, esteja morto agora. Mas não, não conseguiria ver esses contornos e ouvir essas vozes se estivesse morto. E as crianças voltaram de novo.

O homem está ali também, junto de Maggie. É seu irmão. Marc. Antes (Hoje? Ontem?), seu irmão o tinha abraçado na cama. Seu irmão o tinha beijado. E, quando seu irmão o beijou, a nova e estranha mente de Daniel o levara para longe deste quarto por algum tempo — a sua nova e estranha mente sempre o está levando deste quarto —, colocando-o no quarto onde ele e o irmão dormiam quando crianças. O quarto tinha venezianas de carvalho e o chão ladrilhado. Daniel e seu irmão dormiam juntos lá, lado a lado, em uma pequena cama de casal, enroscados um no outro como no útero. Acordavam toda manhã, peito contra peito, um respirando o hálito rançoso do outro; abriam os olhos e sorriam de prazer à vista um do outro, ao amanhecer de mais um dia juntos.

Daniel tinha dormido assim de novo, com os braços do irmão em volta dele, as mãos de um sobre a do outro. Toda vez que adormece surpreende-se acordando de novo. Agora, dormir parece tão perto de morrer que ele não consegue imaginar como vai saber a diferença quando a hora chegar. Quando acordou desse sono — supondo que fosse desse sono e não de outro diferente —, seu irmão não estava mais no quarto, e o quarto estava vazio. Só quando seu quarto está vazio é que Daniel fica ansioso em relação ao que está acontecendo com ele. Quanto mais doente fica, menos se encontra sozinho. Talvez porque ele esteja dormindo muito mais, mas também porque as pessoas não gostam de deixar as pessoas à beira da morte, pois pode não haver ninguém para vê-las partir. É como esperar um ônibus, quanto mais tempo se investe na espera do resultado, mais difícil é ir embora.

Mas o quarto não está vazio agora. Está cheio, com Maggie, Marc e as crianças. Ele entreabre os olhos um milímetro, e por um instante é como ver uma foto antiga; ele e Maggie lado a lado no escuro, do lado de fora de algum restaurante, esperando um táxi, o paletó dele nos ombros nus dela, mas sem tocá-la. Agora, há a mesma distância entre Maggie e seu irmão, uns centímetros. Daniel se desacostumou de ter um sósia. Agora ele olha para seu gêmeo e não pensa: este é meu irmão, mas: este sou eu. Seu irmão se tornou sua imagem refletida, e não uma extensão sua. Suas pálpebras se fecham de novo, e ele inspira. Sua respiração agora soa tão feio, como o som rascante de uma besta diabólica. Sente o sangue correndo pelo seu corpo. Extraordinariamente urgente. Extraordinariamente vital.

As crianças. Ela está falando das crianças de novo. Ele tenta se agarrar nas palavras dela.

Consegue soltar um som. O som sai alto e alarmante, até para seus ouvidos. *Quem?*

Ele os vê se virarem na direção dele, como um só, como a coreografia de uma dança.

— Quem? — diz novamente.

Maggie está ao seu lado agora, segurando sua mão, como sempre faz.

— As crianças — diz ela. — Estão aqui. Queriam vê-lo de novo.

— Todos eles? — grasna ele.

— Todos eles! — diz ela, animada. — Dean. Lydia. Robyn.

Ele luta contra a força do sono o máximo que consegue, mas por fim é puxado de novo para a inconsciência, distante da lembrança que durante a maior parte de sua vida foi uma sentinela ameaçadora.

Há movimento em volta dele. Através da fenda dos olhos, ele consegue ver alguma coisa colorida como uma chama. Faz um barulho ao se movimentar, uma espécie de farfalhar, como um pacote de papel sendo aberto. No alto da massa laranja-avermelhada há uma cabeça, um cabelo preto, olhos grandes que o perscrutam, um perfume enjoativo, um brilho de prata nas orelhas.

— Ele está abrindo os olhos — diz a moça de vestido farfalhante.

Daniel percebe mais movimento, um mar de bolhas de repente indo na direção dele. Vê uma blusa branca com algo escrito nela. Também tem uma cabeça escura em cima. E depois outra cabeça, está atada a um corpo curvado, flexível, vestido em cores do fundo do mar. É um homem e uma mulher. Queria conseguir focalizar melhor. Mas, mesmo sem ver, sabe que essa gente é Dean e Lydia. Sente a dor lhe alvejando as pernas como balas, da pélvis aos dedos do pé. Quer recuar, mas sabe que qualquer sinal facial de desconforto será seguido da visita de uma enfermeira com mais morfina, e então ele sumirá de novo, e agora precisa da dor para ficar acordado.

Concentra-se nos olhos. Precisa abri-los. Precisa focá-los. Mas tudo o que consegue ver são silhuetas embaçadas, uma aquarela pontilhista.

— Quer um pouco de água? — É a moça do vestido vermelho. Lembra-se do vestido de ontem. O nome dela é Robyn.

Ele concorda, e ela cuidadosamente aproxima o canudo de sua boca. Fazia horas que não bebia água, talvez dias; não precisa mais de água, já que está prestes a morrer, mas quer beber a água dessa moça porque ela é sua filha.

— Consegue me ver? — pergunta ela, colocando o copo de novo na bandeja.

Ele sacode a cabeça e sorri. E então:

— Vestido vermelho — consegue dizer.

— Sim! — diz ela, encantada, olhando para os outros à sua volta. — Sim. Estou usando um vestido avermelhado!

Ela se afasta, e agora a outra mulher se aproxima, Lydia.

— Olá, Daniel — diz ela. A voz dela soa estranha, como se estivesse cantando. Então, ele se lembra de que ela é do País de Gales. Aí, vem o outro, o rapaz, Dean. O cabelo dele é bem curto, com um boné na cabeça. É magro também, todos os seus filhos são muito magros. Ele se aproxima com jeito menos confiante. Daniel gostaria de tranquilizá-lo. Mas não há nada que possa fazer. Em vez disso, sorri.

— Bom dia — diz o rapaz.

De manhã? É isso?

Daniel percebe a coisa voltando. O mar de sono se fechando em sua cabeça, como se ele fosse um peso afundando no mar. Então o rapaz o toca no braço, e ele sente uma súbita dor horrível. Daniel a reprime. Dor é bom. Enquanto houver dor, ele ainda estará ali, ainda presente. Pensa em coisas que quer dizer: quer dizer que lamenta, lamenta a covardia de só chamar por eles quando soube que não irão lhe pedir mais nada. Quer dizer que são bonitos, todos os três. Quer dizer que sente orgulho deles, e que agora consegue entender o que fez. Gostaria de saber se a existência dessas três pessoas milagrosas pode de alguma maneira compensar a vida da criança doente que ele ceifou num dia sonolento e desconcentrado num hospital de Dieppe. Quer dizer: "Ali está o meu irmão, ele é de vocês, fiquem com ele. Ele é como eu, mas melhor. Fiquem com ele. Como presente meu". Quer dizer que não teve uma vida boa, mas que agora, nesses momentos de desvanecimento, pode dizer que está bem. E quer dizer *adeus*. Quer dizer isso a cada um e a todos, quer segurar o rosto de cada um entre as mãos e beijá-lo, olhar nos olhos e dizer, alto e bom som: *adeus*. Mas não tem mais palavras.

Sua boca seca não lhe pertence mais. Pende, flácida, como se alguém a tivesse grudado no seu rosto por acaso. Não haverá mais palavras. Não haverá adeus, nem olhar, nem beijo. Só isso. Essa massa flutuante de humanidade, que parece levitar do chão quando seus olhos se fecham. O quarto oscila um instante. Ele agarra o lençol para se equilibrar. O quarto oscila de novo. Ele se força a abrir os olhos. As pessoas o encaram. Estão falando. Não escuta o que estão falando. Mas pode senti-las, em volta dele, como num abraço caloroso. Estão todas ali. E ele agora pode ir.

Escuta a própria respiração nos ouvidos. Soa horrível. Quer interrompê-la, mas os últimos momentos de controle sobre seu corpo já se foram. Está preso agora, e não há volta. Sorri e se deixa levar.

Mais tarde, naquele dia

Dean

Tommy estava sentado a uma mesa de plástico branca do lado de fora do Alliance. Tinha uma caneca de cerveja numa mão e o celular na outra. Quando viu Dean vindo na direção do bar, ele rapidamente encerrou a conversa e desligou o celular.

— Tudo bem? — perguntou, quase se levantando, mas desistindo.

Dean deu de ombros e sorriu.

— É, acho que sim. Quer uma bebida?

— Não. — Ele indicou a caneca ainda cheia. — Estou bem assim.

Dean trouxe do bar uma caneca de cerveja e se sentou diante do primo. Tinha vindo direto do trem e ainda estava vestindo as roupas que vinha usando havia dois dias e uma noite. Sentia-se imundo e azedo.

— Como foram as coisas? — quis saber Tommy, olhando para ele por cima da caneca.

— Ele morreu — disse Dean.

Tommy arregalou os olhos.

— Você tá brincando.

— Não. Sem mais. Esta manhã. Ele morreu.

— Como assim? Na sua frente?

— É. Estava acordando quando chegamos lá no sábado, falando e tal. Foi legal. Depois a namorada dele nos levou ao apartamento dele, e passamos a noite lá, voltamos esta manhã, e dava pra ver que ele estava indo. Literalmente uma hora depois de nossa chegada, ele se foi.

— Merda — disse Tommy. — Então, como ele era?

Dean esticou as pernas sob a mesa e suspirou. Depois, apertou os olhos e franziu os lábios.

— Meio doente, na verdade.

— Não, quero dizer como era a aparência dele?

— Bom, ele estava bem horrível, mas o irmão estava lá e são gêmeos idênticos, então, eu meio que pude ver como ele, o meu pai, o doador, entende, como ele deve ter sido quando estava normal.

— Então, como é que era, o gêmeo?

— Um pouco como eu. Um pouco como Lydia. Um pouco como Robyn... essa é a outra irmã. E bem parecido com o bebê...

— O *seu* bebê?

— Sim. Com a *minha* Izzy. — Dean sorriu e depois riu baixinho consigo mesmo.

Tommy olhou para ele com curiosidade.

— O que foi?

— Nada — disse ele, sorrindo —, nada.

— E agora, o que vem agora?

— Cacete, sei lá. Vai ter um funeral, provavelmente na semana que vem. Eu vou. E depois, não sei. Vou ficar em contato com todos eles, acho. As meninas, o irmão, até a namorada dele parecia uma pessoa muito simpática... E eu também decidi outra coisa. Em relação ao bebê. Em relação a Isadora. Quero me envolver. Talvez trazê-la comigo de vez em quando, sair com ela sozinho. Porque um dia, quando eu puder, gostaria mesmo de ser pai dela direito, entende? Talvez me qualificar, arrumar um emprego, um apartamento, e daí ela pode vir morar comigo. Lydia me disse que vai ajudar, e a outra, Robyn, ela está supercontente com a ideia de ter uma sobrinha na vida.

Tommy concordou, aprovando, demonstrando em silêncio sua opinião não expressa sobre toda essa história.

— E, de repente, tenho todas essas pessoas em volta, pessoas boas. É como se...

Ele queria abrir um largo sorriso e dizer: *É maravilhoso! Conheci esse novo mundo, e faço parte dele, e é como uma tribo, e eu tenho irmãs lindas e esse tio francês bacana, e é como se eu tivesse me associado a um clube exclusivo e fosse membro VIP!* Mas ele não disse nada disso. Porque seu pai acabara de morrer, e não era apropriado se sentir feliz. Mas estava feliz. Mais feliz do que jamais se sentira.

Tinha sentido isso aquela manhã, logo depois daquele chocante último suspiro de seu pai. Todos tinham ficado em volta dele como sentinelas, e o irmão de Daniel tinha gemido e gritado alguma coisa em francês, e a namorada tinha se alvoroçado como um passarinho perdido. Mas ele e suas irmãs simplesmente tinham ficado parados, olhando.

"É isso?", ele tinha cochichado com Lydia.

Ela assentira, sobriamente, apertando o braço dele. Robyn tinha olhado em volta, nervosa. "Ah, meu Deus", dissera baixinho. Então, ela também tinha começado a chorar. Não se lembrava agora de quanto tempo tinham ficado assim. Maggie passando a mão no cabelo de Daniel. O irmão dele fechara-lhe os olhos. Então, tinham saído do quarto, ido lá fora e ficado juntos perto de um laguinho de peixes dourados e, sem dizer nada, os três irmãos tinham se abraçado. Foi ali que Dean sentira essa maravilha de realidade deles. Naquele abraço havia palavras mudas de compromisso e confiança. Naquele abraço estava o futuro.

O sol estava a pino, atrás de um fino véu de nuvens, e Dean enlaçou os dedos na barriga, pela primeira vez na vida, refletindo sobre o universo. Pensou em sua infinita densidade negra e depois pensou nesse pontinho de terra iluminada, sobre a qual se remexia essa esmagadora multidão de gente, bilhões de pessoas, bilhões de vidas. Por muito tempo, ele só se considerara mais um pontinho de poeira. Agora, porém, era como se uma mão gigante com uma lente de aumento gigante tivesse dado uma guinada na direção dele, mostrando quem ele realmente era.

Esperou até o telefone de Tommy tocar de novo, e aí pegou seu celular. Procurou entre seus contatos até encontrar o nome Kate, e então, sem parar para pensar, escreveu a ela uma mensagem.

Oi! Aqui é o Namorada Morta. Só pra lhe dizer que conheci todo mundo, irmãs, pai, tudo, e foi tudo legal. Vc está bem, espero. Diga se quer me encontrar. Pensando em estudar e tal. Quem sabe vc me ajuda?

Não parou ao terminar de teclar, apenas apertou "enviar" com um sorriso confiante. Estava pronto agora. Pronto para tudo: amor, paternidade, família, aprendizado, até rejeição.

Tommy terminou sua ligação e olhou curioso para Dean.

— O que está aprontando? — perguntou.

Dean sorriu.

— Nada, cara, só levando as coisas adiante.

Um instante depois, o telefone zuniu. Era uma mensagem de Kate.

Que notícia boa! Adoraria vê-lo logo. Que tal sexta?

Sexta está ótimo. Escrevo mais tarde. Vejo você então.

Dean sorriu e desligou o telefone.

Robyn

Robyn enfiou a chave na fechadura da porta da frente e inspirou. Parecia que tinha se ausentado por pelo menos uma semana, e sentia que era um ser humano completamente diferente que estava de volta. Tinha o coração pleno de amor por todo mundo, em especial um amor imenso por Jack. Abriu a porta, deixou a bolsa cair no chão e correu até o escritório. Ao som da sua chegada, Jack deixou o computador, e eles se jogaram um no outro, afundando o rosto nos seus cabelos.

— Senti tanto sua falta — disse Robyn.

— Não tanto quanto eu — devolveu Jack.

— Muito mais do que você, garanto — ela riu. — *Muito mais*.

Jack preparou um chá, e ela se sentou no colo dele, tomando chá e contando tudo sobre sua linda irmã e o seu doce irmão, e o estranho entorpecimento de ver o pai falecer enquanto estavam no mesmo quarto com o irmão gêmeo dele. Contou como tinha se divertido com Lydia e Dean no apartamento do pai, bebendo vinho, ficando chapados e indo dormir tão tarde que só tiveram três horas de sono. Então, contou-lhe da conversa que teve com Lydia.

— Sabe — começou, com cuidado —, conversei com Lydia sobre uma coisa a noite passada. Estava falando sobre nós. Sobre a época em que nos separamos. Lembra, quando eu fiquei toda esquisita com você?

Jack olhou para ela, interessado.

— Como poderia esquecer?

— Houve uma razão para que eu ficasse esquisita com você, para ficar sem vê-lo todo aquele tempo, e não achei que fosse lhe contar nada disso. Mas Lydia disse que eu deveria. Ela disse que você compreenderia. Porque me ama...

A expressão de Jack passou a ser de preocupação.

— Continue — disse ele, cuidadoso.

— Bom, houve um período, logo depois que nos conhecemos, que eu pensei... — Ela inspirou fundo. — Eu pensei que você fosse meu irmão.

— O quê! — Jack começou a rir.

— Não é engraçado! É verdade. Pensei que fosse meu irmão. Na verdade, estava totalmente convencida de que você era meu irmão.

— Minha Nossa! Por quê? — Ele ainda estava rindo.

— Não sei. Porque você se parece tanto comigo. Porque você não conhece o seu pai. Porque eu não conhecia o meu pai. Porque sua mãe ficou toda esquisita comigo quando fomos visitá-la naquela noite, quando falamos sobre eu ser filha de um doador. E principalmente porque o Registro me enviou uma carta dizendo que eu tinha um irmão nascido no mesmo ano que você.

— Não diga! Verdade?

— É, verdade. Então, pode entender por que eu tive minhas suspeitas. E eu pirei.

— Mas por que não me contou?

— Não conseguia — disse ela —, simplesmente não conseguia. Não conseguia pensar em ser a pessoa a lhe contar que seu pai era um doador. Não conseguia lidar com o fato de nós dois sabermos que tínhamos sido incestuosos. Não conseguia lidar com nada até saber com certeza que estava enganada. E, assim que soube que estava enganada, voltei correndo pra você.

Jack ficou em silêncio um instante.

— Então, quando ficou sabendo que eu não era seu irmão? — Ele reprimiu uma risada no final da frase.

— Sua mãe.

— Minha mãe?

— Sim. Perguntei a ela. Ela me disse. E, claro, se ela tivesse concebido você com um doador, ela não mentiria sobre isso, mentiria? Ela *tinha* que estar falando a verdade, não?

— A menos que intimamente ela *quisesse* netos de duas cabeças? — disse Jack, com um sorriso matreiro.

— Bom, não tinha considerado essa possibilidade. — Robyn riu, sentindo o coração mais leve de alívio.

— Minha mãe é uma mulher esquisita. Nunca se sabe.

Robyn sorriu, recostando-se no peito de Jack. Sentiu o último vestígio de constrangimento deixar seu corpo e respirou feliz.

— Meu irmão verdadeiro chamava-se Thomas — contou ela, um instante depois. — Ele morreu quando era bebê. Mas, se não tivesse morrido, teria exatamente a sua idade. E talvez vocês pudessem ser amigos...

Jack assentiu, tristonho.

— Eu teria gostado disso — disse, respirando no topo da cabeça dela.

— Sim, eu também.

Duas horas depois, Robyn e Jack chacoalhavam lado a lado num trem. O vagão estava bem vazio. Às quatro da tarde, pouca gente ia de Londres a Buckhurst Hill. Jack segurava a mão de Robyn. Não conversavam. Algo tão sólido quanto palavras Robyn não encontraria em sua cabeça repleta de estranhezas e maravilhas.

Os seus pais estavam oferecendo um churrasco. "Só umas carnes e uma salada de batata", tinha dito sua mãe, desculpando-se, quando Robyn ligara naquela manhã para lhes dizer que queria vê-los. "Tudo bem, querida?"

Robyn tinha tomado uma decisão no caminho de volta a Londres, sozinha no trem. Pensou na aparência daquele homem quando ele deu o último suspiro. Não conseguia tirar isso da cabeça. Tinha sido muito chocante. Nunca tinha visto ninguém morrer antes. Tinha mexido com cadáveres nas aulas de anatomia, mas nunca tinha visto a vida deixando alguém. A maneira como o rosto dele se afrouxara, e o silêncio repentino depois de uma hora de um agitado pesadelo com a morte, ficava se repetindo em sua cabeça, sem parar. Essa experiência tinha sido esmagadora. Agora, mal conseguia se lembrar do que tinha acontecido, o que tinham falado enquanto esperavam que ele morresse, o que tinham feito. Tinha deixado a casa de repouso antes dos outros dois, desesperada para encontrar Jack e alguma semelhança com a normalidade.

Não devia ter ido à casa de repouso. Não era madura o suficiente para ver um homem morrer. E não estava, agora tinha alguma clareza, mentalmente preparada para passar os próximos cinco anos da vida estudando medicina.

***

Sua mãe estava usando uma blusa de alcinha e uma saia de algodão florido quando abriu a porta para eles, cerca de 40 minutos depois. Os cabelos recém-penteados caíam em seu rosto um tanto flácido como cortinas marrons onduladas. Também tinha se perfumado e colocado um colar bonito, esforçando-se obviamente em consideração ao bonito namorado da filha.

— Entrem, entrem, é tão bom... humm... — ela beijou efusivamente os dois — ... ver vocês dois.

O pai de Robyn estava no jardim, furando com cuidado uma pilha de suculentos pedaços de carne com um grande garfo de metal. Tinha uma xícara de chá na outra mão, e estava de chapéu e bermuda. Robyn sentiu o coração apertar-se ao vê-lo. Ele era tão grande, meigo, forte e sólido. Pensou nele em comparação ao homem encarquilhado na cama da casa de repouso. Quando sua alma o deixou, aquele homem se reduzira a um recipiente, e também há dezenove anos, quando doou seu esperma a uma estranha. Ele era apenas isso. Nada mais do que uma garrafa vazia. Tinha sentido pena dele, claro, parecia uma pessoa simpática. Tinha gostado do irmão dele, tinha ficado surpresa com a semelhança que tinham um com o outro, mas, além disso, não havia sentido mais nada.

— Oi, pai — disse, jogando-se nos braços sólidos dele e esperando pela maravilhosa e familiar sensação de seu abraço. — Amo você — disse, junto da camisa dele.

— Amo você também, pequena — respondeu ele, beijando-a no alto da cabeça. — Como está?

— Estou bem — respondeu, sentando-se numa cadeira de madeira no pátio.

— Prazer em revê-lo, Jack — disse o pai, estendendo a mão forte para ele. Jack sentou-se junto de Robyn, e então sua mãe trouxe uma garrafa gelada de vinho rosê e quatro taças.

— Então — nervosa, ela passou a garrafa para o marido abrir —, como foi tudo?

— Foi horrível — confessou Robyn. — Completamente horrível. Nunca mais quero ver ninguém morrer, nunca mais. Foi a coisa mais chocante que já vi.

A mãe franziu os lábios, compreensivamente, e não disse nada.

Robyn suspirou. Claro, pensou, a minha mãe viu as duas filhas mais velhas morrerem. Ela entende.

— Desculpe, não quis ser insensível. É que...

— Eu sei — disse a mãe. — Eu sei. Mas conte do resto. Sobre seu irmão e sua irmã. Como foi? Como eles são?

Robyn lhes contou tudo; sobre a incrível primeira vez em que os viu, sobre a viagem de trem, como todos eles falavam ao mesmo tempo na pressa de saber um do outro e partilhar suas histórias. Contou do outro irmão, Thomas, que não chegou ao primeiro ano de vida. Contou a seus pais sobre o bonito gêmeo e a simpática namorada de lindos cabelos loiros e como eles tinham lhe contado que Daniel nunca terminara a faculdade de medicina, que nunca tinha sido médico, que tinha levado a vida misteriosa e solitariamente, nunca tivera filhos ou se casara. Contou-lhes como ela e seus irmãos tinham se aproximado num abraço espontâneo junto do laguinho de peixes depois da morte de Daniel, e como isso tinha sido bom, e que já tinham combinado se encontrar na semana seguinte para um churrasco na casa de Lydia. Contou-lhes que seu irmão Dean tinha uma menininha chamada Isadora, que ele ia levá-la com ele, e que Lydia tinha uma casa imensa no norte de Londres, e que tinha inventado um tipo especial de tinta e era milionária, mas não agia como tal, era muito pé no chão, com seu adorável sotaque galês. Contou-lhes da estranha viagem de volta, sozinha num vagão quase vazio, ruminando os acontecimentos extraordinários do dia e pensando em planos para o futuro. Depois, contou-lhes algo mais. Algo esquisito. Mal acreditava que iria falar disso.

— Tomei uma decisão hoje — disse, agarrando o joelho de Jack um tanto forte demais. — Uma decisão bem importante. Não quero mais ser médica. Vou sair da faculdade. — Ela fez uma pausa. — A questão é que jamais me dei uma oportunidade de considerar mais nada, achava que isso estava predeterminado, que estava no meu sangue. Talvez esteja no meu sangue, mas os outros dois, Lydia e Dean, fizeram as próprias coisas. Não tomaram decisões baseadas em nosso doador e em quem ele era. Então, vou me encontrar com meu orientador amanhã, dizer a ele que vou sair, e aí... — Fez uma pausa, porque isso era mais difícil de dizer. — Hoje cedo, quando estava vindo para casa, vi um anúncio na vitrine de uma cafeteria. Pedindo garçonete. E eu tive essa sensação esquisita, irresistível, de que isso era um sinal. É uma cafeteria muito bonita, com mesas na calçada, administrada por uma mulher muito simpática. Então, eu entrei e perguntei do anúncio, e ela me ofereceu o emprego! São só seis libras por hora, mas tem as gorjetas, e, melhor ainda, fecha as sete horas, então não preciso trabalhar à noite, e funciona como ponto de encontro dos arredores, então, vou conhecer todo mundo. Vou realmente participar do lugar onde moro. E talvez enquanto estiver fazendo isso, quando tiver mais clareza e não sentir mais pressão, eu então descubra o que realmente quero fazer. Talvez, sei lá — *isso venha até mim.*

Ela parou e olhou para os pais.

— O que vocês acham? Ficaram muito decepcionados comigo?

Houve um silêncio, e depois os dois sorriram, e o pai dela riu.

— Ah, claro — disse ele, com os braços cruzados na barriga gorda —, ah, claro, ficamos terrivelmente decepcionados com você. Sempre. Afinal — ele se voltou para a esposa —, a gente só queria um filho que fosse médico, não é querida? Menos do que isso, francamente, não tem sentido...

Os pais dela riram, e Robyn também. Ela se levantou, enfiou-se entre as cadeiras deles e os abraçou e beijou.

— Como ficar decepcionados com você? — perguntou a mãe, passando a mão no cabelo de Robyn. — Você é a nossa vida. É tudo. Não nos preocupamos com o que faz desde que esteja feliz.

E Robyn descansou o rosto no ombro da mãe, e pensou em seus doces e amáveis pais, no namorado gentil e bonito, na melhor amiga maluca, e também em seu irmão juvenil e em sua irmã quieta e elegante, e pensou, sim, ela era definitivamente, com certeza, completa e inteiramente feliz. E sorriu.

Maggie

Maggie se jogou no sofá de Daniel, deixando que seu corpo fizesse uma marca forte e inegável no estofado. Daniel se fora e não voltaria. Achava desnecessário não deixar vestígios seus na casa dele. Marc estava no andar de cima, vestindo-se, e ela o esperava para levá-lo de volta à casa de repouso, onde o corpo de Daniel estava sendo preparado para o enterro.

Quando chegou em casa na noite anterior, não tinha conseguido se desligar e voltar ao estado de normalidade necessário para dormir. Então, tinha pegado as sacolas, as que tinha enchido na casa de Daniel algumas semanas antes, e começou a folhear os cadernos. Ela os tinha trazido hoje. Queria mostrá-los a Marc, pois estavam escritos em francês, e ela achava que pareciam significativos, pelo pouco que pudera traduzir.

Marc desceu em seguida e sorriu.

— Estou pronto, vamos?

Ela também sorriu. Ele estava usando uma camisa branca e calças bege, e parecia fresco e arrumado. Mas, pelos olhos, ela percebeu que ele devia ter chorado.

— Tenho umas coisas aqui para você ver. — Entregou-lhe a pilha de cadernos. — Acho que são diários do seu irmão... talvez possa dar uma olhada neles, se achar apropriado. Talvez possa me contar do que tratam.

Ela preparou duas canecas de café e as levou ao terraço uns minutos depois, onde Marc estava sentado sob o guarda-sol vermelho, folheando os cadernos. Ele não ergueu os olhos à chegada de Maggie, e pegou a caneca de café sem a ajuda deles. Maggie se sentou, cautelosa, numa cadeira junto da dele e ficou olhando a distância. Esperou até que Marc quisesse falar, e lhe sorriu.

— Então — disse —, alguma coisa interessante?

— Bem — começou Marc, fechando o caderno e olhando para ela, —, esses são seus diários. Eles são muito, como se diz, *esporádicos*?

Ela assentiu.

— Mas parece que agora podemos resolver o mistério sobre como meu irmão viveu essa vida — ele fez um gesto na direção do confortável apartamento — sem um emprego. Parece que teve um benfeitor. Uma senhora chamada... — ele folheou de novo uma página específica — ... Bettina. Parece que tiveram um longo caso, e, quando ela morreu, deixou a ele este apartamento e todo o seu dinheiro. Parece também, minha cara Maggie, que meu irmão estava muito apaixonado por você.

Maggie empalideceu.

— Ele diz aqui: "Finalmente encontrei uma mulher com quem poderia envelhecer, uma mulher bonita, uma mulher sofisticada, uma mulher de classe e estilo, e de coração bom e generoso, mas é tarde demais, tarde demais. Maggie, eu amo você. Espero poder lhe dizer isso um dia, mas, como me conheço, eu não direi".

Maggie engoliu em seco e desviou-se de Marc para que ele não lesse sua fisionomia. Sentiu a pressão de lágrimas nas pálpebras, machucando e irritando. Sentiu o estômago enjoar de alegria diante do fato do amor dele por ela, mas de novo de tristeza, ao pensar no que perdera. Esperou um pouco até expelir as lágrimas, depois se virou para Marc, sorrindo.

— Bem — disse —, não é ótimo? Ah, e essa senhora rica, que engraçado! Imagine! Só Daniel poderia encantar uma senhora a ponto de ela lhe deixar todos os bens. — Ela riu, um riso nervoso. Sentiu-se desconfortável com essa revelação das misteriosas camadas que o envolviam. Talvez, pensou consigo mesma, talvez preferisse que ele ficasse assim: uma lembrança triste e perfeita. Talvez devesse deixar esses diários com o irmão dele, para que explorasse sua vida íntima. Ela não queria saber. Não, realmente não queria saber. Não agora, quando era tarde demais para fazer qualquer coisa com esse conhecimento.

— É melhor irmos. Vamos dizer adeus ao seu irmão. — Ela estendeu a mão para Marc, e ele a pegou, com timidez.

— Sim, Maggie, vamos dizer adeus.

Lydia

A casa vazia de Lydia ecoou com o som de sua chegada. Juliette não trabalhava aos sábados, e Bendiks estava fora. Queenie desceu correndo as escadas ao som de sua chegada, e imediatamente começou a acariciá-la, esfregando-se freneticamente em suas pernas e sorrindo de prazer. Lydia ergueu a gata e carregou-a pela casa, verificando os cômodos, verificando mudanças, perturbações, e, sobretudo, vestígios de Bendiks. Mas tudo estava como já tinha visto. Limpo. Imaculado. Estéril.

Lydia continuou seu avanço pela casa e depois foi direto para o escritório. Era começo de tarde, e não havia nada mais que pudesse fazer a não ser trabalhar. Na semana seguinte, tinha uma reunião com um cliente. Nesses últimos dias, havia negligenciado o trabalho. Agora que tudo fora amarrado, os irmãos, encontrados; o pai, morrido; sua história, explicada; e sua vida, adquirido sentido, era hora de voltar à vida real. Tirou um arquivo da estante e o abriu na escrivaninha. Depois, ligou o laptop, e deu uma olhada nos e-mails. Em seguida, suspirou, ergueu os olhos para o teto e tentou se lembrar do que exatamente deveria fazer. Tudo parecia tão desconectado da pessoa que tinha sido nos últimos dias, tão distante da mulher que tinha fumado maconha com o irmão menor e com a irmã num terraço em Bury, que tinha dormido no chão como uma adolescente num saco de dormir, que tinha transado na sauna e que tinha bebido vinho com um tio no País de Gales.

Durante anos, ela tinha vivido e respirado trabalho. Durante anos, sua cabeça tinha sido uma coisa clara e organizada, espaçosa e com planos abertos como um apartamento minimalista. Agora ela parecia um sótão bagunçado, entulhado de caixas intrigantes e tesouros esquisitos. Sua cabeça estava agora distraída demais para que pudesse se voltar, ainda que parte dela, para assuntos de trabalho. Depois de ficar meia hora na escrivaninha, ela se levantou de novo e resolveu caminhar. Deu uma olhada pela janela e viu um lugar que vinha evitando havia meses. Escutou os sons que lhe davam calafrios: os guinchos agudos e gritos de criancinhas no playground. Ela nunca tinha pensado direito sobre sua aversão a playgrounds, supondo que isso estivesse relacionado à sua ambivalência em relação a crianças em geral. Porém, agora sabia exatamente por que ela os evitava, e também sabia que era hora de encarar esse medo e superá-lo.

Ela estava descendo a escada quando ouviu a chave na fechadura da porta da frente e viu a silhueta de Bendiks através do vidro opaco. Prendeu o fôlego para acalmar os nervos, e colocou um sorriso no rosto. Bendiks olhou para ela surpreso ao entrar.

— Você está de volta! — disse ele. — Por onde andou?

Como sempre, ela foi surpreendida pela beleza dele, e sentiu uma vaga palpitação íntima que lhe dizia que a atração dela por ele não tinha diminuído nem um pouquinho à luz das suas transgressões.

— Vendo o meu pai — disse ela, baixinho.

Bendiks pareceu confuso.

— Mas eu pensei que seu pai...?

Lydia se sentou num degrau e suspirou.

— Não. Não esse. O meu pai verdadeiro. O doador.

— Uau. — Bendiks parou, passando a mão no maxilar. — Isso é muito importante. Como foi? Você está bem?

Ela sorriu e lhe contou da casa de repouso e de ver o pai morrer, pela segunda vez na vida. Bendiks se sentou no degrau abaixo dela, olhando para ela com simpatia e compaixão.

— Você é uma pessoa tão forte, Lydia — disse ele, com sinceridade. — Mesmo. Você é extraordinária. Tem alguma coisa que eu possa fazer? Gostaria de conversar mais? Estou livre esta noite, talvez a gente pudesse jantar.

Lydia puxou o cabelo para trás da orelha e concordou.

— Seria ótimo — respondeu ela. — Se tem certeza...

— Claro que tenho! Gosto de você, Lydia. E quero lhe dar apoio... — Ele parou e então baixou os olhos, constrangido.

Lá vem, pensou Lydia, *lá vem alguma coisa ruim*.

— Escute, Lydia — começou ele —, eu preciso lhe contar uma coisa. Eu vou me mudar...

Lydia se voltou, completamente surpresa, para ele.

— Ah...

— Não é nada pessoal, garanto. É... — Ele fez uma pausa e olhou para baixo, enquanto escolhia as palavras. — Sou eu. Sou um fraco. Comecei a gastar de novo, Lydia. Comecei a fazer uma nova dívida.

— Ah, Bendiks... — Lydia amoleceu de alívio.

— Sim, eu sei. Eu tinha ainda um cartão, que não foi cortado. E enquanto eu morar aqui, nesta casa linda, posso fingir que está tudo bem. Posso fingir que a minha vida é boa, que sou um homem bem-sucedido. Mas a minha vida não é boa. A minha vida é idiota. Eu sou idiota. Então, hoje eu cancelei esse cartão. E coloquei todas as minhas coisas no eBay; as minhas roupas, meus sapatos, meus *brinquedos*. Todas as coisas que eu achava que precisava. Que considerava importantes.

— Olhe aqui... — Ele pegou uma sacola junto de seus pés e mostrou a ela. — Comprei um celular pré-pago. Como um adolescente! E também encontrei um quarto, num lugar medonho, não consigo nem me lembrar do nome do lugar, alguma coisa Park. Fica na zona 3, Lydia! Mas é barato e toda manhã quando eu acordar lá vai ser um lembrete para mim de que eu tenho que trabalhar duro, e ser justo e honesto e viver de acordo com os meios que tenho, se eu quiser ser o tipo de homem que poderia viver numa casa como esta por mérito próprio. Entende? Então, não é nada pessoal. Adorei morar aqui com você. Foi uma honra. Mas preciso fazer isso se quiser levar uma vida boa.

— Ah, e também... — Ele enfiou a mão no bolso do paletó e tirou a carteira. — Aqui, cento e cinquenta libras. Seus, lembra? — Ele segurou o dinheiro, e ela ficou olhando, muda. — Pegue, por favor.

— Não, Bendiks, francamente. Não quero o seu dinheiro.

— Não é meu dinheiro, é *seu* dinheiro. Que eu peguei de má-fé, sabendo que não tinha condições de lhe pagar. Mas este é o dinheiro que obtive com o meu celular. E quero que fique com ele. Para que eu possa dormir em paz esta noite...

Lydia continuou olhando para o dinheiro. Ela não precisava dele. Não queria. Mas, em consideração a Bendiks, sabia que deveria pegá-lo.

— Obrigada — disse, segurando as notas na mão. — Você não precisava. Mas obrigada.

— Não, Lydia. Obrigado a *você*. Obrigado por ser tão gentil comigo. E obrigado por, bom, você sabe... — Ele sorriu, timidamente. — Eu espero, sabe, que a gente ainda se veja. Se você quiser... Porque eu gostaria. Gostaria muito.

Lydia olhou para ele e pensou, *sim*. Sim, eu gostaria de vê-lo de novo. Eu gostaria de transar com você de novo. E, mesmo que eu saiba que eu e você jamais teremos algo sério, que não nos casaremos nem viveremos felizes para sempre, eu espero que sempre possamos ser amigos, não importa o que aconteça.

— Legal — disse ela, esfregando os cotovelos. — Eu posso ligar para você no seu pré-pago.

— Sim! — Bendiks sorriu exultante e, depois, riu muito. — Vou lhe dar o número! — Lydia sorriu. E sentiu todos os pedacinhos de sua vida, que andavam flutuando num estado de indecisão, se encaixarem. *Pronto,* pensou ela, *pronto. Agora tudo está como deve ser. Agora posso seguir adiante.* Então, se lembrou de que havia ainda um fragmento de sua vida com o qual precisava lidar.

O playground estava lotado. Eram quatro horas da tarde, as escolas e os berçários tinham acabado de se esvaziar, e o sol estava alto no céu de um azul pálido. Ela se sentou de propósito num banco diante do parquinho, olhando apavorada através das grades. *Olhe para todos eles*, disse a si mesma, *simplesmente olhe para eles*. De onde vieram? O que virão a ser? Foram concebidos com amor, por obrigação, com paixão, numa embriaguez confusa? Eles conhecem seus pais? Eles conhecem as mães? Têm irmãos e irmãs? Talvez meios-irmãos, meias-irmãs, primos, tios, tias. Cada criança representava uma fascinante história de encontros, sentimentos, momentos e consequências, e cada criança seguiria adiante e faria a própria história também.

Lydia nunca antes tinha percebido como tudo isso se encaixava em uma vasta rede, como cada indivíduo afetava tudo mais em volta. Sempre tinha sido apenas ela. Apenas Lydia. Nada a ver com nada nem com ninguém, destinada a não ter nenhuma história própria. E por isso nunca tinha perguntado a Juliette sobre a vida dela, porque essa simples questão teria gerado um mar em potencial de outras pessoas em quem pensar. Por isso, tinha arrumado um gato mesmo tendo sempre preferido cachorro. Um gato não esperava amizade. E por isso tinha sentido tanta aversão ao bebê de Dixie. Dixie tinha extrapolado, produzindo novas pessoas, novas histórias e novas ligações. Procriando. A coisa mais natural do mundo. Para Lydia, no entanto, havia muito tempo um conceito apavorante.

Porém, agora conseguia perceber onde se encaixava nessa coisa toda. Tinha relações e uma história. Uma história surpreendente. Uma história diferente de todo mundo. Tinha um irmão e uma irmã e uma novíssima sobrinha de cabelos negros. Tinha outro irmão, enterrado pequeno e protegido num cantinho quieto de seu país natal. Tinha uma empregada que talvez fosse superprotetora e desconfiada, mas com quem ela partilhava respeito e afeto mútuos. Tinha um tio bondoso do lado de seu pai galês, e um tio bondoso do lado de seu pai francês. E agora tinha um homem que a queria, que a achava desejável e interessante. Não tinha mãe nem pai, mas tinha muito mais do que muita gente tem.

Tirou o cardigã e deixou que o sol esquentasse seus braços. Através das barras do playground, olhou para as crianças, inocentes e inconscientes de suas próprias histórias, desenrolando-as devagar, levando-as dia a dia a uma conclusão desconhecida.

Pensou depois em uma garotinha, que estava crescendo e crescendo num chalé num vilarejo em algum lugar do coração do País de Gales.

Pensou em Viola Dixon-Parry, a filha de sua melhor amiga, um bebê que ela nunca tinha segurado nos braços.

Tirou o telefone da bolsa e digitou o número de Dixie.